講談社文庫

戦の国

冲方 丁

JN018185

講談社

目次

覇舞謡《はぶよう》 7
五宝の矛《ほこ》 53
純白《しろ》き鬼札 129
燃ゆる病葉《わくらば》 211
真紅《しんく》の米 251
黄金児《おうごんじ》 313
解説　大矢博子 394

戦の国

覇《は》舞《ぶ》謡《よう》

一

舞っていた。

「敵、来襲せり！」

夜明け前の早馬《はやうま》がもたらした報《しら》せに飛び起き、まず真っ先に手にしたのが、扇子《せんす》であった。

それから寝所《しんじょ》を出て、清洲《きよす》城の広間に行って灯《あか》りをともさせ、鼓《つづみ》を打つよう命じた。面はつけない。謡《うたい》をさせる小姓《こしょう》もいたが、ほとんど己の声で謡をするのが常だ。

織田《おだ》〝上総介《かずさのすけ》〟信長《のぶなが》、二十七歳。

ときに永禄《えいろく》三年（一五六〇）五月十九日。まだ多くの者が深閑《しんかん》と眠りにつく、丑寅《うしとら》の刻《こく》（午前三時）である。

ほのかな灯りの中、涼気を肌に感じるにもかかわらず、額に汗を浮かべながら、幸《こう》若舞《わかまい》の演目の一つ、「敦盛《あつもり》」を舞った。

思へばこの世は常の住み家にあらず

草葉に置く白露《しらつゆ》、水に宿る月より、なほあやし

詞《ことば》は暗誦《あんしょう》していた。気に入った節を何度も繰り返すことが多く、誰かに次の詞を教えてもらいながら舞うことはなかった。

主演は、敦盛自身ではない。一ノ谷《いちのたに》の合戦で、その首を取った熊谷直実《くまがいなおざね》である。源家の直実は、平家の敦盛を一騎打ちで組み伏せたものの、相手が元服《げんぷく》間もない若者と知り、ついつい自分の息子の面影を重ね、すぐさま首を刎《は》ねることができなかった。

だがその様子を味方に怪しまれ、直実はやむなく敦盛を討った。そして源氏が勝利してのち、直実は、若者の命を奪ったことを悩み続け、やがては戦《いくさ》そのものを嫌忌《けんき》し、出家して世をはかなむようになってしまったという。

そうした直実の、世の無常をはかなむ謡である。

だが舞う方は、そんな倦《う》みや疲れと無縁だった。むしろ直実とは真逆の心境にあった。

重臣を切腹せしめ、主家筋を打倒し、兄弟親族を殺戮《さつりく》する、という凄惨《せいさん》な下克上《げこくじょう》を果たしたばかりである。ようやく尾張《おわり》の国を手中に収め、信頼できる家臣に城と土地

を預けうるようになった、このとき。

今川《いまがわ》〝治部大輔《じぶのたいふ》〟義元《よしもと》が、数万の大軍を率い、信長の領国尾張に攻め寄せてきていた。

才気溢《あふ》れる駿河《するが》国守護にして、「海道一の弓取り」と謳《うた》われる人物である。「海道」とは、いわゆる東海道のことではない。古代律令により定められた五畿七道《ごきしちどう》の地方区分のうち、中部地方から関東の太平洋側一帯、すなわち伊賀《いが》や伊勢《いせ》から常陸《ひたち》にかけての、東海道地方全部を指す。

尾張はその一国に過ぎず、信長は無名に等しい。

対し、義元は地方全域に名を馳《は》せ、駿河、遠江《とおとうみ》、三河《みかわ》の三ヵ国に版図を広げたばかりか、甲斐《かい》の武田《たけだ》家、相模《さがみ》の後北条《ごほうじょう》家と同盟を組み、後顧《こうこ》の憂いなく、尾張への侵攻を企てた。

国力、兵力、調略の威勢、家臣団の武功——何もかもが信長とは桁違いの、比類なき巨獣のごとき存在である。とても尾張一国が太刀打《たちう》ちしうる相手ではない。

敵も味方も、誰もがそう思っている。そのことを、信長は知っていた。自分が知っていることを、今川義元が知っているであろうことも、知っていた。

おかしなことに、面識がない相手であるにもかかわらず、自分はこの義元という男と、深く理解し合えるはずだ――いや、今まさに理解し合っているのだ――という確信がたびたび湧くのを覚えた。ひとたび親しく語らう機会があれば、すぐにそれが本当だとわかるはずだ。きっと相手もそう思っているに違いない。なぜか根拠もなく、そう思えるのである。

どうやらそれは敬意というもののなせる心の働きらしい。稀代《きたい》の為政者《いせいしゃ》であり戦上手たる今川義元を、この自分は、どうにも敬《けい》してやまないようだった。それゆえにこそ、

――勝つ。

苛烈《かれつ》きわまる一念が、胸の内でごうごうと音を立てて燃え、熱気となって身から奔出しているのであろう。そんな風に思った。そしてその一念を、舞いが、より純然たるものに変えてくれていた。

金谷《きんこく》に花を詠《えい》じ、栄花《えいが》は先立ちて無常の風に誘はるる
南楼《なんろう》の月を弄《もてあそ》ぶ輩《ともがら》も、月に先立ちて有為《うい》の雲にかくれり

心穏やかならざる局面において、たいてい、敦盛のこの節がよく効いた。

戦国大名であれば誰でも、己を律する特殊なすべを持っているものだ。それは、清々《すがすが》しい神気《しんき》と、烈々たる鬼気とを、身の内に同居させるための行いである。民に繁栄と安寧を約束する心と、敵を滅ぼし何もかも奪い尽くす心とが、等しく釣り合わねば覇者にはなれない。信長は誰に教えられるともなく、その心境を若くして悟っていた。だから、長子でもなく主家筋でもない自分が、一領国を手中にできたのだということを、嫌というほど理解していた。

覇とは、野ざらしの白骨をいう。覇者はそれを生み出す者である。覇を唱《とな》えるとは、屍《しかばね》でできた道を踏み進むことに等しく、尋常の精神でできることではない。大半の者が怖《お》じ気《け》づく。罪悪の念に苛《さいな》まれ、一歩も動けなくなる。あるいはそうした感情に支配されることを恐れるあまり、過剰に驕《おご》りたかぶって周囲が見えなくなってしまう。

いずれの心境に陥《おちい》っても、負ける。負けて殺され、財も糧も、命も国も、ただ奪われる。そうならないためには、神を頼るだけでなく、自ら神がからねばならない。過去の英霊に並ぶ存在として、神がかった者として、みなの前で振る舞う。それが、武将の信心である。

人間《じんかん》、五十年、化天《げてん》のうちを比《くら》ぶれば、夢幻《ゆめまぼろし》の如くなり
ひとたび生《しょう》を享《う》け、滅せぬもののあるべきか

本来ならば、「これを菩提《ぼだい》の種と思ひ定めざらんは、口惜《くちお》しかりき次第ぞ」と続くが、信長はそこで謡をやめた。

このくだりまでが、己の全てと割り切っていた。この「人間」とは、人の世を意味する。化天あるいは化楽天《けらくてん》は、天上の世界にあっていまだ欲にとらわれた六つの天界の一つである。そこでの一昼夜は人の世の八百年に等しく、住人の定命は八千歳に及ぶ。その下位の、いわゆる下天においては、一昼夜は人の世の五十年、定命は五百歳という。

人の定命など、下天の一昼夜に過ぎない。そこでは滅びずにいられるものなどないのである。なんとはかないことであろうか。そう直実は謡うのである。

――ならば、今日という日を、今というこのときを、激烈に生き抜くほかなかろうが。

それが信長の心根であった。苛烈な刹那《せつな》主義であり、もともとの直実の心境からは見事に逆転している。

ひとたび生を享け、滅せぬもののあるべきか。

──ならば、いかな強大な敵といえども、工夫次第で殺せるはずであろうが。

その思考が信長を駆り立ててきたといっていい。菩提など知ったことではなかった。敵も味方もいつか滅ぶ。ならば己が滅ぶ前に、一日でも早く、相手を滅ぼしてくれる。

やがて自らを六欲天の魔王と称することになる男にとって、長らくそうした考え方こそが、ただ一つの常識であった。

信長は舞いをやめた。たちまち、数人しかいない清洲城の広間が、緊迫した。

家中の将は、深夜に居宅に帰している。益体《やくたい》もない籠城《ろうじょう》論と、無鉄砲な主戦論とで紛糾する者達を、一人残らず決戦の場に立たせるため、あえてそうしたのである。

今いる小姓も側近も信長のそばに仕えて長い。なぜ今、信長が舞い、なぜ今、その舞いをやめたか、知り尽くしている。

「ほらを吹けい」

側近の一人がさっと立ち上がり、退室した。

「具足《ぐそく》持てい」

小姓二人が素早く動き、信長の具足と甲冑《かっちゅう》を運んだ。

「湯漬け」

別の小姓があらかじめ用意させていた膳を運ばせ、立ったまま食えるよう、両手で膳を持ち、主人の胸の高さに掲げた。

やがて、出陣を告げる法螺貝《ほらがい》の音が、けたたましく鳴り響いてきた。

信長は具足を着けさせながら、その場に立って湯漬けをかきこんだ。立食の方が腹に溜《た》まる。胃袋に溜められるだけ溜めておく。次にまともに飯を食い、穏やかに眠れるのは、勝った場合だけである。もし負ければ、これが最後の食事となる。そういう思いとともにむさぼり食った。

「兜《かぶと》、よこせい」

食い終わるや否や、自ら兜を着した。それから大股《おおまた》にずんずんと歩き、一歩ずつ己の生命が燃え立つのを感じながら、清洲城を出た。

「いざ、出陣ぞ！」

馬上に身を置いたとき、周囲にいたのはわずか五人の供のみ。迅速に動くなら小勢に限る。軍勢は道々で整えればよい。死地と悟らず、ただいたずらに軍議を紛糾させるばかりの者どもを、無理やりにでも駆り立てるには、大将自ら、夜駆けするしかあるまい。

——勝つ！

その一念をいっそう烈《はげ》しく燃え立たせながら鋭く鞭《むち》を操り出した。馬がたちまち疾駆し、信長の身を比類なき巨獣との対決の場へ運んでいった。

二

夜が明けてゆく中、道々、各所で出陣を告げ、参集を命じた。

馬蹄《ばてい》の音に驚いた鳥が慌《あわ》てて飛び立つように、将兵たる男どもが一斉に跳ね起き、寝所から走り出た。神仏の名を唱えながら井戸水を頭から浴び、ありったけの飯をかき込み、かねてからの戦支度に身を包んで、刀、槍、具足をがちゃがちゃ鳴らしながら道に出る。そのときにはもう信長一行の馬はとっくに走り去り、次の場所へ向かっている。

榎白山神社《えのきはくさん》、那古屋《なごや》（名古屋）城、日置《ひおき》城、法持寺《ほうじじ》——一兵でも多く集めさせるとともに、大将たる己の出馬を誇示し、人々の戦意をとことん高めねばならなかった。敵はすぐそこに迫っており、ただちに迎え撃たねばならない。援軍なき籠城など滅ぶだけである。大多数にそう思わせ、閉じ籠《こ》もって強敵をやり過ごせると考える者達をも戦わざるを得なくさせる。さながら家々に火をつけ、人々を道へ追い出すようだった。

日頃から土地の者達に手入れを命じている軍道《ぐんどう》である。道は軍を動かす上でなくてはならないものだ。駿河のように、数万の兵力を有する先進の国からすれば大した軍道ではなかろうが、それでも信長自ら雑草を刈り、木を切り倒し、石をどかして見本を見せてやって作らせた大切な道だ。荷駄車《にだぐるま》の往来に耐えられるよう綺麗に踏み固められ、要所に駅とかがり火が配され、夜間でも馬を全速で走らせられる。そしてたいてい武将が作らせた道がそうであるように、それは今、決死の修羅場《しゅらば》へと続いている。

――負けんためのことは、全てやってきた。

馬を駆りながら、信長はこの戦いへ至るまでの一つ一つを思い返し、どこかにやり残したことはないか、今からでも打てる手はないかと思案し続けた。

最初にしたのは、学ぶことだった。

駿河の今川の強さの秘密は、独特の法度《はっと》と、大軍統制を可能とする斬新な制度にある。信長は今川の治世と軍備を必死に学ぼうとしてきた。逆に彼らが尾張の織田から学ぶことなど何一つありはしないだろう。信長自身がそう思っていたのだから、周囲の者達の動きなど、はなから知れたものだ。織田勢に属すべき者達が、次々に今川方へ寝返ったのである。

鳴海《なるみ》城を任せた山口左馬助《やまぐちさまのすけ》などは才覚があるゆえに、織田家の内紛を危ういとし、今川勢を引き入れ、自城を開くのみならず、率先して大高《おおだか》城と沓掛《くつかけ》城を調略してしまった。

今ではいずれの城にも今川勢の兵が入り、万全の防備を整えている。

これに対し、信長は裏切り者をただちに攻め滅ぼすのではなく、離間と分断の策で対抗した。

「偽書を発し、讒言《ざんげん》を流せ」

裏切った者達が書いた過去の手紙を集め、右筆《ゆうひつ》に命じて、その筆跡そっくりの偽りの密書を書かせたのである。いわく、『我らが今川方に寝返ったのは尾張のためである。今川方が尾張に攻め込むときは彼らの背後を突き、尾張と我らとで今川義元を挟み撃ちにしてこれを討たん』といった偽書だ。それを、商人に変装させた家臣を使って今川方の手に渡るようにする。もしくは同様の讒言を流して義元の耳に入るようにする。

この離間策を、今川方が真に受けるかどうかは賭けだった。そして信長は賭けに勝った。鳴海城の山口左馬助、および戸部《とべ》城の戸部新左衛門《しんざえもん》、二名の武将が、自ら引き入れた今川方の手で殺された。裏切り者の誅戮《ちゆうりく》を、一兵も消耗せずに果たしてのけた。何よりこれで、今川方は地の利を知る武将を捨てたことになる。

また信長は、寝返りで失った城を取り戻そうという家臣の主張を退け、

「道を断て」

という、分断の策を講じた。

鳴海城から二十町ほど北に丹下《たんげ》という古屋敷があって、これを砦《とりで》とさせた。東に位置する善照寺《ぜんしよう》も同じく要塞《ようさい》とし、南の中島《なかじま》にも砦を築かせた。さらに、鳴海城と大高城の間に、鷲津《わしづ》と丸根《まるね》という二つの砦を作った。こうして、交通と連絡を遮断したのである。

鳴海城も大高城も、潮の満ち引きが城下にも及ぶ。陸路を封じられ、舟を出せば捕らわれ、完全に分断された。互いに呼応することが困難となり、特に鳴海城は完全に孤立した。

「奪うべきは城ではない。道である」

城を手に入れたところで交通を奪われれば死城に過ぎない。武将は城作りにばかり目を向けがちだが、むしろ城から延びる道路の確保と整備こそ、戦の命運を決めるも

のだった。

信長の発想を不審がっていた家臣達も、その効果のほどを知って唸《うな》った。これまた一兵も失わず、被害を最小限に食い止めたのである。

ただ、その家臣達にも、最終的な信長の意図はわからなかった。今川方とて同様であったろう。離間と分断の策は、ただ裏切りに報復し、他の城を守るための善後策ではない。あくまで信長の目的は、ただ一点にある。

――勝つ！

その一念の成就。それしか考えていなかった。全ての策はそのためにあった。

信長が配した、鷲津砦と丸根砦は、大高城からの兵によって早くも攻められている。

しかも大高城の手勢は、海岸の潮の満ち引きを計算に入れ、こちらの馬を潮で足止めし、援軍を出しにくい頃合いをぴたりとはかって攻めている。

地の利を奪われた格好であり、両砦とも、今日という日が終わる前に陥《お》ちるのは明白だった。

あるいは、こちらが決戦の用意を調える前に。

――さすれば窮《きゅう》す。今しばらくもってくれ。神仏よ、鷲津と丸根を守りたまえ。

駆けながら思案し、祈った。信長は決して無信心者ではない。乾坤一擲《けんこんいってき》の賭けに直面してできることは、信心をもって神仏の加護を己に引き寄せ、敵から去らせることだけだ。そのことを知っていたし、その態度が家臣の士気を保ってくれることも知っていた。

やがて日が昇った。明るい青空の下、熱田《あつた》神宮に至ったとき、馬上の者は信長をふくめいまだ六騎のままであったが、雑兵《ぞうひょう》が二百ばかりさっそく従っており、さらに手勢が加わった。熱田および津島《つしま》の兵達である。いずれの地も商業圏であり、尾張一帯と織田家にとっての生命線であった。

ということは、今川勢にとって最も攻略すべき地である。城のように調略して明け渡させればいいというものではない。そこではみな自分達が食うために商いをし、栄えてきた。今川勢の目的は、自分達とその民を食わせることである。神社の宮司も、寺の住職も、町衆の長《おさ》も、彼らに都合の良い人間にすげ換えられるだろうし、商いを丸ごと奪い取られることになる。

彼らが代々築いてきた陸海の販路が奪われる。おびただしい命を費やして切り開いた港も道路も、よそ者に奪われる。それがわかっているから、城持ち武将より町衆の方が必死だった。信長の出馬を心から喜び、率先して兵を提供してくれた。

その熱田で、信長は己の神がかりに人々を巻き込ませる策を講じている。まず手勢を神宮に並ばせ、あらかじめ右筆に用意させておいた願文を奉じさせた。武将の習いとして、戦勝祈願を行ったのである。

このとき、本殿の奥から甲冑が触れあう、がちゃり、がちゃりという音が響いた。かと思えば、にわかに白鷺《しらさぎ》が舞い立った。

「吉兆ぞ！」

ここぞとばかりに信長が叫んだ。人々は呆気《あっけ》に取られて金切り声を上げる信長を見た。

「見よ、熱田大神の御意志ぞ！　我らを護《まも》り、戦に勝たしめんとする天意であろう！」

熱田に集った者達が、思わず歓呼の声を上げた。そうしろと言い聞かせておいた者もいれば、素直に信じ切って歓喜する者もいた。たちまち得体の知れない熱情が伝播《でんぱ》し、誰一人として疑わず、厳しい戦へ望んで赴《おもむ》くよう誘導されていった。

これもまた優れた武将であれば必ず行う儀式であった。大将一人が神気に満ち、鬼気迫っても戦には勝てない。己が得た神鬼の気迫を、何百何千という兵にのりうつらせねばならない。

――それには神を使うほかない。

信長はそのことを、父祖や過去の武将の行いから、徹底して学んでいた。

人が理屈を述べたとて限界がある。多数の兵を戦いの興奮に巻き込み、凶暴な歓喜を駆り立てさせるには、信心あるいは迷信に訴え、全軍を神がかりの状態にする。そのための装置を、道中の神宮、仏閣、城に用意しておく。このときの甲冑の音も白鷺も、あらかじめ信長が銭を出し、用意させておいたものだった。

――神は、頼るものではない。使うものなのだ。このように。

ただのまやかしではない。いうなれば人の血肉を奉じているのである。戦に勝つことを祈るとは、味方の兵を心酔《しんすい》させた上で死を命じるということだった。

そしてそれはまた、都合の悪いものから、人々の目を逸《そ》らさせる効果もある。

今このとき、信長に見えていたのは、吉兆でも神意の証《あか》しでもなく、南の海岸の辺りから漂い出す、黒煙だった。

砦の陥落《かんらく》を示す煙である。鳴海城と大高城を断絶するために築き、将兵を配した鷲津砦と丸根砦が、あえなく攻め落とされんとしていた。

――どうにか間に合う。

両砦とも、ぎりぎりだが決戦のための時間を稼いでくれた。陥落は起きて欲しくはなかったものの、十分に予想されたことである。今川義元にとっても予定の範疇《はんちゅう》であろう。もし、織田勢が、両砦へ果敢《かかん》に支援に向かえば、満ち潮を避けるため、今川方の本隊と砦を陥落した別働隊に挟撃される位置に飛び込むことになる。支援に向かわない場合は、今川方は悠々と進軍できる。

――見殺しにする。

信長は初手から両砦ともそうせねばならないことを悟っていた。義元も、信長がそうすると読んでいたに違いなかった。

彼方に、屍が累々《るいるい》として倒れている。見捨てるほかない味方が今まさに死んでゆく。見知らぬ者達ではない。信長ほど身分の別なく人と接する領主も珍しい。村々にいさかいがあれば自ら赴いて仲裁する。町々の商いを発展させるため自ら町衆と談義する。どの武将とも顔をつきあわせる。その顔を知り、その心持ちを察してやる。そういう領主だから彼らもついてくる。そして死んでいってくれる。

民を護り、食わせるための戦いは、魔の所業ともなる。敵も味方も死なせねばならない。その覚悟に耐えられなくなった者から負けて滅ぼされてゆく。敦盛を殺した直実が、その後、使いものにならなくなってしまったように。

――これで、まことの窮鼠《きゅうそ》となった。

今川勢は、大高城からも兵站《へいたん》を整え、手越川《てごしがわ》を越えて北上してくるだろう。せっかく封鎖した鳴海城も呼応可能になる。そうなれば、そのあと織田勢がどれほど堅固な城に閉じこもっても無駄だった。今川勢の怒濤《どとう》の進軍に呑み込まれるしかなくなる。

抗戦の好機は今しかなかった。今日、戦わねばならなかった。神がかりにおいて信長は叫んだ。

「いざ、ゆかん！」

兵達が猛然と声を上げて応じた。

神鬼の気迫をもって兵を率い、信長は熱田神宮を進発して南下していった。

ときに辰《たつ》の刻《こく》（午前七時から九時頃）のことであった。

三

海岸は満潮である。進むには内陸の上道《かみみち》しかなかった。

これも今川義元の戦略だ。信長は敵に用意された道を進んでいった。

鳴海城を囲む砦の一つ、丹下砦で、さらに兵を集め、善照寺砦に入った。

ここで、信長がこの戦で使うことのできる兵が、ほぼ勢揃いした。

その数、二千強。

対する今川勢は、桶狭間《おけはざま》一帯に展開する者達に、鳴海城と大高城の手勢を加え、最低でも二万。これに本国から呼び寄せることができる兵を加えれば、ゆうに四万を越すであろうと予想された。

その圧倒的不利において信長が得たのは、

——間に合った。

という確信である。

二万もの兵を正しく運用するには、途方もない準備を必要とする。城、糧食《りょうしょく》、道。いずれも今川方はこれから整えねばならない。特に、道はどこも軍事のための整備ができていない。今いる二万に、本国の二万を迎えても、その大集団を迅速に移動させる道が存在しないのである。

信長はまず、善照寺砦であらゆる動きを見て取ることに専心した。善照寺砦は鳴海城の東側の高台にある。他の砦や城の様子が、よく見えた。また、ほうぼうに人をやり、集められる情報を全て集めさせた。

今川勢の動き、本陣の位置といったことはむろん、河や海や地面の具合、どこの丘が乾き、どこの道がぬかるんでいるといったことも調べさせた。

空を仰げば、多少の雲は出ているが、おおむね快晴である。

そうしていると、眼下の中島砦で、わっと声が上がった。味方の砦である。善照寺砦に信長と軍勢が到着したと知ったのだろう。命じられてもいないのに、織田勢の兵が刀槍を掲げて飛び出していった。

兵勢三百ほど。佐々隼人正《さっさはやとのしょう》、千秋四郎《せんしゅうしろう》ら、信長が配した者達の独断だった。信長の側近といさかいを起こして叱責《しっせき》された前田利家《まえだとしいえ》も参加していたという。

前線の兵らしく、どいつもすでに神がかり、戦にひた走ることを当然と思っている。大将出馬に逸《はや》る者達、あるいは何かしら信長に対し後ろめたい思いがあったり、汚名返上の機会を渇望していた者達による、抜け駆けであった。

「加勢はせぬ！　見ておれ！」

信長は自軍に厳命した。中島砦の突発的な動きは、信長にとって大いなる契機となった。三百がいずれも身命を賭して、今川勢の動きを信長に見せる役を担ってくれたのである。

このとき今川勢の大軍は、桶狭間一帯で陣を敷いており、鷲津砦と丸根砦を攻め落とすまでは南西を向いていた。その後、中島砦や善照寺砦を攻めるため、北西向きに布陣替えを行ってから、まだそれほど時間が経っていない。

中島砦からの抜け駆けの手勢に、今川勢の前線を担う一隊が気づき、ただちに迎え撃った。

かねてから中島・善照寺砦からの敵を警戒していた今川勢である。織田勢の本隊が攻めてきたと思ったのだろう。三百の抜け駆けに対し、とんでもない兵数がどっと動いた。

その猛然たる迎撃に合わせて、今川勢の軍勢の多くが山を下り、平地に陣取ったのだ。

二万の軍勢が、数千ごとの塊《かたまり》に分かれ、さらに数百ごとの集団として統率され、巧みに配置されてゆく。

その抜け駆けの様子を見る間にも、各所から情報がもたらされていた。

鷲津砦を攻めた敵将の朝比奈泰朝《あさひなやすとも》は、その布陣に参加せず、休息を取っているらしい。

丸根砦を攻めた敵将の松平元康《まつだいらもとやす》（徳川家康《とくがわいえやす》）も、兵の疲労回復のため、兵糧《ひょうろう》を入れた大高城に戻ったばかりであるとのことであった。

そして、両砦を二つとも攻め落とせたことを祝うため、義元は謡を謡っているという。

信長は、のちに今川勢の生き残りから、そのときの様子を聞かされたものだが、意外に思うことはなかった。善照寺砦に入ったとき、なんとなく義元が謡をしているのを、漠然と感じたのである。

一つの勝負が終わり、次の勝負へ心を改めるために。これからおびただしい殺生《せっしょう》が行われることへの覚悟として、謡をしていることであろう。そう察したのだった。

信長もまた、敵味方の動きをひたと見据えることに傾注しながらも、心の中では、もう一人の自分が繰り返し謡をしていた。

——人間、五十年。

眼下で味方が死んでいった。多勢に無勢である。佐々も千秋もたちまち討ち死にしたことだろう。敵の鎧武者《よろいむしゃ》どもに、味方の足軽が撫《な》で斬りにされてゆく。阿鼻叫喚《あびきょうかん》である。

信長は目の前の光景に没入するあまり、あたかも自分がほうぼうに同時に立つかのような感覚を味わった。幻の自分が、抜け駆けの三百の一人として戦っていた。中島砦の櫓《やぐら》からその様子を見ていた。今川本陣の中にもいたし、大高城にも、落とされた二つの砦にもいた。海にも、野にも、空にさえいて、戦いがもたらすあらゆる変化を見届けていた。

乱戦状態になった川沿いの平地では、深田の泥濘《ぬかるみ》が鮮血を呑み、はらわたがぶちまけられて異臭が立ちこめている。織田勢の中には奮戦して生き延び、敵の首をぶら下げて戻ってくる者達がいることもわかった。

一方、大高城の敵勢は動かない。彼らも高台にいるので、小勢が切り込んできたに過ぎないことがわかっているはずで、加勢に出る必要なしと判断したのだろう。

鳴海城も、周囲を囲む三つの砦が健在なうちは、打って出られない。

桶狭間一帯に展開する今川の陣のうち、先陣が織田勢の血気につられて前進し、本陣もこれをとどめず、さらに前進して陣を敷かんとしている。手越川以南を勢力下に置いたことから、いよいよ鳴海城と呼応し、中島砦と善照寺砦を集中的に攻めるため、陣容を整えているのだ。

きらびやかで統率の取れた大軍勢である。それゆえに中心がよくわかった。今川義元その人がいるということが、信長にはふと不思議なことに思われた。あまりに敬し、学び、自らに取り込もうとするあまり、人間《じんかん》の者と思えなくなっているのかもしれない。

——化天のうちを比ぶれば。

いいや、ともう一人の自分がささやく。

——夢幻の如くなり。

あの男もまた人に過ぎない。飯を食い、糞《くそ》を垂《た》れ、血肉を持ち、首を落とせば死ぬ。この自分と何一つ変わらぬ存在であり、

——ひとたび生を享け。

天意を演じ、大勢を己の意で染め、魔が司《つかさど》る戦場への道連れとしたに過ぎない。

——滅せぬもののあるべきか。

そこで、はたと異変を感じた。

晴れた春空のどこからか、冷気が運ばれてくる気がした。

信長は、ほうぼうにさまよい出た己の心の一部が、地上の騒乱ではなく、空を見上げていることに気づいた。実際に血みどろの騒ぎから目を離し、空へ目をやった。右手に海が、左手に複雑な丘陵と谷が見え、天と地の境目で、かすかに雲霞《くもがすみ》が生じるのを見た。

——天の利か。

このときこの戦場で、兜をかぶった頭を持ち上げ、あえて空へ目を向けた者が、他にいただろうか。

すぐにまた地上へ視線を戻した。抜け駆けの兵は五十ばかり倒れ、残りは逃げる

か、多少の首をせめてもの土産にして砦に戻ってきていた。ただちに今川勢が雪崩《なだれ》のごとく中島砦に攻め寄せてくる様子はない。

——地の利はある。

桶狭間はきわめて複雑な地形である。義元も、城や砦の周辺についてはよく調べさせているであろう。だが細かい丘陵や谷を一つ残らず把握しているわけではない。とりわけ今、陣を平地に移した時点で、あちらの視界は限定されているはずだった。

道はまだ拓《ひら》かれていない。二万の兵を自在に動かせる道。大高城と迅速に呼応するための道。夜でも馬を飛ばせるほど整備された道。それを領内に作られてしまう前に、決戦を迎えることができた。

——人の利もある。

向こうは遠征軍だ。統制の難しい大軍勢であり、勝ち戦だと信じる兵士達である。どれほど義元が厳格に統制しようとも、どこかで疲弊、綻《ほころ》び、緩みが生じうる。特に、緒戦で砦を立て続けに二つ落とし、今また先駆けを撃退したところだった。きっと義元は、陣を据え、さらに謡の一つも行わねば、自軍の精神統一を果たせないだろう。

対してこちらは地所に詳しい者達ばかりであり、みながみな、窮鼠の気勢である。

信長によってそのような心理状態へ誘導されたことを誰も理解していない。大将が発散する神気にあてられ、鬼気に染まり、戦の熱気に猛《たけ》っている。

——五千、あるいは六千。

信長はそう見て取った。正攻法で攻めたとき、本陣に切り込むまでに戦わねばならない敵の数である。道が整備されていないため、敵の四万は二万になった。さらに複雑な地形と、寝返りに対する離間と分断の策が効果を発揮し、二万のうち戦うべきは五千になった。むろん、大高城と鳴海城が最後まで沈黙していたらの話である。

「中島へゆく」

信長はそう命じると、きびすを返し、率先して馬に乗った。そこで反対の声が起こった。家老達が、口々に危険だと言い始めたのである。

「あれへの通り道は狭く、両脇は腰まで沈む深田でござるぞ。一騎ずつしか通れませぬ」

それでは小勢であることが敵から丸わかりになってしまう、という。

だから通るのだ、と言ってやりたかったが、短時間で彼らに理解させるすべがなかった。一騎ずつ縦に並んで進めば、敵も急襲されるとは思わず、こちらに攻めては来ない。何より、細い道しかないということがわかれば、むしろ大軍であればあるほど攻めて来ない。そんなことをすれば身動きできなくなるのは向こうの方である。

馬鹿げた意見だった。おおかた先ほどの抜け駆けの敗走と、敵勢のあまりの多さに恐れを抱き、またぞろ砦か城にこもって戦いたがっているのだ。

彼らには、信長が見たものが見えていない。だから説明しても無駄だったし、いつものことでもあった。うつけと呼ばれていた頃から、信長だけが物事の急所をとらえてきた。今より若い頃は、他の者にはわからないということが、わからなかった。なぜこれほど明白なことを理解しようとしないのか、なぜ理解できないふりをするのか。そういう憤懣《ふんまん》やるかたない思いを味わってきた。

天与の才を持つ者の孤独であり苦しみである。今では信長も、彼らの気持ちを汲《く》むことができた。彼らには本当にわからないのだ、ということがわかるようになった。わからないのであれば、行動で示し、結果を見せてやるしかなかった。

「離せい！」

馬の轡《くつわ》を引いて止めようとする家老達を振り払った。

「門を開け！」

信長が先頭になって砦を出た。小姓衆がただちに従う。兵達も後に続いた。家老達も従わざるを得なかった。

領地の各所からかき集められた兵、およそ二千弱が、続々と善照寺から出て丘陵を降り、一本道を進んだ。誰もが左右のぬかるみに落ちないよう必死である。そのような兵の様子になど目もくれぬ、という態度で、信長は平然と馬を進めた。その実、背で兵の気配を感じ、空と地上の様子を見定めんとして炯々《けいけい》と目を光らせている。

その間、これまで以上に頭脳を回転させ、正しく攻めるべきときを探った。

──今か。干潮《かんちょう》を待つか。さもなくば夜戦か。

無事、中島砦に入ったとき、その思案にはっきりと答えが出ていた。

──敵が大高城から動かぬのは、今このときのみ。

全軍が滞りなくついてきているのを見て、こう命じた。

「砦を出よ。今川治部大輔の目前にまで詰め寄る」

家老達が仰天した。またもや馬の轡を引いて止めようとする者、信長の脚にすがりつこうとする者、みな戦慄《せんりつ》もあらわに無謀さを訴えた。ここで出るのは、巨獣のあぎとに身を差し出すことに等しいという思いでいるのだろう。

信長は彼らの恐怖を見て取った。ここで上手く彼らを取り込めるかどうかが勝敗の分かれ目になるであろうことを直感した。

「みなの者、よく聞けい」

威勢はあれども威嚇《いかく》せぬよう気をつけながら、信長は馬上から家老達を、側近達を、兵達を見回しながら告げた。

「あれなる敵勢は、夜を徹して行軍した者達であるぞ。必死の思いで大高城に兵糧を運んでのち、鷲津砦、丸根砦で戦い、疲れ切っている。対する我らは新手《あらて》である。違うか」

家老達の手が下ろされた。みな信長の声に耳を傾けている。無謀な突撃を命じられるのではないということを理解したのだ。それから、勝機を逃してはならないという訓示であるのだと察し、大変的確な根拠があるのだと納得する様子であった。

現実は、砦で戦った敵勢は大高城で休息を取っており、桶狭間一帯に布陣する敵と、信長が率いる兵との間に、体力的な差など大してありはしない。

信長は、さらに彼らが理解できるよう、具体的な指示を与えた。

「たとえ小勢でも恐れる必要などない。敵が攻めるなら退《ひ》き、敵が退くなら攻めよ。これが戦の常道である。その常道をしっかり守れる者が、多くの敵を討ち、敵勢を追い崩せるのだ」

将兵の蒙《もう》を啓《ひら》こうなどという気はまったくない。喜んで死地に赴けるよう仕向けてやればよかった。そうしながら、目は山間に拡がりゆく雲霞の様子をしっかり見て取っていた。

「敵の首を味方同士で奪い合ってはならんぞ。雑兵の首など捨ておけ。なんといっても今川の軍勢に打ち勝ったときは、この全員が、家の顔となり筆頭となるのだ。その誉《ほま》れは末代まで語り継がれるであろう。わしが述べたことを守り、ひたすらに励め」

勝てる根拠も、示すべき戦術も、その後の報酬も、単純明快であるよう努めて告げた。複雑な理念や戦略を示したところで理解できる者はほとんどいない。そのことに失望してきた己を捨て、今どうすれば彼らを導けるか、信長はこれまで学んできたありったけの知恵を動員して兵の士気を高めさせていた。

そこへ、何人かが押しかけて来た。抜け駆けをして戻ってきた者達である。そこに前田利家もいた。彼らが手に手に首を持って信長に見せようとするので、

「捨ておけ。首実検は、のちほど清洲で行おう」

そう言って彼らが獲ってきた首をそこら辺に並べさせた。さり気なく、生きて清洲城に戻れるのだ、という暗示をかけてやった。そうして彼らにも、先ほど家老達に述べたばかりのことを、すらすらと繰り返した。

乾坤一擲の勝負がこれから始まるのだという思いを抱きながら、そのことを誰にも訴えず、ただ己についてこさせるための方便を述べながら、

――人間、五十年、化天のうちを比ぶれば。

己の孤独も、敵への畏敬《いけい》も、心中から綺麗に消えていった。

――勝つ。

その一念が全てであり、そしてそれすら、

――夢幻の如くなり。

そう思わねば、二千の人間を決死の戦いに赴かせて平常心を保てるものではない。

――きっと義元は、謡をしているだろう。

またそう思った。信長にとっても、兵達への訓示は謡のような効果を己に及ぼしてくれた。一つの行いへ没我《ぼつが》する用意はこれで整った。あとは運を天に任せて進むだけだった。

「砦を出る」

信長が告げた。今度は誰も逆らわなかった。信長と側近の一団を先頭に、粛々《しゆくしゆく》と中島砦を出て平地を進んだ。今川の軍勢が陣を敷く一帯へ、恐れることなく近寄ってゆく。

あくまでゆっくりとした足取りである。こちらが態勢を整えているだけだと思わせねばならない。急な動きは巨獣の猛攻を促す。ぎりぎりまで近づき、にわかに攻め、敵本陣を急襲する。余計なことは一切考えない。ただこの一戦に全てを賭けねばならない。

そして、軍勢を敵が陣取る山際に寄せたとき、それが来た。

雷雨。

暗雲がさっと空に流れ込んできたと見るや、稲光がかっと辺りを照らし、突発的な強風とともに豪雨が降り注いだ。ばらばらと音を立てて、何かが周囲で跳ねた。真っ白い石のようなもの。雹《ひょう》だ。

強風は、西から東へ、平地から山際へと吹いている。

信長の背を押し、今川義元とその軍勢の顔を叩く方向に。

まったくの偶然だった。まさか天候まで準備できるわけがない。だが全ての思案、全ての策が、自軍をこのとき、この場に運んでくれた。その僥倖《ぎょうこう》を決して手にし損ねてはならない。

信長が叫んだ。

「これぞ熱田大神のご加護ぞ！　大神の寿《ことほ》ぎぞ！」

みなが口々に同じ言葉を繰り返し、兵の一人一人に至るまでまたたく間に伝播していくのがわかった。

──夢幻の如くなり。

天の下でちっぽけな人間達が這《は》い回り、あがいている。それが自分だった。現実だった。家臣を調略され、地の利を奪われ、それでもなお、

──勝つ！

その一念のみで、この一瞬を勝ち得た。

風雨に押されるようにして、信長の軍勢はずんずんと前進し続けた。

やがて、突然の風雨は、始まったときと同様、唐突にやんだ。

雹はとっくに降らなくなっている。雨が弱まり、視界が開けていった。雲が流れ、眩《まぶ》しい青空が現れた。日差しが降り注ぎ、最後の小雨がきらきら光りながら落ちていった。

そして、敵が目前にいた。

信じがたいほどの接近であった。これほど近づけるとは信長も思っていなかった。織田勢の接近を、完全に豪雨が隠してくれていた。

いきなり現れた信長の軍勢に対し、今川勢は、第一に無反応の態を示した。

今川勢にとって敵は小勢である。砦に閉じこもるか、むやみに突っ込んでくるかしかなかった。いつの間にか二千もの兵が出現するとは誰も考えていない。大半が、目

の前に現れた集団を、大将か誰かの命令で移動した味方であると判断した。それよりも、風雨で倒れた幟《のぼり》、陣幕、竹柵といったものを、元に戻さねばならないことに気を取られていた。

奇妙に弛緩《しかん》した一瞬が過ぎた。

あっと今川勢から声が起こった。すぐ目の前にいる信長の軍勢が、一斉に抜刀し、あるいは槍を構えたことに、驚いたのである。

陽は中天を越し、未《ひつじ》の刻（午後一時から三時頃）の頃であった。

「すわ！」

馬上の信長も、槍を構えていた。晴天の輝きが、ぎらりと穂先に反射し、あたかも神と鬼とがともに刃にやどるようだと思いながら渾身《こんしん》の雄叫《おたけ》びを上げた。

「懸《か》かれえ——い！」

四

驚天動地とはこのことであったろう。

大高城や鳴海城からは、織田勢が少数で、今川勢という巨獣のあぎとに真っ正面から飛び込んでいったように思えたはずである。

だがそれが正面からの総攻撃であると最初から分かっていたのは信長の軍勢だけであって、今川勢からすれば、またぞろ敵の抜け駆けかと思ったに違いない。

果たしてこれを奇襲と呼ぶべきであろうか。信長自身にも、攻め懸かられた義元にしても、もはや判然としないであろう。むしろ精強な兵が果敢に切り込み、敵本陣に肉迫した、他の多くの戦いの一例と見るべきかもしれない。

むろん、それまで信長は、攻めないという態度を今川方に見せ続けた。

二つの砦を落としたときも、抜け駆けの兵が三百も打って出たときも、信長は一切の支援をしなかった。全て見殺しにしてである。義元からすれば、信長がひたと守りを固めているようにも見えたであろう。織田勢は残る砦を全て盾にしつつ主力を温存させる。対する今川勢は鳴海城に至るまでを勢力下に置いてのち、清洲城での決戦、すなわち苛烈な籠城戦となる。そういう可能性もあると義元は見ていたのではないか。

信長は、そうした可能性の全てを裏切った。そういう意味では奇襲に等しい攻めとなった。

とはいえ、あくまで正道の戦である。多数の策を講じ、人心を掌握《しょうあく》し、地を読んで兵を動かし、天運をつかむ。そうした神算鬼謀《しんさんきぼう》こそ信長の真骨頂であり、行いの全てが、この正面攻撃にして奇襲という、相矛盾《あいむじゅん》する戦術を成し遂げることへとつながっていた。

「すわ！　懸かれい！　懸かれえ――い！」

信長の雄叫びとともに二千の軍勢が一丸となって迫り来たことで、今川勢の先陣は、風雨に倒れる稲穂の如く、一斉に後方へ崩れた。陣幕は倒れて踏みにじられ、柵という柵が踏み倒されていった。織田勢が総懸かりとなって攻め込むほどに、敵の大軍に混乱が伝播していった。

今川勢はみな訳がわからない。どうして今ここで攻め込まれているのか。そもそも今川治部大輔からの指示がない。大将からの命令が来ていない。誰も、敵が来ると教えてくれなかった。自分達は今どうすればいいのか、誰も行動で示してくれていない。

対する信長は自ら槍を繰り、烈々たる気迫を放って眼前の敵を突き倒してゆく。敵が退けば攻めろと教えた。今がそのときである。そう身をもって示し、軍勢を敵陣の急所へ、本陣へと押し込んでいった。

――そうだ！　もっと神がかれ！　修羅となれ！

自ら槍を振るいながら、ひっきりなしに自他を鼓舞していた。その身に神鬼がやどっていると、その神鬼がみなに乗り移ると、自軍の兵達に思わせねばならない。そんな大将自らの奮戦が、ますます側近達を、その周囲の兵達を燃え上がらせた。

今川勢は確かに大軍であった。だが多くが一帯に散らばっていた。大高城や鳴海城に籠もった者達は、突然の鬨《とき》の声に反応できずにいる。信長の軍勢が突っ込んでいった陣営からして、初手で崩壊をきたし、まともに連携せず、ついに一丸となることなく散っていった。

結果、果敢に攻め立てる織田勢二千に対し、迎え撃つのは今川勢本隊五千のうち、せいぜいが半数となった。残り半数は、あっという間にどこかへ消えた。後には投げ捨てられた弓や槍、鉄砲や幟などが、そこら中に散乱し、泥まみれになっているという有様《ありさま》であった。

今川勢の先陣は、それこそ霞のように消え失せた。二陣は屍の山だ。後陣は谷や隘《あい》路《ろ》にはまって身動きもままならず、本隊の動きを著《いちじる》しく阻害していた。信長の読み通り、今川勢のうち、まともに対抗できるのは五千程度にまで減少していた。

また、抜群の統率を誇る軍勢であることが、かえって仇《あだ》となったのであろう。命令を待つうちに混沌《こんとん》とした戦況に呑まれ、多くの隊が呆然となったまま、恐れに耐えられなくなって逃げ出すということがほうぼうで起こった。

そこへ、敵が退けば攻めよと教えられた織田勢が襲いかかる。歯車が嚙《か》み合うがごとく、攻める者と退く者が、ともに今川勢を大混乱に陥れた。

敵先陣の崩壊を見て取り、信長は馬を下りた。この先、馬が駆けられる道はない。槍を振るい、若武者たちと先を争って目の前の敵を攻めた。

「殿！　これに輿《こし》が！」

誰かが叫んだ。見れば、塗輿《ぬりごし》が放置されたまま泥まみれになっている。そのずっと向こうに、敵の騎馬隊が固まっているのが見えた。混乱を極める戦場において、統率が取れていることが、そこに敵の大将がいることをはっきり示していた。

一方で、城にいる今川勢は動いていない。鳴海城は砦に囲まれ、大高城から迅速に多数の援軍を送れる道はない。仮に、背後から敵が迫ったとしても、前後を挟撃され、包囲殲滅《せんめつ》される前に、信長の兵が敵本陣を攻めている。

――人間、五十年。

もとよりこの一戦に、全軍の命運を賭したのである。背後の城を気にして今さら退却するなど論外だった。

「攻めい！　ここが本陣ぞ！　これに治部がおるぞ！　攻めい！」

そう叫びながら、信長はこのときやっと、今川義元という男のことを、まことに血肉を持つ存在として感じることができていた。やはりそれまでは心のどこかで、今川氏のことを自分の手の届かぬ存在と思い込み、決して滅しえぬ威光に挫《くじ》かされるのではないかと恐れている自分がいたことを悟った。

――ひとたび生を享け。

悟ったときには、そんな自分はどこかへ消えていた。

――滅せぬもののあるべきか！

どのような強大な君主であろうと滅することはできる。首を落とせば死ぬ。大将がそうなれば今川の大軍勢も瓦解《がかい》する。今、その生命に手が届く。

「攻めい！」叫びに叫んでがらがらとなった喉《のど》を振り絞り、大音声《だいおんじょう》を放った。「旗本はこれぞ！　これに今川治部大輔がおる！　懸かれい！　首獲れい！　攻め寄せい！」

敵勢は数百騎がぴったり寄り添い合って退いていく。見事な統率でもって刀を振るい、槍を繰り出して大将を守っている。

その集団へ、織田勢が蟻《あり》のごとくたかり、めちゃくちゃに攻め立て、だんだんに切り崩していった。相手が退けば退くほど、織田勢は攻める。今川勢の旗本は次第に数を減らしていく。数百が百余りとなり、五十騎ほどとなった。

そして、今川義元本人が戦っているとの声がどこからか聞こえてきた。

——勝つ！

その一念が成就されようとしているそのとき、それ以上の念が湧くのを覚えた。

——ひと目見たい。

そう思った。

生きている今川義元を見たい。その戦う様を目に焼き付けたい。この期に及んで、戦意でも憎悪でもなく、憧憬《しょうけい》の念が己を駆り立てていることを知った。

だが、その思いが叶うことはなかった。

「獲ったり！」

果たして、その声が起こった。

「今川治部大輔の首、獲ったり！」

誰の声かわからない。気づけば何十人もがその言葉を繰り返し叫んでいた。大将首を獲った。今川の大将を討った。勝ち鬨の声であった。敵は壊滅した。今川勢はこのときまことに一兵残らず総崩れとなった。そして逃げてゆく者達を、餓狼《がろう》のごとく織田勢が追った。多くが、そうしろと教えられた通りのことを最後までしてのけた。ひざまずいて泣きわめき、命乞《いのちご》いをする者達を、なんとか逃げようとして甲冑を脱ぎ捨て褌《ふんどし》一丁となって走る者達を、容赦なく槍で突き刺し、刀で斬り殺し、首をもぎ取っていった。

——首の山ができるな。

信長はそう思った。だが欲する首はただ一つ。間もなくそれが運ばれて来る。そのとき自分はどんな顔をすればいいかわからなかった。

天を仰ぎ見た。蒼空《あおぞら》が広がっていた。どこからともなく哀切が湧いてくるようだった。いっとき涙が浮かんだ。だが気づけば、突き抜けるような空に向かって、信長は莞爾《かんじ》と笑っていた。

——夢幻の如くなり。

おびただしい殺戮のまっただ中にあって、その思いに満たされた。それは刹那を生き抜いた者の、人間の喜びであった。その熱い思いとともに、心底から笑みが溢れていた。

五

義元が討ち死にしてのちの今川勢は四分五裂となった。織田勢を包囲しようと思えば可能であったろう。だが、どこの城からも敵勢は駆け寄せてこなかった。逆に、織田勢の大逆転に恐懼《きょうく》し、早くも撤退路を探る隊ばかりであった。

信長の前に、おびただしい数の首が運ばれた。かねて告げた通り、首実検は清洲城で行うことを改めて宣言した。とともに、生け捕りにした義元の側近を殺さぬよう厳命した。その者に、どの首が誰のものか判じさせるためである。

そう指示しておきつつ、義元の首だけは、その場で受け取った。

間違いなく義元の首であることを、生け捕りにした者達に、何度も確認させた。水を運ばせ、そのおもての泥を綺麗に拭《ぬぐ》わせ、髪を整えさせた。

そうした上で、信長は自ら義元の首を持ち、馬に乗って軍勢を率い、日が没する前に清洲城へ帰参した。その道すがら、

――これでようやく語り合えますな。

義元の首に、心の中で話しかけた。

――乱世とは難儀な世です。こうならねば穏やかに顔を合わせることもできませぬ。

そのことを詫《わ》びるべきかどうかわからなかった。自分なら詫びるに及ばないと返すだろうと思った。だから詫びなかったが、

――あなたのために塚を建てさせましょう。誰もがあなたを称え、弔えるように。

そう約束した。実際には首は今川方に返すことになるが、義元を称える思いを信長が失うことは終生《しゅうせい》なかった。

――さて、まずは何から語りましょうかな。やはり天下国家のことですかな。思えば、あなたが西へ、尾張へ向かったことで、私の蒙は啓かれました。

義元が向かおうとした場所。それは京だった。全ての武将が目指す聖地。そのために義元は同盟を組み、三河を制圧下に置き、尾張へ攻めたのである。ただの領地拡大ではない。五畿七道。すなわち天下を、その中心たる京を、目指す男がいる。そのことが何より信長を感激させた。義元の存在と行いが、誰よりも強く明白に、信長に天下への道を示してくれたといっていい。

――感謝いたします。

義元の首は答えない。

瞼《まぶた》も口も閉じている。それらが二度と開くことはない。

ただそのおもては、信長がたたえる笑みに合わせ、あたかも穏やかに微笑《ほほえ》み返すかのようであった。

五宝の矛《ほこ》

一

越後《えちご》の春は、お世辞にも長閑《のどか》とは言えない。獰猛《どうもう》ですらある。

雪に覆われていた大自然が一斉に姿を現し、溶けた雪が森の湧き水と合流して、そこらじゅうで水を溢《あふ》れさせる。川という川が激流を呈し、油断するものは人であれ獣であれ呑み込み、春の萌芽《ほうが》の餌食《えじき》とする。飢えた熊や狼が獲物を求めて徘徊《はいかい》し、物言わぬ木々ですら芽吹くための養分を得るため、他を枯らしてでも枝や根を伸ばそうとする。

それは戦いの季節である。生き残った者のみが夏を喜び、そしてその先の、収穫の秋を迎えることができるのだ。その争いに慈悲はなく、徹頭徹尾《てっとうてつび》、知恵と力と戦う意志があるもののみが生き延びるという大自然の掟《おきて》を端的に知らしめている。

「ゆえにこそ、天地《あめつち》に畏敬《いけい》を抱き、神仏に祈るのだ」

少年は、草木が鮮やかに萌え、冷たく透明な雪解け水が岩地を走る一帯と、そこに群《む》れ集う、傲慢《ごうまん》な殺気に満ちた軍勢とを等しく眺め渡しながら、しみじみと呟《つぶや》いた。

優柔《ゆうじゅう》で慈悲深い態度をあらわせるのは、人を圧倒し、強者となって初めてできることだ。今のように、自分を若輩《じゃくはい》とみなした近隣の豪族どもが、こぞって城へ攻め寄せて来ているときにすべきことではない。豪族どもは、弱きを攻め、強きになびく。優柔を侮《あなど》り、剛毅《ごうき》にひれ伏す。その繰り返しで生き延びてきた者たちだった。

それは味方も同じことだ。ここで自分が柔弱な態度をみせれば、府中《ふちゅう》にいる兄・晴景《はるかげ》の立場も危うくなる。そもそも兄はすでに周囲から柔弱とみなされ、侮られていた。そのため兄の命令は行き届かず、父が死ぬなり叛旗《はんき》を翻《ひるがえ》す者たちを相手にしなければならなかった。

少年は、そんな兄を情けないとは思っていない。兄の怜悧《れいり》さ、賢明さ、粘り強さはよく知っている。病気がちの身に鞭打《むちう》って、亡き父から受け継いだ一切を守ろうとしていた。そういう兄を助けてやりたかったし、またそうしてのける自信があるからこそ、寺住まいをやめ、春日山《かすがやま》城を出立《しゅったつ》し、そして兄や家臣の望み通り、この栃尾《とちお》城に来たのだ。

たとえ亡き父・為景《ためかげ》が、望んでいなかったとしても。

少年は、父から誉《ほ》められた記憶がほぼなかった。疎《うと》んじられていたといっていい。年を取ってから授かった子供は可愛いものらしいが、自分に限っていえば可愛がられたこともない。その理由も、少年にはわかっていた。単純に、可愛くなかったからだ。父の話の矛盾を見抜き、ずけずけと指摘する。親族との争いの火種は、少なからず父自身が作ったのだということを明言する。父からすれば目に入れても痛くないどころか、ひたすら耳が痛くなるような子だ。

よく父も憤激《ふんげき》しなかったものだと感心する。殺されてもおかしくない。だが父も父で、実のところ寛容と理性の人だったのだろう。守護代として、また府中長尾《ながお》氏の跡継ぎとして、戦乱に明け暮れ、本来は主君と仰ぐべき越後守護職の上杉《うえすぎ》氏を幽閉《ゆうへい》して実権を独占し、〝戦鬼〟とまで評された父の隠れた顔を、少年は知っていた。だから父のことは嫌いではなかった。だが父のほうは、その隠れた顔があらわになっては困る立場にいた。

だから、寺にやられた。

父の勘気《かんき》を防ぐため、母の青岩院《せいがんいん》こと虎御前《とらごぜん》が、そうさせたのだ。母はずいぶん信心深く、慈悲と感謝の塊《かたまり》のような人で、少年もその心根と教えが大変立派であることを理解していた。だから、母が勧める寺での生活にも、そこで学べるという教えにも、興味があった。

だが結局、少年は大人しくはならなかった。栃尾の瑞麟寺《ずいりんじ》では門察《もんさつ》という和尚《おしょう》に、府中の春日山城下にある林泉寺《りんせんじ》では天室《てんしつ》という和尚に師事した。そこで、書画やもろもろの教養の他、兵学を学んだのだが、とことん没頭したのは、兵学のほうだった。

砂や土を盛って山城にみたて、そこに兵や馬の模型を置いて、用兵のすべを修得することに夢中になった。刀、槍、弓といった武技も好んで修練し、近習《きんじゅ》たちとともに徹底的に腕を磨いた。およそ、母が彼に望んだような生活を送ったとはいえなかった。

「なにゆえ、そうまでして仏の教えを蔑《ないがし》ろにしなさる。母君様もお嘆《なげ》きなさるでしょう」

天室がたびたびそう諭《さと》したが、少年は頑《がん》として譲らなかった。

「仏の平等心を実践できるのは、強き者のみです。弱き者では施《ほどこ》せず、寺も建てられず、父母兄弟を守ることすらできません。この寺とて、春日山城あってのもの。さもなくばどこぞの豪族に門前町ごと蹂躙《じゅうりん》されるばかりでしょう。私は、強き者となって、弱きに施したいのです」

少年の一途《いちず》なまでの主張は、天室がどう諭しても変わることがなく、ますます強烈なものとなっていった。そしてついに、天室のほうが折れた。

「虎千代《とらちよ》様。強き者たらんと欲するのであれば、俗世にて、修羅《しゅら》、畜生《ちくしょう》、羅刹《らせつ》の道があるのみ。それをお望みか？」

天室の問いに、少年はまるで啓蒙《けいもう》を得たかのように破顔した。

「まさにそうなのだと、たった今、和尚様のお言葉を聞いて、思い知りました」

少年のあっけらかんとした返答は、天室の予想通りだった。天室は重ねて質《ただ》した。

「いずれ、より強き者に滅ぼされることにもなりましょう。それでも良いのですか？」

「そうなるかどうか試しとうございます」

これで決まりだった。天室は虎御前にこのことを話し、

「寺に居続けられる方ではありません」

と言って、少年を城へ帰してしまった。

それから間もなく、少年は、父の跡を継いだ兄の命《めい》で、春日山城に戻り、正式に還《げん》俗《ぞく》するとともに元服した。名も、虎千代から、平三《へいざ》景虎《かげとら》となった。寅年生まれにちなんでつけられた「虎」の一字は、それ以後、常に彼の名実をともにあらわすものとなる。

「生まれながらの虎のごとき子です」

天室は少年をそう評した。少年の母をふくめ多くの人がこの言葉にうなずいた。少年の天然の体格、腕力、俊敏さ、あるいは性格の猛々《たけだけ》しさは、確かに虎のような雄々

しい印象を与えた。武門の者にとって、まず必要とされる素質である。彼が還俗してすぐ、栃尾城の本庄《ほんじょう》氏をはじめ、各地の城主が、彼を擁立《ようりつ》すべきと決めた要因の一つが、肉体的な健全さだった。

だが、天室のいわんとするところは、実はそうした外見上の特徴とは違った。

虎視眈々《こしたんたん》、という言葉がある。虎がその鋭い眼差しで獲物を狙い、ひたと見下ろす様子をいう。転じて、強者が機会を見定めんと、じっと形勢をうかがう意とする。

少年は、この虎視を備えている。天室はそう見た。人の隙《すき》を見抜くのがとにかく上手い。武芸の鍛錬でも、力任せに勝とうとはせず、ちょっとした相手の隙を見逃すことがないのである。

天室が目撃した少年の素行のうち、母親の虎御前にあえて言わなかったことが幾つもある。その一つに、こんなことがあった。

寺の所用で、市に出かけたときのことである。軒先《のきさき》、あるいは道端に、数々の物売りがいて、物と銭による売買、物と物の交換、あるいは銭と銭の両替が、活発に行われている。物売りが受け取った銭は、もっぱら籠《かご》か笊《ざる》に入れられ、釣り銭がそこからつかみ出された。

少年は、物売りが並べる品々を熱心に見て回っていた。かと思えば、籠や笊から、ひょいひょいと銭を取っていってしまうのである。物売りたちは誰一人、少年の行いに気づかない。物売りや周囲の者たちの注意が、完全に自分からそれた瞬間を狙いすまし、そうするのが当然といった顔で、籠や笊から銭を拾い上げるのである。たまま少年を見ていた天室でさえ、咄嗟《とっさ》に、少年が何かを買い、その釣り銭をもらったまでのことだと思いこんでしまった。それだけ自然な所作だった。だが次々に別の物売りの銭を取っていくのを見て、さすがに盗みだと気づいた。

慌《あわ》てて少年を止めようと近づいたが、少年のほうが先に天室を振り返った。天室が見ていることを、少年は百も承知だった。むしろわざと天室にだけ見せていたのだ。

「ご心配なく。今から返して参ります」

にっこり笑って言うと、今度は人々の隙を突いて、籠や笊に銭を返していった。呆《あき》れたことに、どこから幾ら取ったかも正確に覚えていた。誰も、少年がしていることに気づかなかった。

「何の真似《まね》ですか」

天室が、銭を返し終えた少年に、驚きながらも厳しく問うた。

「修行と思い、やりました。天室様を怒らせる気はありませんでした。もういたしません」

少年は、さして反省した様子もなく、そう言った。

このように、少年には、人々のちょっとした隙を正確に見抜く眼力があった。同じ眼力で、真偽を見定め、物事の本質を鋭く見抜く。人々には見えないものが、少年には見えている。

まさに炯眼《けいがん》の持ち主といっていい。そして少年は、その眼力を用いて驚くべきことを当然のようにしてのける。しかも天室が知る限り、それらの行いは常に鍛錬のためであり、その鍛錬の目的は、ひとえに「強者になって弱者に施す」ということであった。

それが天室のいう、虎のごとき子、という評の真意である。

そして今、弱冠十五歳の虎が、栃尾城の櫓《やぐら》に登り、いざ攻め寄せんとする千の──少年の見たところ千と三百ほどの──軍勢を見ていた。

城兵は、このとき四百ほど。敵は城の兵力を計算し、城攻めに十分な手勢を集めたようであった。

栃尾城の本庄氏は、この事態に愕然《がくぜん》となり、城に籠《こ》もって春日山城からの援軍を待つことしか頭になかった。何しろ、敵が蝟集《いしゅう》した要因は、春日山城にいる晴景にあるのだ。晴景が、少年を還俗させ、越後中郡を守る古志郡司《こしぐんじ》として派遣したせいで、敵が少年のいる栃尾城に集まってきてしまったのである。

越後には七郡があり、大きく上郡、中郡、下郡の三つに分かれる。

越後の守護代にして少年の一族である府中長尾氏の勢力版図《はんと》は、拠点たる春日山城を筆頭に、もっぱら上郡に限られていた。

中郡は、古志、刈羽《かりわ》、三島《みしま》、蒲原《かんばら》の四郡からなる。三条城《さんじょう》の山吉《やまよし》氏、栖吉《すよし》城の古志長尾氏、栃尾城の本庄氏など、幾つかの城を除けば、豪族どもをふくめ、全て反守護代派であった。

下郡に至っては、遠い昔から守護職を目の敵とする者どもが跋扈《ばっこ》している。彼らは阿賀北《あがきた》（あるいは揚北《あげきた》）の衆を名乗り、守護職のやることなすことに反対し、邪魔をするのが常だ。

府中長尾氏、そしてその筆頭者たる兄・晴景の悲願は、越後七郡の統一支配である。そのためには一族の誰かが中郡に赴き、その地を平定し、さらには北方の下郡を制さねばならない。

晴景自身は春日山城を動けず、事態は内憂外患《ないゆうがいかん》を呈していた。晴景は明らかに政略の人であって、武威の人ではなかった。後奈良《ごなら》天皇に多額の献金を寄せ、代わりに越後を静謐《せいひつ》させることを願うという天皇の綸旨《りんじ》や、宸筆《しんぴつ》による般若心経《はんにゃしんぎょう》を得て、府中長尾氏による越後統一の大義名分を明らかにするといった面で手腕を発揮した。

だが政略や名分だけでは越後統一は果たせない。晴景は、七郡に配置すべき同胞に不足し、諸将からの信頼は十分とはいえず、領主どもを従えるための威厳に欠けた。

少年は、その兄を――二十一も年上の男を――守るべき者と見た。

「私が中郡を平らげましょう。兄上におかれましては、どうか春日山城を安泰に」

毅然《きぜん》と言い放つ少年に、兄はこのところすっかり身についてしまった、どこがどうと説明するのは難しいが、とにかく何に対しても悲嘆を抱くような口ぶりで、

「死ぬな」

とだけ言った。

少年にそんな気はさらさらなかった。栃尾城の櫓に近習とともに立ち、城兵の三倍以上もの軍勢を眺めたときも同じだった。死なねばならない相手とも思えなかった。

「あの程度の敵であれば、打って出るべきでしょう」

そう主張する少年に、本庄氏もその側近たちも目を剝《む》いて反論した。こちらは寡兵《かへい》であり包囲されて皆殺しになるのがおちだ。晴景様はきっと救援を寄越してくれる。他からも救援は来る。打って出るのはそれからでも遅くない。

少年は、太刀をすっぱ抜いた。

その場にいる者みな、いつ少年が刀を抜いたのかもわからなかった。気づいたら少年の手に刀があり、その鋭い輝きが、軍議に集う者たちの目を集め、口を閉ざさせた。

「我に一計あり。我自ら打って出て、必ずやこたびの敵勢を討ち屠《ほふ》ってみせようぞ」

少年のいう一計というのは、きわめて単純なものだった。城兵の四百を二つに分ける。一方を伏兵として、敵が本陣を置くはずだと少年が見た、城外の一角に潜ませる。もう一方は城内にて待機させ、伏兵と呼応して打って出る。

不思議なことに誰も反論できなかった。確かに敵は、少年の指摘する場所に集まるであろうことが予想された。また、敵が伏兵を警戒して防御を布《し》くとも思えなかった。何といっても敵は、十五歳の古志郡司を獲物と見てにわかに攻め、春日山城の晴景を柔弱とみなして援軍を警戒していない。問答無用の攻囲でもって一挙に寡兵の城を落とすつもりなのだ。まさかただでさえ少ない城兵をさらに二分するとは思ってもいないだろう。

そうした理《ことわり》もさることながら、最終的には理屈を通り越して、少年の確信に満ちた威風に、誰もが圧倒されてしまった。少年が握っていた刀も、いつの間にか鞘《さや》に戻っていた。まるで神か仏の力で、自在に少年の手に刀が現れたり消えたりするようだった。

少年からすれば、城内にいる彼らも、城外の敵も、まことに扱いのたやすい人々であった。みなが求めているのは、いわば空無《くうむ》だ。惑《まど》い、悩み、恐懼《きょうく》する心を消し、何も考えずに済む状態になりたい。城にいるのは寡兵であるから、大勢で攻めれば勝てる。大勢で攻められたのだから助けが来るまで待つ。どちらも少年からすれば思慮の放棄だった。ならば味方が望む空無を、別の形で与えてやればよい。この自分の思慮に、全てを委《ゆだ》ねよと言えばよかった。この自分の責任で、みなを生き延びさせる。そして勝たせる。そう信じさせてやるだけでいい。

果たして、敵勢は城外にやってくると、これ見よがしに陣を布いた。まさに少年が見抜いた場所であった。千を超える人間がゆいいつ移動可能な、城と平野をつなげる道の先である。小高く、城の出入り口を押さえられ、泥の上に立たずに済み、城内にいる者たちに軍勢を誇示するには、もってこいの地点。

少年はしかと敵の布陣を見届けると、櫓の上で、目一杯、鉦《かね》を叩いた。

敵勢から、どっと笑い声がわいた。警鐘を鳴らすにはいかにも遅すぎたからだ。敵側の誰も、それが襲撃の合図だとは思っていない。

その鉦の音《ね》がやまぬうちに、隠れ潜んでいた二百の兵が、喉《のど》も裂けよとばかりに怒号を上げて敵陣の側面に——ほぼ背後からといっていい角度で——突撃した。

たちまちのうちに人が倒れ、血がしぶき、悲痛な絶叫が、伏兵たちの喊声《かんせい》に押しつぶされた。完全に虚を衝かれた敵勢が右往左往する間に、櫓から飛び降りるようにして地面に戻った少年が、槍を持つ近習を従え馬に乗った。背後には残り二百の兵が武者震いもあらわに勢揃いしている。

「開けぇ——っ！」

少年の叫びとともに門が開かれ、二百の兵が吶喊《とっかん》の声を上げて飛び出した。城を取り囲み、あわよくば戦わずして降伏させることを考えていた敵勢は、この挟撃にろくに太刀打ちできず、四散するほかなかった。少年と城兵は、この敵をとことん攻めた。城下の道は倒れた者たちの血でずっと先まで赤く染まり、必死に逃げる者たちの多くが、春の増水で激流と化した川に突き落とされて溺れ死んだ。少年が鉦を鳴らしてから四半刻《しはんとき》（三十分）と経《た》たずに、勝《か》ち鬨《どき》が起こった。

「景虎どのの勝利にござる！」

馬上の少年は返り血を浴びた顔に微笑《ほほえ》みを浮かべ、彼らの声に応《こた》えて血刀《ちがたな》を掲げてみせた。

長尾景虎、すなわちのちの上杉謙信《けんしん》の驚嘆すべき初陣《ういじん》の勝利であり、彼を激賞する歓声が、いつ終わるとも知れず山間に響き続けた。

二

「黒田、討つべし」

ぼそりと兄が言った。顔が青黒い。ただでさえ病気がちなのに、心労が重なり、年中、顔色が悪い。今も兄弟が向き合って酒を飲んでいるが、兄の血色は一向に良くならない。まるで酒ではなく冷えた岩清水でも口にしているようだ。

「いつですか?」

景虎がさらりと訊《き》いた。こちらは悠然と構え、心労などとは無縁だった。どんな敵に囲まれようと、どんな陰口を叩かれようと、誰が死のうと、誰に裏切られようと、とにかく動じるということがない。寺から帰された際、修羅、畜生、羅刹の道を覚悟したからだと彼自身は思っていた。兄に言わせれば、そもそも景虎の胆力そのものが常人とはかけ離れているのだという。

「来年の夏」兄が言った。「あるいは秋」

上杉譜代の家臣・黒田秀忠《ひでただ》は、父・為景には仕えたが、晴景に仕えることを拒んで独立を企図した。晴景の名声が今ひとつであることから、自ら守護代となる好機とみたのだ。武将どもはそうと決めたら機を逃さず行動する。ただちに決起し、春日山城に攻め込み、景虎の兄である景康《かげやす》、景房《かげふさ》を殺害してしまった。

元服前だった景虎も、そのとき城にいた。乳母《うば》の夫であり、猛将として名高い金津《かなづ》新兵衛《しんべえ》の助けで、床下に隠れてやり過ごし、敵兵が退けられてのち脱出していたのである。

脱出したあと、敵が父に仕えていた黒田秀忠であること、兄が二人も殺されたことを聞いた。動じはしなかったが、景虎の胸中には燃え立つものが残された。この自分を殺せなかったことを、きっと黒田はあとになって悔やむことだろう。不敵にそう思った。兄から黒田の名が出たときも、その思いを口にした。

「私が兄上に代わり、諸将に呼びかけ、黒田を攻めましょう」

「頼む」兄がうなずいた。青黒い顔の中で、兄弟よく似た目が炯々《けいけい》と光っている。

「上杉どのより命が下されるようはからっている。間もなくお前に命がゆく」

「兄上がお命じなさらぬと」今度は景虎がうなずいた。説明されずとも自然と兄の意図が見えていた。「なるほど。やつはもはや、上杉方ではない、と周知させるためですね」

「そうだ。それと、やつは三条の者と共謀している。気をつけろ」

三条長尾氏のことである。兄は諜者《ちょうじゃ》を各家に忍び込ませていた。同じ長尾の姓を持つ一族のほとんど全員が、守護代の地位をひそかに狙っていた。誰にいつ攻められるかわからなかった。

そもそも父・為景が、守護代の地位を独占したことに争いの一因がある。彼らからすれば一方的に奪われたものを取り返そうという思いが強く、同族に弓引くことにためらいはない。だがそれは景虎とて同じ気持ちだった。強き者でなくば生き残れない。生き残らねば何も得られず、何も守れない。しごく単純な話だった。

「万事、仕《つかまつ》りました」

景虎が頭を下げた。さらに兄が言った。

「問題は黒田の後だ」

「後――?」

景虎が兄に目を戻した。二人の炯眼が交わされた。一方は武威、一方は政略に長《た》けたまなこであった。気質は違えども――あるいはそうだからこそ――互いの心が紙に書かれた字のようにはっきりとわかった。ひとしきりの沈黙の後、やがて兄が口を開いた。

「謀反《むほん》の芽を一つ一つ潰《つぶ》していては、きりがない。束ねて一つにせねばならん」

「私が」とだけ景虎は言った。何をどうするといった言葉は口にしなかった。

「小競《こぜ》り合《あ》いに終始させるのが肝要《かんよう》だ。せっかくの将兵を失っては何にもならん」

「決着は」

「守護上杉の命。我に任せてくれるか」

「むろんです」

「死ぬな」

「兄上も」

　この会話を、もし敵の間者《かんじゃ》が耳にしたとしても、ついに兄弟の真意はつかめなかったに違いない。天室が景虎の才とみなした虎視のまなこは、兄においても備わっていた。父を失い、兄弟を失い、頼れる者たちもいつ離反するか知れない中、晴景と景虎の兄弟は、このとき互いを頼りとしながら、自分たちとこの越後のゆきつく先をはっきりと見通していた。

　景虎は兄に別れの言葉を述べ、春日山城を出立し、栃尾城に入った。

　天文《てんぶん》十四年（一五四五）の秋、黒田秀忠が居城である黒滝《くろたき》城にて決起し、栃尾城を攻めた。兄の言葉通り、三条長尾氏が呼応した。

景虎は事前に、母の実家である栖吉長尾氏をはじめ、上杉長尾や小河《おがわ》氏など、諸将を味方につけていた。栃尾城での初陣ののち、自身の勝利をとことん喧伝《けんでん》し、味方を一人でも多く増やすよう、兄から命じられていたのである。景虎は忠実にその命に従った。その結果、攻め寄せる黒田勢を圧して、難なくこれを追い返すどころか、逆にまんまと黒田秀忠を追い詰めたのだった。

やや遅れて、守護代の兄ではなく、守護職・上杉定実《さだざね》じきじきの討伐命令が、景虎に下された。景虎は改めて総大将となり、黒田秀忠が立て籠もる黒滝城を攻め、たちまちのうちに降伏させた。まさに電光石火の反撃であり、諸将はまたもや景虎の優れた将器に瞠目《どうもく》した。景虎からすれば、来るとわかっていた敵を退け、逃げるとわかっていた場所に追い込み、降るとわかっていて降伏を勧告しただけである。

景虎には、その場で処罰する権限がなかったことが、黒田秀忠の降伏が早かった要因である。生き延びる算段がたやすくつけられたからこそ下ったのだ。

黒田秀忠は府中に送られ、「坊主になって他国へ去る」という条件で、上杉定実の取り成しを得て、許されることとなった。

景虎も晴景も異を唱えず、黒田を許した。諸将から甘いと見られるのも承知の上だった。晴景には、黒田の処罰以上の目的があった。今回の乱を機に、府中長尾氏が、上杉定実を守護として推戴《すいたい》する形をはっきりさせたのである。晴景は、その背後にあって政略を操るという、父・為景が駆使した政治手法を踏襲することに、ようやく成功したのだった。

景虎は表舞台に立って武功を得て、晴景は政略の陰に潜んで実権と大義名分を得る。そうして府中長尾の権限を盤石《ばんじやく》にしていった翌年、黒田秀忠が配所先に移るなり、前言を撤回して再び決起した。

春日山城に上った景虎は、病床に伏せっていた兄にこの処置について尋ねた。

「やれ」兄が病臥《びようが》の身には不似合いな、炯々と光る目を弟に向けて言った。「景康、景房の仇《かたき》だ。一人も残すな」

「仕りましてござる」弟もまた、兄そっくりの眼差しで応じた。

景虎は諸将を説き、黒田誅伐《ちゆうばつ》の態勢をあっという間に整えていった。

さらには兄の政略で、上杉定実の同意を得て黒田誅伐が決まった。もう誰も、その処置を甘いと見ることはなかった。ここまでするかと目を剝くばかりである。そして景虎は、彼らの心に刻まれ、決して消えぬほどの阿鼻叫喚《あびきようかん》の地獄絵図を現前させた。

黒滝城を攻めに攻めて陥落させ、秀忠を自害させるとともに、女房も子供も罪人として皆殺しにした。美姫であろうが、あどけない子供であろうが、一片の容赦もない。酸鼻《さんび》をきわめる光景を諸将に見せつけ、誰が強き者であるか、この上なくわかりやすい形で示したのである。

諸将はこの光景に蒼白《そうはく》となった。これが景虎のやり方であるとみなが噂《うわさ》した。かといって決して凶猛《きようもう》の気質だというのではない。こうまでしないとわからない者たちへの、底知れない忿怒《ふんぬ》のあらわれなのだという風に語られた。

「毘《び》沙門天《しやもんてん》がごとき人となり」

というのが、景虎の評となった。兄が意図的に流した噂だった。かねてから兄は、景虎の身に備わった才を、〝毘沙門天の賜《たまわ》り物〟などと表現していた。

北天の守護神であり、甲冑《かつちゆう》に身を包み、仏敵を打ち払う宝棒を構え、悟らぬ者どもへ忿怒の形相《ぎようそう》を向ける、勝利と繁栄の武神。景虎こそ、毘沙門天の化身である——そんな噂が広まるにつれ、景虎自身もそのような考えがしっくり来ることを自覚した。

晴景と景虎の兄弟がそれぞれ抱く考えは、どんなものであれ、互いに己の考えであるように感じるものが大半だった。

ほどなくして、その兄弟が、彼らの思いとは裏腹に、雌雄《しゆう》を決さねばならないときがきた。

三

何者かの武功が輝けば輝くほど、それが新たなお家騒動や争いの発端となるのは、越後の国のみならずこの頃の日本各地で顕著な傾向である。

景虎もその例外ではなかった。栃尾城を守り抜き、上杉譜代の黒田家を誅滅したことで、景虎を晴景に代わる守護代に推す声が強まった。越後下郡のうち特に揚北衆の中条氏《なかじょう》が、景虎擁立を唱えた。北信濃《きたしなの》の豪族の中でも、景虎と縁戚関係にある高梨氏《たかなし》も同様だった。栃尾城の本庄氏、景虎の母の実家である古志長尾氏、与板《よいた》城の直江《なおえ》氏、三条城の山吉氏など、景虎擁立派が一挙に膨れあがった。

一方、晴景側には、坂戸《さかど》城の上田長尾氏、黒川《くろかわ》城の黒川氏が立った。典型的なまでの、家臣団の利害関係による、兄弟相克《そうこく》の図である。どちらかが他方を攻め落とし、服従を誓わせるか、抹殺することでしか、国内統一は果たせない。

かくして骨肉《こつにく》の争いの火ぶたが切られるかに見えたが、景虎は動かなかった。その必要もなかった。晴景はかねてからこの事態を予期し、打つべき策を用意してあったからだ。

景虎はこのとき己の武名を、諸将を束ねて動かさないことに用いた。反晴景派を足元に集め、その尾を踏みつけて争乱勃発《ぼっぱつ》を押しとどめることに注力したのである。それこそ兄との間で交わされた、以心伝心の約束だった。多少の小競り合いは起こったが、景虎は約束を果たすことができた。諸将を押さえている間に、兄が素晴らしい策でもって、兄弟相克を回避してくれたのだ。

「景虎を我が養子とし、家督を譲る」

それが兄の決断だった。上杉定実が、その旨を告げ知らせた。表面上、守護職たる上杉の調停による兄弟の和解である。だがこのとき上杉定実の背後には、晴景がいる。上杉は傀儡《かいらい》に過ぎない。全て、晴景の策の内だった。

諸将は呆気《あっけ》にとられながらも、この年の離れた兄弟が、改めて父子の義を結ぶことを認めた。反対すれば兄弟の両方から攻められるのだから認めないわけにはいかない。景虎は、ここにおいていかなる争いも起こさぬまま、兄の跡を襲い、府中長尾氏の家督を継ぎ、弱冠十九歳にして守護代として立ったのであった。

それでも、火種は残った。

兄の側についた上田長尾氏は、この和解によって貧乏くじを引いた。あわよくば病弱の晴景の跡を、自分の一族に継がせようとしていたのである。だが逆に景虎の側についた他の長尾氏の影響力が増し、自分たちは狭い一隅に押し込まれ、ろくに発言できない立場になろうとしていた。

翌々年の天文十九年二月、上杉定実が逝去した。定実に世継ぎはなかった。養子を迎え入れようとはしたが、お家騒動が勃発してこれを鎮《しず》められず、ついに越後上杉家は断絶となった。

定実逝去から僅《わず》か二日後、兄のひそかなる政略により、景虎には十三代将軍・足利《あしかが》義輝《よしてる》（義藤《よしふじ》）の名において、白傘袋《しろかさぶくろ》と、毛氈《もうせん》の鞍覆《くらおおい》の使用が許されることとなった。これらの品々は本来、守護職しか用いることができないものである。すなわち景虎は事実上、上杉定実に代わり、越後国主大名として立ったに等しかった。

上田長尾氏の長尾政景《まさかげ》が、景虎に叛旗を翻したのは、同じ年の十二月のことだ。景虎の四つ上の政景は——あるいはその父・房長《ふさなが》は——このときが大勝負に打って出られる最後の機会だと考えたのだろう。念頭には、兄弟相克のときの景虎の態度があった。黒田一族を滅ぼしたときとは打って変わって、同族同士の争いを避けるため、自分を擁立する人々を逆に止めようとするなど、武将としての甘さを見せたのである。

この点で政景には大きな強みがあった。景虎の姉・仙桃院《せんとういん》の夫だったからだ。自分は景虎の義理の兄である。実の姉が手元にいる。そうたやすく攻められないはずである。

結局のところ政景は、景虎の甘さにつけ込む気で決起したのだった。まさか、晴景・景虎の兄弟間で、暗黙の約束がなされていたとは、夢にも思っていなかった。

果たして、景虎は何の容赦も見せなかった。

景虎擁立派の兵が、政景の息がかかった坂木城《さかき》を攻めたことで戦いの口火が切られた。景虎はこの動きをまったく止めなかった。宇佐美《うさみ》氏、平子《たいらこ》氏、栖吉長尾氏が、景虎側に立って兵を動かし、あっという間に政景側は劣勢となった。

その政景に、一度だけ景虎側から和解案が出された。政景の弟を人質として出府させるという条件での和解である。

「緒戦というのに、さっそく交渉ごとに持ち込みおった」政景は笑った。「やはり、つけいる隙はある」

政景は和解案を蹴った。強硬な姿勢を示すことで、より有利な条件で、景虎側と和解できると踏んだからである。しかしながら――、

「では滅ぼす」

というのが景虎の返答だった。

まさに毘沙門天の一面たる忿怒の顔で、政景の甘い読みを粉砕したのである。交渉など政景が抱いた幻に過ぎなかった。和解案は最後通牒《つうちょう》だった。そのことが政景側にもはっきり伝えられた。そして景虎自ら出陣することが諸将に告げ知らされ、

「房長・政景父子が籠もる坂戸城を、総攻撃にて灰燼《かいじん》に帰せしめる。上田は一族郎党、一人も生かさぬ」

景虎の苛烈《かれつ》な声明が、越後国内を駆け巡った。

誰もが、黒田滅亡の再現になると戦慄《せんりつ》した。政景たち一族は愕然となり、血の気を失い失神する者すらいた。政景は恐怖に震えた。自分は義理の兄だぞ。実の姉ごと殺す気か。そう言いたかったが、もはやそんな問答をしている場合ではない。父子ともに慌てて誓詞《せいし》血判《けっぱん》を用意し、助命嘆願に走り、降伏を願い出た。

景虎は、家臣たちの嘆願を認めるかたちで、上田長尾氏に対する矛を収めると告げた。

そして兄が住まう館《やかた》に足を運び、言った。

「思惑《おもわく》通りに」

兄は、家督の重圧から解放されたせいか、だいぶ血色の良くなった顔でうなずいた。

「上田であったな」

叛意を示すならば上田から、とあらかじめ読んでいたのである。特に政景の性格について、景虎は兄から十分に聞いていた。何しろ兄を擁立しようとしたのは上田長尾氏である。兄はそのまなこでもって彼らの気質を見抜いていた。

「ひとまず許すがいい」兄が言った。

「ただし処罰は一門除外に」景虎が応じた。

「地位は国人衆《こくじんしゅう》辺りに格下げ」

「そののち武功によっては汚名返上の機会を」

「政景は気骨がある。腹心となすがよかろう」

「鞘走《さやばし》らせず、逆らわせず、勲功《くんこう》を与えれば」

「この城の留守居《るすい》にもなれる男だ」

一人の人間が呟きを発しているようなやり取りだった。義理の父子となった兄弟は、ますます表裏一体であるように、これまで以上に阿吽《あうん》の呼吸で互いを支え、国の内外を見据えていた。

「これで越後を統《す》べることができる」兄が盃を掲げた。

「祝いましょう」景虎が同様に盃を掲げた。

ともに干した。しみじみと兄が言った。

「父を超えたな」

景虎は微笑んだ。どちらも、どちらがそうなった、とは言わなかった。兄は弟のことをそう思い、弟は兄のことをそう思っていた。

かくして景虎は、越後を統一した国主として立つこととなった。このとき二十二歳。越後の虎が、その虎視を領土の外へと向けるときが来ていた。

四

政景の反乱と同時期、関東管領《かんれい》たる上杉憲政《のりまさ》（憲当《のりまさ》）が、事実上の守護職たる景虎に救援を要請してきた。

関東の雄たる北条氏康《ほうじょううじやす》の兵に攻められ、戦況は日に日に劣勢となっているという。

景虎はこの要請に応えるべく兵を用意したが、政景討伐の可能性もあり、国内統一を優先して動かぬことを決めた。関東管領ともあろう者が、一朝一夕で滅ぶとも思えなかった。だが景虎が上田長尾氏の反乱を平定した翌年正月、上杉憲政は、北条勢の怒濤《どとう》の進撃を食い止められず、ついに城を放棄し、雪山を越えて落ち延びることとなった。

景虎は、この関東管領を懐に入れた。春日山城内に、上杉憲政のための館を建てさせ、住まわせたのである。これが、上杉家の政治的権威を吸収する最初の一歩となり、憲政の〝御館《おたて》〟はのちに政庁として用いられることになる。

権威を握れば、その敵も一緒についてくる。景虎は、以来、北条氏康という敵を持つこととなった。

景虎はこの新たな敵を、果敢に攻めさせた。平子氏、本庄氏に関東出兵を命じ、まさに上野沼田《こうずけぬまた》城を攻略中の北条勢を側面から攻めて撃退させ、上杉憲政が放棄した平《ひら》井《い》城を奪還せしめたのである。

「越後勢、強し」

という評判が、北陸道《ほくりくどう》のみならず東海道にまで広まった。そしてこの評判が、景虎にとっての宿敵となる相手を引き寄せることとなったのである。

甲斐《かい》の武田晴信《はるのぶ》。

このとき武田勢は怒濤となって信濃侵略を進めていた。信濃守護たる小笠原長時《おがさわらながとき》が敗勢となって国を追われ、埴科《はにしな》郡・葛尾《かつらお》城の村上義清《むらかみよしきよ》も城を奪われた。この二人が相次いで越後に逃れ、景虎に助けを求めてきた。

越後はさながら、敗者の落ち延び先であった。しかも小笠原氏と村上氏が追い払われたことで、残る信濃勢の豪族たちは、武田勢の猛攻にさらされ、誰もかれもが景虎に助けを求めた。

このとき景虎は越後守護として敗者を受け入れたが、片っ端から救援を送ることはしなかった。冬は雪で道が塞《ふさ》がれ、兵の移動が不可能となる。どれほど軍道を整備しても大雪に太刀打ちするすべはなかった。他の季節も、兵の大半が農民であることから田畑を放置してまで他国を攻めるにはよほどの大義名分がなければできない。

そもそも信濃勢を救ってやる必要もなかった。もし必要があるとすれば、越後領の防備ないし拡大のためでしかない。信濃一帯を制圧して侵攻の兵站《へいたん》地とするならば、それだけの利益が見込めるかどうかが問題となる。越後にとって、良くも悪くも領土拡大は必須ではなかった。というのも、あらゆる面で富に恵まれていたからである。

領国は広く海に面し、海産で自活する村々が多くあり、交易網が張り巡らされ、商人層が為政者と結託して富を蓄えていた。陸はあらゆる場所で軍道が整備され、こちらも交易網として機能し、冬場は雪に閉ざされるものの、多種多様な特産物が莫大《ばくだい》な銭をもたらしてくれる。

飢えから逃れ、豊かさを求めて侵攻する、といった他国の軍勢とは、動機が違った。越後ははなから豊かであり、景虎が借財に困ったことなど一度たりとてないのである。むしろ、販路を確保するため、敵も買うとわかっていながら、塩や生活に必要な品の売買の安全を保障した。

「敵に塩を送る」

という故事成語が、そのことから生まれたように、銭と物のやり取りが盛んであれば、国外で誰と誰が争っていようと関係がなかった。上方《かみがた》の商人顔負けの商売上手であることが越後勢の特徴でもあった。

何より、雪で道が塞がれるということは、敵が攻めてくる心配もないということだ。

そういう経済感覚からすると、無計画な領土拡大は百害あって一利なしである。まかり間違って貧しい地域を抱えてしまい、領土として守らねばならないとなると、かえって開拓と維持のため途方もない損失を生み出しかねない。

最も金がかかるのが、軍道の建設である。兵が迅速に動くには、馬や馬車の往来に耐えられるほど整備された道が要る。夜間の安全な交通のためにはかがり火も要る。各所に駅を作り、馬を飼わせ、役人を配し、給金を支払わねばならない。途上の村々を従わせ、村人の誰かを役人として働かせるのもけっこうな出費となる。さらに敵の間者を警戒するため、忍《しのび》を放ち、それをまとめる監視役を配するとなると、それ自体が一大事業となる。のちには景虎も、間者の数を増やすため、村々で口減らしのため殺されるはずだった子などを買い取り、忍として育てさせることに多額の経費を割くようになる。だがこのときはまだそれほど多数の忍を飼う必要はなかった。

領国経営において、道路事業と同じく金がかかるのが、大義名分である。

将軍家や皇家から、官位を授り勅書《ちょくしょ》を賜るには、名を高めて信頼を得る一方、高額の献上品と献金がなくてはならない。大義名分がなければ、領国を拡大したところで汚名がつきまとい、民の反感から経営に支障をきたす。支配のための工作に馬鹿馬鹿しいほどの財が消えていく。そうならないよう、大義名分を得ておくのが、為景・晴景・景虎の三代にわたる常識であった。

「強き者は、四つの宝を持つ」

景虎は常々、兄とそう語り合ってきた。

豊かな富、精強な兵、大義名分、そして信仰である。

「これらは三宝と同じく、一体である」

兄弟はそう確信していた。三宝とは仏・法・僧のことをいい、一体かつ不可分である。一つの宝を三つの側面から見たとき違う形に見えるようなもので、どれかが欠けても成り立たない。

強き者の四宝も同様だった。富、兵、大義名分、信仰は、いずれも不可分である。特に景虎は、兄以上に、信仰の力を重視していた。守護職やそれに等しい大名ともなれば、その力を否定することは不可能となる。

信心は、人々を慰撫《いぶ》するだけのものではない。兵を鼓舞し、大義名分を強め、ときに町を生み出すほどの富を集めもする。

これよりのちのことだが、景虎は武田と領土のみならず信仰の独占を巡って争ってもいる。善光寺《ぜんこうじ》ゆかりの仏像である。日本最古といわれる仏像であり、武田はこれを秘匿し、領地に移動させ、景虎に奪われまいとした。なぜそうしたかといえば、由緒ある仏像のもとには、一目見ようとしておびただしい人々が集まるからである。

むろん、銭も山のように集まる。たった一つの仏像を中心に、人が住まい、売買が盛んとなり、町が興り、市が開かれる。道が四方へ整備され、数々の風流が生まれて文化となり、ちょっとやそっとでは滅ぼせない文化圏が生まれるのだ。

景虎が、兄が流した噂をもとに、やがて毘沙門天の化身を自称するようになったのも、同じ理由である。その不敗ぶりが神がかったものとして語られるほどに、人も銭も大義名分も、勝手に集まってくる。その信仰の力を増大させるべく、景虎も率先してあらゆることをした。早くから不犯《ふぼん》を公言し、生活に禅の修行を取り入れ、各宗派と親しく交わった。そうすることで他の宝の価値もますます高まる。景虎にとって、重要なのは四つの宝を磨くことであり、いたずらに浪費して曇らせることではない。

その景虎が、きわめて重大な転機を得たきっかけが、武田勢による信濃攻略であった。

正確に言えば、武田勢に必死に抵抗せんとした、村上義清の奮戦ぶりを知ったことが、景虎をして自らを啓蒙せしめる機会となった。

武田勢に追われ、葛尾城を捨てて逃れた村上義清を、景虎はいつものように受け入れ、客として遇している。その際、村上から、つぶさに武田の強さを聞いていた。その秘密は、まず物量にある。途方もない大軍と潤沢な物資で攻め寄せ、取り囲んで敵を倒す。必然、その軍法は、大軍を自在に操ることに特化し、さまざまな陣形が考案されているのだった。

大将の号令一下、ただちに各武将が兵に陣形を取らせる。合図も陣形も複雑なものではなく、縦に並ぶ、斜めに並ぶ、といったように、誰もがわかるよう単純化されていた。

また、陣形はその後の行動を示しており、攻めるためか守るためか兵に容易に伝わる。こうして全軍を一つの陣形で整えるのではなく、幾つもの陣形を組み合わせたものとして運用することが可能となり、各隊を前後左右へ自在に動かすことができる。まさに変幻自在であった。

景虎は、その用兵に感心した。本来、陣形というものは二つしかない。密集するか散開するかである。あらかじめ分けた兵力を、いつどこからどの角度で突入させるか、その機微が重要であり、縦だの斜めだのにわざわざ並べたところで、ひとたび混戦状態になれば敵味方定かならぬ、ぐちゃぐちゃの修羅場になるだけなのである。

だが武田の陣形は、なるほど図にして見ると整然として、いかにも手強そうだ。複数の陣形に分かれているから、一部がぐちゃぐちゃになっても、他は陣形を守って動くことができる。

それを可能とする武田の強みも、景虎はこのときすでに見抜いていた。普通、兵は各領主が連れてきて戦わせるものである。あちらの村から二十人ほど、こちらの城から三百人ほど、というように、その土地によって兵力は異なる。またその兵は、自分の領主の命令しか聞かない。あちらとこちらの兵を合計して四百人の集団とすることも、あちらとこちらの兵力と等しくするため二百と二百に再構成することもできない。それが地方豪族の寄り集まりの限界である。

だが国土統一を果たした者は、そうした兵の分裂状態から卒業することができる。同郷の者同士で固まろうとする者たちを離れさせ、必要な場所に、必要な人数を配置するのである。兵を家や土地から引っぺがし、純粋に戦闘のための一単位として扱うのだ。

武田はいち早く、兵をそのように扱うことを目指したに違いない。さもなくば、幾ら頭の中で陣形を練ったところで、現実は各領主ごとに兵が塊を作り、ばらばらに並んでいるだけになる。

景虎も、そうした分裂状態をようやく乗り越え、兵を「越後長尾勢」として再配置するところにまでこぎ着けていた。

これは良いことを学んだ。景虎は素直にそう思った。四つの宝の一つ、兵を磨くための一案を得たのである。だが村上義清の話はそこで終わらなかった。

「惜しくも武田晴信に傷を負わせたものの、首を取ることはかないませんでした」

村上義清が言った。景虎は、筆で書き出された武田勢の陣形を見るのをやめ、大きく見開いたまなこを村上義清に向けた。その炯々たる眼力に、村上義清が息を呑んだ。

「この武田の陣を突破し、大将たる者に傷を負わせたと仰《おつしや》るのですか?」

「は、はい」

「詳しくお聞きしたい」

村上義清は話した。景虎の眼差しに射貫《いぬ》かれながら、武田勢によって追い詰められた自分が、何を考え、どのように抗《あらが》い、そして敗れたかを、これまた具体的な図にあらわし、全て隠さず告げた。

ひととおり話し終えても景虎は村上義清を放さなかった。酒肴《しゅこう》を用意させ、盃を交わしながら、繰り返し村上義清の戦いぶりを尋ね続けた。

景虎は自他共に認める酒豪である。やがて村上義清が酩酊《めいてい》し始めた。景虎は近習に命じて彼を城下の仮宿に帰らせた。

それから一人で飲んだ。酒宴の後は、梅干しを肴《さかな》に飲むのが常だった。飲むほどに、武田勢と村上義清の軍勢の戦いぶりが脳裏に鮮やかに浮かんでくる。村上義清がやったこと、やろうとしてできなかったことを、一つ一つ頭の中で検証していった。

やがて景虎は、自分が五つ目の宝を手に入れたことを知った。

五

景虎は、北条勢に追われた上杉憲政、武田勢に追われた小笠原氏や村上氏を、越後守護として受け入れ、支援することを決断した。

村上義清には兵を分け与えた。家臣には、村上義清が奪われた領土を取り戻すまで支援するよう申し渡した。村上義清は出陣し、見事、武田勢を退けて自領奪還に成功した。

だがそこへ武田晴信自らがおびただしい大軍を率いて侵攻してくると、村上義清はこれを防ぐことがかなわず、再び越後に逃げ延びてきた。

そのときも景虎は村上義清から、どのように戦い、そして敗れたかを詳細に聞き出した。村上義清は、また兵を分け与えてもらえることを期待したが、景虎の決断は違った。

「私がゆく」

景虎は臣下に、自ら信濃に出兵し、武田勢と戦うと告げたのである。

「武田は理由もなく人の国を奪っている。信濃の名族たる者たちが憂《う》き目を見るのは義にも道にも反するものだ。この私を頼る彼らのため、あえて力を尽くす」

というのが景虎の掲げた大義名分であり、国を出て戦うことを「義戦」とし、余念なく正当化に努めた。

これについては兄にもあらかじめ相談しており、

「九月のうちに帰れよ」

との条件を示され、またさらに、

「まかり間違っても死ぬな」

そう念を押された。

だが結局、その兄のほうが、先にいなくなった。この年の三月に、息を引き取ったのである。

長らく病身に鞭打ち、ともに越後平定に努めてきた兄を喪《うしな》った景虎は、悲しみを覚えはしたが、しかし不思議と喪失感はなかった。むしろ長らく二分されていた魂が、ようやく一つになったような気分がした。葬儀を経て、ますますその思いが強くなり、兄の墓を建てたとき、

(第五の宝だ)

死の前に交わした会話が耳の奥でよみがえった。

(我らで工夫をなそう)

景虎は墓標に向かって微笑んだ。これからはいつでも胸中で語り合える。兄の魂魄《こんぱく》は、この我が身にやどったのだ。

「万事、ご心配なく」

亡き兄へ感謝を込めて告げてのち、八月末、景虎はひときわ強くその炯眼を輝かせ、春日山城を出立した。村上義清が二度目の敗北を喫してからおよそひと月。景虎の軍勢が、武田勢の先鋒隊と激突した。そしてこれを難なく撃破すると、さらに兵馬を進め、武田領内へと侵攻し、諸城を攻略させた。

景虎の軍法は、その鋭い虎視に要点がある。それは第一に、精密かつ広範囲にわたる鳥瞰《ちょうかん》能力であった。山中にあって、あるいは混沌《こんとん》とする戦場にあって、上空から見るように自他の位置が分かる。武将にとって、なくてはならない基礎的な能力ではあるが、景虎の卓越している点は、最前線にあってもこの視野が発揮されることであった。小高い場所で床几《しょうぎ》に腰掛け、じっと戦況を見ているのと同じ眼差しを、自ら太刀を振るいながら保つことができる。そんな才能、あるいは阿鼻叫喚の混戦においても視野が曇らぬ胆力は、誰もが持てるようなものではない。

またさらに、その虎視をもって、勝機を逃さずつかむ力もずば抜けていた。

機を見るに敏。機を窺《うかが》うに静。機を制するに剛。

好機と見るや間髪を入れずに号令を発し、それまではひたすら冷静に戦況を見極め、いざ動いたときには圧倒的な力で相手をねじ伏せる。常に相手の一瞬の隙をとらえて突く景虎の戦いぶりは、相対した者からすれば、いつどうやって攻められたかもわからぬほどで、気づけば陣形は崩壊し、味方はみな潰走しているという有様だった。

（もっと見せよ）

景虎は戦いながら、武田勢の動きをしかと見て取り、頭に叩き込んでいった。一方では村上義清の戦いぶりを脳裏に描き、彼が必死に考案した軍法を今ここで用いたならばどうなるか、ということを猛烈な勢いで思案していた。

実際に戦って敵の陣形を学ぶことは目的の一つに過ぎなかった。また別の、架空の戦いを思い浮かべ、脳裏で試みていた。

まさか戦闘中にそのようなことをしているとは誰も思わなかっただろう。しかも景虎は破竹《はちく》の勢いで攻めていった。いよいよ武田晴信との戦いになるかと思われたとき、敵はあっさりとその猛攻を受け流した。

本陣でもって景虎を迎え撃つのではなく、遊撃の軽兵を散発させて、真っ向からの決戦を避けたのである。

（今はこれまで）

やがて景虎も侵攻を止めた。兄との約束の時期も迫っていた。攻めた場所を自領とすることなく、武田勢が怪訝《けげん》に思うほどの潔《いさぎよ》さで兵馬を退かせ、越後へ引き上げていった。

その景虎の用兵を、武田勢もまたしっかりと見て取り、次々に武田晴信のもとへ報告が届けられていた。

長尾景虎と武田晴信の緒戦は、互いの力を確かめ合い、見定めんとするうちに終わった。

六

九月、景虎は京にいた。念願の、そしてまた生まれて初めての上洛である。

目的は、後奈良天皇および十三代将軍・足利義輝に拝謁《はいえつ》することである。亡き兄が生前、景虎のためにはかった最後の政略の賜物《たまもの》だった。すでに白傘袋と毛氈の鞍覆の使用許可を得て守護職に等しい身となり、さらに従五位下《じゅごいげ》と弾正少弼《だんじょうしょうひつ》の官位に叙せられていた景虎は、その御礼を言上《ごんじょう》するとともに、後奈良天皇から御剣《みつるぎ》と天盃《てんぱい》に加え、勅命《ちょくめい》という宝を得ることとなった。

「任国ならびに隣国の敵を討伐せよ」

自国から出て、他国へ攻め入るための大義名分を、これで確かに手に入れたのである。

父兄三代にわたり願ったものである。戦国大名達の中でも、これほど長期にわたり、綿密な計画を立て、上洛と同時に欲すべきものをまとめて手に入れたのは、景虎くらいのものであろう。

ついで景虎は、堺《さかい》を遊覧して経済発展の参考にし、高野山《こうやさん》に赴いて高僧と交わり、京に戻ると、そこでかねてから望んでいた別の宝を得ることとなった。臨済宗大徳寺《だいとくじ》の徹岫宗九《てつしゅうそうきゅう》より、宗心《そうしん》の法号を授けられたのである。信仰という宝に、これでまた磨きがかかったわけだった。

京で四宝を強め、またもう一つの宝を脳裏に描きながら年を越す間に、敵もまた着々と力を増大させ、計略を張り巡らせていた。

武田晴信、北条氏康、今川義元の三者の間で、同盟が成立したのである。甲斐・相模《さがみ》・駿河が互いを攻めぬと約定《やくじょう》を交わし、これによって後顧の憂いなく、武田は信濃を、今川は三河《みかわ》から尾張《おわり》を攻めることができるようになっていた。

さらに武田晴信は、軍法とは別に、意外な搦《から》め手を越後に放った。景虎の家臣・北《きた》条高広《じょうたかひろ》に謀叛を起こさせたのである。

景虎はただちに近辺の城の諸将に鎮圧を命じるとともに、自ら出陣して北条高広の城を包囲した。北条高広は武田晴信に助けを求めたが、援軍は来ない。ただ翻弄《ほんろう》された形となり、ほどなくして景虎に降伏した。

景虎の怒りは、北条高広ではなく、それを操った武田晴信に向けられた。

領内の家臣同士を争わせることで、自身は一兵も失わずして、こちらの損耗《そんもう》を企てたのである。見事な手並みであったが、そうであるからこそ景虎は武田晴信に対する忿怒を公言し、北条高広を許した。これ以上の謀叛を未然に防ぐには、操られた者を許し、首謀者への怒りを家臣たちに伝染させ、外敵への憎しみで家臣を統一するのが最善だった。

「武田晴信、許すまじ」

景虎の発する怒りの声とともに、春日山城から五千の軍勢が出立し、信濃へ向かった。

景虎はかねてから整備させていた北国《ほっこく》街道を使って軍勢を南へ進ませ、横山《よこやま》城に本陣を置いた。その前方に位置する善光寺にも陣を布いた。そうして川中島《かわなかじま》へと武田晴信を誘い出すつもりであった。

川中島は一帯に広がる盆地の中央部にあたり、犀川《さいがわ》・千曲川《ちくまがわ》・裾花川《すそばながわ》が合流し、また越後・甲斐・上野の各国へ通じる街道の交差地点である。

越後府中へ続く、広大な門前といった地形であり、また大軍を布くことのできる平野はここしかない。

武田晴信は、善光寺から南西の方角に位置する旭山城《あさひやま》に三千の兵を配置し、自らはそこから南へ下った大塚《おおつか》に本陣を置いて、景虎の軍勢と睨《にら》み合った。

互いに睨んだまま、動かない。

なんとしたことか、電光石火の攻めを常とする景虎と、大軍をもって攻めるのを常とする武田勢が、じっと向かい合ったまま一日また一日と時が過ぎていった。

景虎にとって半ば予期し、半ば意外な膠着《こうちゃく》だった。あえて武田勢の陣容を見て取ることに時を費やしてはいたものの、相手が微動だにしないことに感嘆させられていた。この自分の、一瞬の隙を衝いて攻めるという得意な手を知って、あえて先手を譲ろうというのである。こちらが見抜くのと同様に、向こうもまたこちらの手を見抜いて対処を講じてくるはずだった。

景虎と晴信。顔も知らない二人の、軍略の勝負である。両名、知恵と経験を振り絞って対峙《たいじ》する。だが動けない。まさに、拮抗《きっこう》するあまり決着のつかない千日手の様相であった。

こんな事態は景虎にとっても初めてであった。あるいは武田晴信もそうなのだろうか。何千という将兵が来る日も来る日もただ睨み合い、糧食を費やしてゆく。

夏が過ぎ、七月になった。秋が来る。景虎は武田勢の我慢強い布陣に、ゆるみを見た。武田勢の大半は、やはり農民である。故郷の田畑を心配するのは当然だろう。厭《えん》戦《せん》の気配が敵陣から漂うのを景虎は察知した。

ただしそれは自陣にも言えることだった。冬が来れば雪道を通って故郷に戻らねばならなくなる。冬の山越えは過酷である。兵ばかりか諸将までもが雪への不安を抱き、口にし始めていた。

七月十九日、景虎は青竹を握った。指揮棒として愛用するようになった品である。いちいち号令を発さずとも、その青竹一本で兵を自在に動かせるよう、用兵に工夫を重ねてきていた。それも、第五の宝を手に入れるためである。

その青竹を振るって、ついに景虎が先手を取って兵を放った。一軍をもって旭山城を攻めさせて牽制《けんせい》し、本陣を犀川へと前進させた。

ただちに武田勢も川縁へと進み、鉄砲と弓が構えられた。景虎の指揮下、越後勢が一斉に渡河を開始した。敵前で川を渡ることは、死地に飛び込むに等しい。だがあえて景虎はそうさせた。そのことに嫌忌はない。人に死を命じるため、自らを神がかりの状態に保つことを、物心ついた頃から続けていたのだ。

たちまち銃声が湧いた。矢が空を切って眼前を乱れ飛び、ついで河原の石が強烈なつぶてとなって飛んでくる。兵が初秋の川面に次々と倒れ、沈み、流されていく。景虎はその血河《けつが》に怯《ひる》まず、持楯《もちだて》を前面に押し立てさせ、ひたすら進むよう命じた。やがて越後勢が対岸に達し、そこへ武田勢の先鋒が喊声を上げて走り寄せ、迎え撃った。

景虎はしかと武田本陣を見ていた。これで動くか。動け。そう念じたが動かない。ここで正面から雌雄を決する局面にはさせない。そう、武田本陣が暗黙の内に告げている。

「退《ひ》け」

やがて景虎は青竹を振って撤退を命じた。迅速にきびすを返し、再び川を渡って戻ってくる越後勢の後背を、武田勢は追おうとしない。追ってくれれば、すかさず引きずり込んで本陣を攻める。その景虎の意図を、向こうも読んでいる。

「やるわ」

景虎が燃えるような眼差しで呟いた。声に敵意と感嘆が入り交じっていた。武田晴信も、内心では早期に決着をつけたいはずである。甲府《こうふ》からここまでの兵站を維持するだけでも相当な出費だ。途中で略奪ないし徴集を行えば、いまだ支配が行き届かない信濃一帯に敵意が満ち、自ら退路を塞《ふさ》ぐことになる。だから略奪もしない。ただ窮乏に耐えて動かない。

再び重苦しい膠着状態となった。八月が過ぎ、九月となり、なんと閏《うるう》十月になっても両軍に動きはない。

景虎も武田勢も、ほとんど軍の維持に全力を尽くさねばならない有様だった。多数の荷駄ばかりが行き来し、そのための道路整備がかつてない規模で行われた。兵糧《ひょうろう》が煙のように消え、士気は落ちに落ちた。故郷に戻りたがる者たちが後を絶たず、諸将が離反しないよう誓紙を書かせるはめにまでなった。

やがてようやく動きが起こった。

武田側である。とはいえ戦闘が起こったのではない。同盟先である今川義元に調停を依頼し、和議が持ちかけられたのである。

景虎が信濃支配に興味を持っていないことを見抜いての和議だった。あるいは越後勢が、冬を待って攻める気だとでも思われたのかも知れない。なんであれ、持ちかけられた和議の内容は、越後側に有利なものだった。

武田側は旭山城を破却して去り、北信濃の諸氏に領土を返す。代わりに越後・甲斐の両軍は戦わずして兵を下げる。

景虎は臣下と軍議を持ち、この和議を受けることを決め、武田側と誓詞を交わした。

気づけば着陣より、なんと二百日ものときが過ぎていた。

七

半年以上にわたる膠着の間、越後の内憂外患はかつてなく激しさを増した。

もとから越後衆は互いに不仲である。完全に信頼し合う家同士のほうが珍しいほどだった。狡猾《こうかつ》で凶邁で、たとえば上田長尾氏などはすぐに裏切るというので他家から侮蔑《ぶべつ》されていたが、誰もが自分たちを棚に上げているだけで、本来みな上田長尾氏を咎《とが》められる立場になかった。

景虎の長尾一族が早くから大義名分を四宝の一つとしたのも、そうした不快な四分五裂と呉越同舟を繰り返す親族と周辺豪族の浅はかさゆえといえた。景虎が毘沙門天の忿怒の形相を自身のもう一つの顔とし続けたのもそうだ。その怒りの眼差しは、もっぱら他国の敵ではなく、父が遺し、兄が死ぬまで苦闘し続けた、複雑怪奇な越後情勢そのものに向けられた。

今も、中条氏と黒川氏が、上野氏と下平《しもだいら》氏が、領地争いを勃発させていた。そうした争いは景虎の重臣たちにも伝播《でんぱ》し、たとえば本庄氏と大熊《おおくま》氏が激しく争うようになった。

越後国のすぐそばで、甲斐・相模・駿河が同盟を結び、いつ攻められてもおかしくないという外患をそっちのけにしての、内憂である。愚かとしか言いようがなかった。

いよいよ毘沙門天としてその忿怒相を用いるときが来た。そう景虎は心の中の兄とともに決めた。どうすべきかもわかっていた。

弘治《こうじ》二年（一五五六）の六月。

「出家する」

景虎は突如としてそう宣言した。口にするだけでなく、林泉寺の天室に遺書を預け、春日山城を出ると、僅かな近習を連れて高野山へ向かった。

下克上を嫌い、領地を捨てて僧になろうとした戦国大名など、景虎くらいのものだろう。重臣たちをはじめ、越後衆はこの事態に驚愕し、身分の上下を問わず大騒動となった。

折しも武田晴信の策謀により、今度は大熊氏が反乱を起こしていた。これは一方で、景虎による越後支配が強固になっていることの証拠でもあった。決起しても越後内で呼応する者が少ないか、まったくいないため、他国の勢力を使うようになったのである。

そんな時期に、景虎自ら越後を捨てようとする態度を見せたのも、さらなる統制をはかるための賭けでもあった。

失策となれば、一介の僧となるだけである。それとも暗殺されるかも知れない。そうであったとしても、ここで手を打たねば自分も越後も生き残れない。いずれ武田という強敵に侵略されて滅ぶ。そう見定めた上での大博打《おおばくち》だった。

果たして事態は景虎の思惑通りとなった。重臣たちが協議し、景虎を説得して帰国を呼びかけることを決めた。かつて叛旗を翻した長尾政景が、天室とともに景虎の説得にあたった。越後衆が連署して、景虎への忠誠と、人質を府内に置くこと、内紛を起こさないことを誓った。

そうした誓詞が提示されて初めて、景虎の帰国が決まった。

重臣たち一同、景虎に見放されることを恐れたのである。当然ながら、これにより景虎は、いっそうの支配力を発揮することとなった。

春日山城へ帰還するなり、侵攻してきた大熊氏の軍勢を、ただちに撃破した。敗走した大熊氏は、武田晴信のもとへ逃れてその家臣となることで生き延びた。

その隙に、武田勢は先の和議を破り、長尾勢の城を攻め、信越の境に軍を進めるに至った。

景虎も、ようやく内憂を一掃し、武田勢の謀略へ、その忿怒を存分に注げるようになった。

だが、信濃の更級《さらしな》郡八幡宮《はちまんぐう》に、「佞臣《ねいしん》・武田晴信を討つ」という願書を献《ささ》げ、「信州《しんしゅう》に静謐をもたらし、天下に家名を発す」

そう誓ったものの、景虎の兵は折からの豪雪で動くことができない。

その間、武田勢は着々と攻略を進め、あるいは調略を果たした。

ようやく雪解けを迎えた四月、景虎は引き絞られた弓から矢が放たれるように、再び川中島へ出陣した。先の戦いで道路網は徹底的に整備してある。その進軍は迅速苛烈をきわめ、たちまち諸城を攻め落とし、武田勢の支配下に置かれた善光寺を奪還するや、先の和議で破却された旭山城を復旧させて本陣となした。これらを、ただひと月で果たしたのである。五月に入る頃には、武田領へ侵攻していった。望みは、武田晴信との決戦である。

だが武田勢はこれに応じなかった。景虎の軍勢を避け、囮《おとり》の兵で惑わせ、背後に回って退路を脅《おびや》かすといった幻惑《げんわく》じみた戦法を駆使した。

明らかに景虎を「強き者」とみなしての決戦回避の策である。ようやく川中島の北側にある上野原《うえのはら》で戦いが起こったが、決戦とはとても呼べない小競り合いに終始し、またもや膠着状態になるのが目に見えていた。

出家という賭けに勝ち、やっと越後における四宝を完成の域にまで高めたものの、武田を退ける機会も、第五の宝を披露する機会も、またもや得られずじまいとなった。

「必ずや五宝の矛をもって武田を屠らん」

景虎は、幻惑を楯として戦うこの優れた敵を、いかにして決戦の場へと引きずり出すか、思案を巡らせながら、越後へ引き返していった。

八

将軍義輝から上洛要請があったのは、翌年のことだ。みたびにわたり戦いを繰り返す景虎と武田晴信、さらには北条勢の和睦《わぼく》を、将軍自ら提案してきたのである。

狙いは景虎を上洛させ、自らも帰京することだった。というのも将軍はこのとき、三好《みよし》氏と松永《まつなが》氏に攻められ、近江《おうみ》へ逃げていた。

越後と甲斐の和解はそうたやすく実現するものではなく、調停は不首尾に終わったが、さらにその翌年の永禄《えいろく》二年（一五五九）、景虎は五千の兵を率いて二度目の上洛を果たし、将軍に拝謁した。

景虎の目的は、上杉憲政による譲渡の承認である。越後にいる上杉憲政が、関東管領職と上杉姓を景虎に譲ることを願ったことから、その許可を将軍から得る必要があった。

将軍はこの譲渡の儀を認め、関東管領就任の内示を景虎に与えた。また、将軍家と三管領たる細川《ほそかわ》・斯波《しば》・畠山《はたけやま》の一族にのみ許された、裏書御免および塗輿《ぬりごし》使用の特権を認め、さらには豊後《ぶんご》の大友宗麟《おおともそうりん》が献じた火薬の調合法を記した書物を景虎に送った。

正親町《おおぎまち》天皇からは天盃を賜り、関白《かんぱく》・近衛《このえ》前嗣《さきつぐ》と親交を得て、大義名分の宝をこの上なく輝かせながら帰国した。

待っていたのは、やはり武田勢の侵略だった。武田晴信は剃髪《ていはつ》し、信玄《しんげん》と名を改め、信濃からついに越後へと侵攻を進めてきた。その一方で、信玄は越中《えっちゅう》の勢力をたぶらかし、越後を攪乱《かくらん》する策を弄してもいる。

景虎はまず越後に騒擾《そうじょう》をもたらさんとする越中を攻め、あっという間にこれを平定した。

武田勢は策謀をもって善光寺平《だいら》を支配下に置き、越後侵攻の下拵《したごしら》えを進めた。

他方、桶狭間《おけはざま》の戦いによって甲斐・相模・駿河の三国同盟のうち、駿河の今川家が倒れた。

倒したのは、なんと弱小とみなされた尾張の織田《おだ》である。

景虎は、桶狭間の戦いの様子を詳細に調べさせ、織田勢の凄《すさ》まじい攻めに感心した。

「矛は強し」

天と地の利を最大限に活かし、巨獣の急所を的確に捉え、小勢で大将首を討ったのである。

その戦いは、景虎に二つの確信を与えてくれた。五つ目の宝を磨いたことは正しかった、ということと、三国同盟の破綻《はたん》は自分たちにとって絶好の機会であるということだ。

「北条を討つ！」

景虎はただちに重臣に命じ、関東へ進軍した。今は関東管領の内示という大義名分があった。加えて、先の上洛で交流を得た関白・近衛前嗣を関東公方《くぼう》に擁立し、自身をその配下として関八州を手中にするという絵図が示されている。父兄から継いだ守護上杉の傀儡化の先にある、越後勢として持ちうる最大の大義名分である。無駄な領土拡大に関心がないのは相変わらずだが、長尾一族の栄達としてはこれ以上のものはなかった。

上杉家の旧臣をはじめ諸将が参陣した。北条氏と争う里見《さとみ》氏や佐竹《さたけ》氏も景虎に味方した。北条氏康はひたすら守りを固め、同盟相手の武田信玄が、一向宗《いっこうしゅう》の本願寺《ほんがんじ》顕如《けんにょ》とはかって景虎の後方を攪乱しにかかった。

景虎はその攪乱に動じなかった。冬になっても帰国せず、北条方の城を落としていった。

麾下《きか》十万。各地の勢力を糾合したことによる大軍勢をもって鎌倉《かまくら》に侵攻し、猛然と進軍してついに小田原《おだわら》城を攻撃した。おびただしい兵数と物量に任せた猛攻であったが、さすがの堅城ぶりを見せ、ひと月余りもしのがれ続けた。

武田勢と睨み合った二百日に比べれば大した日数ではないが、越後から遠く離れれば、自軍に厭戦の気が蔓延《まんえん》する。兵站線はかつてないほど長く延びきり、道の整備だけで途方もない出費となった。しかも背後では武田信玄と一向門徒が蠢動《しゅんどう》している。

佐竹氏らも自領を留守にできず、撤兵を訴え、これをとどめようとしたところ勝手に陣を引き払ってしまう始末だった。

「潮目か」

勝機と同じく、撤退の機を逸するわけにはいかない。景虎は自軍にも撤兵を命じ、鎌倉へと兵を引いた。

北条氏討伐は果たせなかったが、得るべきものを無事に得ていた。

名である。上杉憲政から、上杉の姓と政の一字を譲られたのである。

これにより、上杉政虎《まさとら》と姓名を改め、正式に関東管領に就任することとなった。

景虎こと政虎、三十二歳。守護代から事実上の守護職へと登り、そして今、関東管領の上杉氏そのものとなって、ようやく父兄を超えてその大義名分を成就させたのだった。

成果としては上々である。かくして長尾景虎は上杉政虎として帰国の途についた。

関東公方を巡る絵図も、当初描いたものとは異なる様相を呈していたが、北条氏が擁立していた足利義氏《よしうじ》を公方の座から外すことに成功していた。本来ならそこで近衛前嗣を公方としたかったが、諸勢力がせめぎ合った結果、足利藤氏《ふじうじ》を、関東の中心たる古河《こが》御所に迎え入れるしかなかった。

とはいえ、近衛前嗣はその後も、関白職にありながら、自ら下向して政虎の関東平定を助け、政虎が帰国しても足利藤氏や上杉憲政とともに古河城に残り、情勢を越後に報《しら》せ続けてくれた。

六月下旬、ほぼ一年ぶりに春日山城へ戻った政虎は、改めてその炯眼を川中島へ向けた。

政虎不在の間に、武田信玄は善光寺平を掌中に収めるべく、川中島の南方、千曲川の河畔に海津城《かいづ》を築き終えていた。

軍勢同士の激突ではなく、ひたすら策謀と調略でもってじわじわと侵攻してくる武田信玄の幻惑の見事さを、政虎も認めないわけにはいかなかった。

それを認めた上でなければ、決戦を果たすことはかなわない。さもなければ武田信玄はひたすら、こちらの後背を脅かすべく策謀を弄し続ける。それでは右往左往させられるばかりである。

いざ決戦となれば、勝つ自信はあった。第五の宝をいよいよこの世にあらわすことで、武田信玄の首を取れる勝機は十分にある。

だが決戦そのものが実現できない。よほどの工夫が必要である。どうすればよいか。政虎は城内に建てたお堂にこもり、川中島一帯を心の中で鳥瞰した。そうしながら亡き兄の魂魄と語り合った。長い長い思案ののち、やがて答えを得た。

「虎穴《こけつ》に入るべし」

そうせねば虎児を得られないならば、他に選ぶべき道はなかった。

永禄四年（一五六一）の八月十四日、政虎は、一万八千の軍勢を率いて出立すると、信濃に進撃してまたもや善光寺に着陣した。

と見るや、荷駄と兵五千をそこに残し、一万三千の兵とともに平野を南へと進んだ。

武田勢が守りを固める中、堂々と犀川を、そして千曲川を渡った。そしてなんと、海津城のすぐ西側にある妻女山《さいじょさん》ならびに尾根続きの西条山《さいじょうさん》へと布陣させたのであった。

敵地着陣。さしもの信玄も予想していないはずの、まさに虎穴に入っての挑発だった。

信玄もすぐさま信濃に入り、二万の兵を茶臼山《ちゃうすやま》に登らせ、政虎の軍勢と対峙した。これまでさんざん政虎を惑乱せんとしてきた信玄が、このときばかりは逆に政虎の狙いが読めなかったものと見え、しばらくして山上に布陣させた兵を、海津城へと移動させていった。

政虎の動きを誘うためであろう。だが政虎は動かない。動くに動けず膠着するというのでもない。悠然と構え、その陣内からは琵琶《びわ》の音まで響き出していた。

あからさまな挑発といえばそうだが、武田勢からすれば、これまでの政虎の電撃的な攻めに比べ、あまりに様子が違っており、異様ですらあったろう。信玄が来る前に海津城を攻められたのにあえてそうしない。信玄がわざわざ兵を山に登らせて隙を見せたのにあえて乗らない。さらには山から兵を下ろして城に移す際も、まったく動きを見せなかった。

武田勢は政虎の不動の意図が読めず、さぞ紛糾したに違いない。いったい何のために敵の支配地域にとどまっているのか皆目《かいもく》不明なのである。策を巡らせ、意外な勢力と呼応するのが普通だが、信玄の諜報網にそんな情報は入ってきてはいない。それどころか、気づけば諜者からの報告そのものがぱったりやんでいた。

このとき政虎は、一帯に人を放ち、信玄側が遣わした間者を片っ端から捕らえさせていた。捕らえたのは越後の忍達である。飢饉《ききん》で土地を失い、寝床と食を得る代わり、諜報あるいは対諜報のために働く者達だった。信玄の幻惑の策を支えるのは、広範囲にわたる諜報である。政虎はそう見抜き、かねてから対抗策を用意していたのだった。

政虎の命で、捕らえられた武田方の間者は、徹底的に締め上げられた。吐かねば一片の慈悲とてなく殺し、情報を吐いた者も武田方に返すわけにもいかず、これまた殺した。中には無関係の、たまたま紛れ込んでしまった農民などもいただろうが、それも縁であり、神仏の奇特なる巡り合わせと決めつけ、いかなる動きも信玄側に察知されてはならない、という苛烈きわまる政虎の命により、一人残らず殺された。

その酸鼻たる拷問《ごうもん》と殺害の現場は、何重もの幔幕《まんまく》に覆われ、あるいは山中に設けられた小屋の中で行われ、政虎と数名の者以外の目に触れさせることはなかった。

そうしながら政虎も、多数の諜者を敵陣に紛れ込ませていた。信玄の動きに応じて攻めなかったのはそのためである。

目的は、あくまで決戦だった。信玄からすれば最も避けたいことである。不戦勝主義とでもいうべき謀略の名手たる信玄からすれば、政虎の愚直なまでの決戦主義は、狂気の沙汰《さた》とすら思えたことだろう。だからこそ信玄には政虎の思惑が読めずにいたし、そうであろうことが今の政虎にはきわめてよく見えていた。これまで繰り返し翻弄され続けてきたからこそ、信玄の思惑が見えるのだった。

政虎は、さながら毘沙門天そのものになりきるかのように、まなじりも裂けんばかりに忿怒のまなこを見開き、その虎視を海津城に注ぎ続けた。

やがて勝機が訪れた。捕らえた間者たちの言葉から、武田信玄の策が見えたのである。

信玄は、まず一万二千の兵を海津城から放ち、ひそかに政虎の背後に配置して不意を衝く。本隊は、川中島の八幡原《はちまんばら》に陣を構える。

政虎の軍勢は、この奇襲の兵に勝っても負けても、川中島へ下りてくる。負ければ越後に落ち延びようと川中島を縦断する。勝てば改めて本決戦を求めて川中島の本隊へと攻め寄せてくる。いずれにしても、そこで無傷の八千の本隊が、奇襲で疲労した政虎とその兵を討ち取る。

政虎はこれを聞いて、歓喜が全身を駆けめぐるのを覚えた。信玄の策をあらかじめ知ることができたからではない。信玄が、自分との決戦を選んだからであった。その時点で政虎にとっては勝機をつかんだに等しかった。

九月九日、重陽《ちょうよう》の節句が訪れた。敵と睨み合う戦陣においても、しばしば祝事は行われる。むしろ戦陣にあるからこそ、神仏の加護を願い、祝日の炊飯がされたりもする。

この日、政虎側と信玄側が、ともに動いた。

政虎は信玄の策を逆手に取るべく、紙の旗を立て、盛大にかがり火を焚《た》いて偽装し、僅かな兵のみを残して、後背を衝かんとする敵勢一万二千への囮とした。

残る政虎勢一万三千の兵には、夜闇に紛れて山を下りるよう命じ、千曲川を越えさせた。その後、千の兵を甘粕景持《あまかすかげもち》という将に預けて別働隊としている。相変わらず四方に少兵を放っており、人がいれば信玄方の物見か否かを問わず、即座に殺して口を封じるよう命じてあった。そして実際、何人か暗がりに潜んでいるところを発見し、口を押さえ、あるいは首を絞め、声を上げさせることなく抹殺した。

平原一帯には濃霧が立ちこめ、気候までもが自分に味方をするのを政虎は感じた。信玄もまた同様に思っているであろうことが推察され、かつて経験したことがないほど気が逸《はや》るのを覚えた。心が浮き立ち、大声で笑いたい衝動にすら襲われた。自分は狂気に至ろうとしているのだろうかとすら思い、冷静であるよう努めたが、頭はこれ以上ないほど冴え渡り、どのような事態が起ころうとも瞬時に対応できるだけの理性と気力が満ちていた。

身も心も軽やかで、政虎はこのとき、心から戦《いくさ》を愛した。戦うという行為そのものへ、深い愛情を感じた。全身全霊が神がかりの中にあった。それは歓喜であり、この世に生まれたことを父兄と先祖へ感謝する思いであり、武神たる毘沙門天とのとてつもない一体感であった。

いつしか夜が明け、時は卯《う》の中刻《ちゅうこく》（午前六時）にさしかかった。信玄が放った一万二千の兵が政虎方に奇襲を仕掛ける予定の時刻。だが山に吶喊の声は上がらず、それどころか鳥獣も眠ったままであり、沈黙が辺りを支配していた。

徐々に霧が晴れてゆき、政虎の軍勢は、やがて意外なほどの近さで、右側面に武田勢の本陣があるのを発見した。武田勢もその眼前に、三つの縦列をなす軍勢が突如として出現したのを見て凝然となった。

遅れて双方の火縄の匂いが鼻をついた。本来であれば、これほど接近する前に嗅《か》ぎ取れたはずの匂いである。だが双方ともに奇襲と待ち伏せをはかり、いつでも火ぶたを切れるよう心がけていたため、自軍の火縄の匂いだとばかり思っていたのである。

「右向け――っ！」

政虎の号令と青竹の一振りのほうが、武田勢の反応より格段に早かった。

縦列をなしていた軍勢が多数の塊にわかれ、それぞれの部隊が迅速に位置を整えた。

鉄砲隊が前面に出て構える。弓隊がそのすぐ後ろで弓を引く。その後方に長槍が勢揃いする。さらに旗本がいて、その背後に騎馬を従えている。

「放て――っ！」

途方もない銃声が轟《とどろ》き、矢が放たれ、武田勢の前面にいた兵が軒並み倒れていった。

銃の乱射が続く中、政虎は機と見るや青竹を振るって、順番に各隊の攻撃を指示した。

順番というのは、一つに隊の中での攻撃順序である。

一隊は、原則として四百人。左右に鉄砲五十ずつ、弓五十ずつ、槍五十ずつ、騎馬五十ずつの順で並び立ち、長槍と騎馬の間に、指揮者たる旗本がいる。まず鉄砲と弓が攻撃し、矢弾が尽きるとともに飛び道具を下がらせ、槍を繰り出して敵兵をその場に押しとどめる。さらに騎馬五十が左右から走り出て、敵兵を側背から攻め、取り囲んで倒す。

おおよそ四百の兵で一隊。一万二千人のうち荷駄の兵を犀川へ先行させていたので、このとき残りほぼ八千で、およそ二十隊。

それぞれの隊が、決められた号令に従い、決められた手順で、次々に攻め寄せる。

これこそ、政虎が村上義清の戦いに見出し、独自の工夫を重ね、磨きに磨いた、第五の宝、すなわち兵種別編成部隊によるまったく新しい軍法であった。

かつて最初に武田勢に攻め込まれたとき、村上義清は、寡兵であっても諦《あきら》めず、なんとかして総大将たる晴信を討ち取らんと知恵を振り絞った。

その答えとして、彼独自の決死隊を組織したのである。

全軍の勝敗にかかわらず、必ずや敵大将を討つということを使命とする二百の騎兵に、これまた二百の槍持ちを与え、槍持ちの半数には長槍を持たせた。さらに二百の足軽に、弓矢と鉄砲をあるだけ装備させた。

この、兵装ごとに別々の塊となる六百の兵を決死の一隊となし、足軽五人につき頭を一人ずつ立て、その全員に「一」の文字で統一させた旗指物を与えた。目的は、全軍の指揮から完全に独立して動く部隊とすることである。

そして武田勢との戦いが始まるや否や、村上義清は旗本隊とともに、この決死隊を率いて、ただひたすらに武田軍本陣の旗本へ——総大将へと突き進んでいったのである。

弓隊が矢を、鉄砲隊が弾を放ち、その手持ちの矢弾が尽きるや飛び道具を捨て、太刀を抜いて攻める。それと同時に槍持ちが騎兵に槍を渡し、長槍隊とともに突撃する。そのためにあらかじめ「撃て」「槍持て」「進め」など、六百人が次々に一丸となって行動できるよう合図を決めておく。

目的は総大将の首である。この決死隊は村上義清自身の想像を超えて機能した。玉砕することなく敵陣深くへ斬り込み、なんと武田晴信その人に傷を負わせ、その上さらに、中心にいた村上義清を生還させていた。

そして、政虎をして、未知の戦法へと開眼せしめた。

村上義清にとってそれは後先を考えない決死の戦法であり隊形だった。人も武器も使い捨てにして、ただ敵の大将と相打ちになるためだけの戦い方である。

だが政虎はその一度きりのはずの決死の戦法を、何度でも繰り出すことのできるものへと進化させていった。それが、鉄砲・弓・槍・旗本・騎馬の五種によって構成され、左右縦列をなす、兵種別編成部隊である。鉄砲と弓を使い捨てとするのではなく、後退させて槍と位置を入れ替えさせる。旗本の位置や、騎馬の数など、場合によって調整することもあるが、原則としてその順番は各隊一定である。

領主ごとに集めた兵の塊をそのまま配置するのではなく、兵種ごとに再構成し、それぞれを意のままに指揮することができて初めて実現する戦法であった。その実現には、残りの四宝が——兵、経済力、大義名分、信仰がなければならない。ただ兵が大勢いるだけでは成り立たず、他の宝がなければ兵種別編成は不可能である。強力な大義名分と信仰を味方につけねば、戦い自体が無意味となりかねない。兵士一人一人に、一単位として扱われることを納得させられはしない。また、兵装を均一化し、全てを維持するには、莫大な経済力が必要となる。そのため政虎は飢えた者達を存分に利用した。口減らしされるしかない人々に、兵として働けば食っていけると教えたのである。他に行く場所のない者達にとって、政虎の軍が、彼らのゆいいつの居場所となった。

そうしてひとたび実現すれば、この戦法は必勝をもたらす第五の宝として、何よりも輝きを放つことになる。

その証拠が、今、政虎の目の前にあった。政虎勢は長蛇の列をなしていたが、それが各隊に分かれ、政虎の指揮に従い、次々に独立して攻め寄せていった。いわゆる車懸りの攻めである。車輪が回転するように駆けめぐるわけではなく、小隊が次から次へと絶え間なく攻め寄せることをいう。その小隊の一つ一つが、信玄が配置し、応戦すべく動かす陣形の一つ一つを、押しとどめ、囲い込み、突破していく。

全小隊が、そもそも決死隊として考案された隊形をなしている。一隊でも突破して敵の旗本と切り結べば、すなわち武田信玄その人を討ち取ることにもつながる。武田勢は、死をもたらすこの「群《むれ》なす小勢」を相手に、防衛一辺倒とならざるを得ない。

他方、政虎勢もまた必死に戦う必要があった。何しろ敵陣の平野のど真ん中に居座っているのである。この敵を突破せねば故郷に帰れなかった。誰もが吶喊の声を上げ、こいつが将か、こいつが指揮官か、こいつさえ殺せば戦いは終わるのかと血眼になって目標に殺到する。修羅、畜生、羅刹の道がここに立ち現れ、苦悶《くもん》の声も歓喜の叫びも一緒くたになり、政虎は己が身につけた教えも武技も用兵の妙も全てこの一戦のためにあったのだという途方もない思いと衝動でもって全隊を突入させ、自らも存分に太刀を振るっていた。

自分は化身、武神の申し子、神懸かりの虎であるという考えが、次から次へと火花のように脳裏で閃《ひらめ》いては、肉体の奥底に、おそらくは鼓動を司《つかさど》る生命の根源に、法悦《ほうえつ》とはこれかと思うような熱をもたらすのだった。

これぞ決戦、敵味方ともに逃げ場のない大決戦ではないか。政虎は今こそ大声で笑っていた。地獄のような屍山血河《しざんけつが》の有様を目にしながら、喜びに打ち震えて戦った。

武田勢の分厚い陣容が、一段、また一段と崩壊してゆき、立派な出《い》で立《た》ちをした者たちが血で真っ赤に染まり、落馬し、泥濘《ぬかるみ》にまみれて動かなくなった。彼らは主君を守る強固で柔軟な盾だった。信玄が戦いの要諦《ようてい》とするのもそれだった。勝たずとも負けぬ最強の盾たること。

自分は矛だ。五宝の輝きを放つ矛だ。たとえ負けるとも総大将の命を取る最強の矛だ。

政虎は熱に浮かされたようにそう思った。韓非子《かんぴし》の故事そのものの光景が繰り広げられている。どんな矛も防ぐ盾と、どんな盾も貫く矛。それらがぶつかり合えばどうなるか。これがその答えだった。矛が勝つのだ。双方が壊滅するか否かという瀬戸際の決戦において、勝利は目前に思われた。矛自体がばらばらに砕けようとも、その刃先の一片が盾の持ち主の命を奪えばいいのだから。今その事実を目《ま》の当たりにしているのである。戦いを喜ぶ者として、これを喜ばずにいられようか。

政虎は青竹をおさめ、太刀を抜き放った。

「いざ行かん！」

喉も割れんばかりに叫ぶや、馬を駆って騎馬隊とともに飛び出した。車懸りに攻める一隊の旗本としてである。政虎勢にとって大将自ら太刀を振るうことは珍しいことでも何でもない。目指すは敵本陣。自ら矛の一部となり、分厚く層をなす武田勢の守りを迂回《うかい》し、弧を描いて迫る。武田勢は各所で別の小隊に足止めされている。みるみる敵陣の中央が、そこに並ぶ旗が近づいた。

またたく間に激突した。敵本陣の守り手の側面にいた者たちが、政虎と配下の騎馬隊の百の刃によって引き裂かれ、荒ぶる馬の蹄《ひづめ》で踏み殺された。

政虎の総身を歓喜が貫いた。敵の大将がそこにいる。武田信玄が。政虎の胸中では、忿怒と賛嘆とを同時に抱き続けた宿敵への、燃えるような愛情にも似た思いが燃え上がっていた。これほどまでに敵将に執着を抱いていたとは政虎自身が意外なほどであった。もし敵対せず、共に戦っていれば歴史を変えたに違いない二人だった。だが同時に、もし敵対しなければ、歴史に残る戦法が生み出されることもなかったであろう相手だった。

たちまち周囲はすさまじいまでの混戦状態となった。敵味方が死にもの狂いで戦っている。その中にあって、ひときわ立派な出で立ちをした男が地面に立っているのを、政虎は見た。

見たときには、その男へ、太刀を振るっていた。

弾《はじ》かれた。手に伝わる衝撃でそうとわかった。男が、手に握る何かで太刀を受け弾いた。政虎にはそれが咄嗟に軍配《ぐんばい》の扇に見えたが、一瞬であったため定かではない。

政虎は瞠目《どうもく》した。己の太刀を止められる者など滅多にいない。間髪を入れずに続けて突き込んだ。甲冑の隙間を狙う必殺の剣尖《けんせん》が、また弾かれた。素早く馬首を返し、渾身《こんしん》の太刀を振るった。太刀は男の手に握る何かに食い込み、砕いたものの、みたび防がれていた。

なんと守りに長けた男か！　政虎は驚喜する己を自覚した。果たして男が敵の総大将かはわからなかった。馬上にいなかったからといって武田信玄とは限らない。名のある将兵かもしれない。はたまた影武者であっただろうか。確かめるすべは一つだけだった。男の首を取る。それでこの戦いが勝利に終わるか否かがわかる。目の前の男の命こそ全てだった。政虎の決戦への思いを成就させ、彼の五宝を輝かせるすべだった。

だがそのとき別の盾が迫ってきていた。武田勢が奇襲の兵として割いた一万二千が、千曲川に残した甘粕隊の兵一千を振り払い、ようやく平野に下りてきたのである。

生まれて初めて、政虎は己の眼力に、消えてはくれぬ理性に、忌ま忌ましさすら抱いた。

政虎の思念が戦場全体へ向けられた一瞬の隙に、男が視界から消えた。自分が斬りつけた相手が何者か、ついにわからなかった。確かめるすべは永遠になくなったのだと政虎は悟った。それはそれでよい。互いに生きていれば、必ずやまた雌雄を決する機会がある。そう信じて政虎は戦いの終わりを告げた。

「退け！」

政虎はただちに全兵の撤退を命じた。壊滅寸前でありながら見事に持ちこたえた武田本陣を尻目に、政虎の軍勢は善光寺へ戻ってゆき、そこで態勢を整えると、速やかに越後へ帰国していった。あとには武田側の名だたる武将の屍《しかばね》と、大打撃をこうむった軍勢、そして自身も斬りつけられる寸前だったとのちに伝わる武田信玄その人、そして、この国で産声《うぶごえ》を上げた新たな戦法の、強烈な記憶が残されることとなった。

九

川中島での四度の戦いのあと、政虎は将軍の偏諱《へんき》を賜って輝虎《てるとら》と名を改め、各地での転戦を繰り返した。川中島でも、今ひとたび武田勢と相対したが、信玄はやはりひたすら決戦を避け、その五度目の対峙を最後に、どちらの大将も命を奪われることなく双方が退き、二度と同じ地で戦うことはなかった。

東国の情勢は激動に次ぐ激動を迎えた。輝虎は引き続き配下の四分五裂に怒り、ときに自身が嫌忌した呉越同舟を仇敵《きゆうてき》と行い、いずれにせよ激しい戦いの中に生きた。

そして、五畿七道のうち北陸道を支配下に収め、京への道を誰よりも確固たるものとした。

脳裏には、天下への道がはっきりと見えていたはずである。

だが、生涯不犯のまま妻帯することなく、突然の病によって、四十九歳で世を去った。跡継ぎを明確にしていなかったことが致命的な内紛を招き、主君の急死によって上杉勢は急速に天下への道から遠ざかっていくことになる。

一方で、輝虎が見出し、人生の最期まで磨き続けた第五の宝は、たちまち天下に広まった。

兵種別編成による隊形は、相対した者たちの間で知られ、北陸のみならず東海一帯における常道となった。織田氏のもとでは明智光秀《あけちみつひで》をはじめ各将が取り入れ、豊臣秀吉《とよとみひでよし》が天下を取る頃には、全国の大名がその軍法をもとに軍役を整えるに至った。さらには朝鮮の役でも日本独自の隊形に遭遇した朝鮮の官軍が、その驚異的な侵攻力を見せる隊形を学び、取り入れたという。

徳川幕府の時代においてもその隊形は踏襲され、軍学の一端を担った。幕末の戦いにおいても輝虎が磨いた隊形は東西にわたり一般的なものとして用いられ、ついには、大日本帝国軍の基本隊形として、受け継がれていったのである。

純白《しろ》き鬼札

一

下克上《げこくじょう》とは、道を作ることである。

道なくば、人も物も銭も運びえない。城は、道の先に築くものだ。そのことをよりよく理解した者が、最後に勝つ。地上に万里《ばんり》の道を築き得た者が、やがては天下を統《す》べる。

目の前に、まさに自分が整備に携わった道が続いていた。可能な限り均《なら》され、水はけもよく、両脇は庭園のごとく整えられた、美しいとさえいえる道であった。

ときに天正《てんしょう》十年（一五八二）、六月一日。

惟任日向守《これとうひゅうがのかみ》こと明智《あけち》〝十兵衛《じゅうべえ》〟光秀《みつひで》。齢《よわい》五十五。

人間五十年と言われる世では、もはや老将と言っていい年齢である。

その光秀が、道のことを考えながら、愛宕山《あたごやま》を下り、城に戻ったとき、すでに陽は山嶺《さんれい》にかかろうとしていた。前日は雨が降りしきっていたが、この日は晴天である。

光秀は地上の道を照らす夕陽を浴びながら、全軍に出立《しゅったつ》を命じた。燃えるような西陽を背に、およそ一万三千の兵が、続々と城を出《い》で、山道を進んでいった。

その先頭にあって、光秀は、いつにも増して入念に行軍の速度を推し量った。

自ら整備を監督した道だ。どれほどの人数が、どの程度の速度で進めるか、正確にわかっていた。それでも、頭の中で計算を繰り返した。そうしながら、この後、我は忠臣たちにどのように説明してみせるのだろうかと、まるで他人事《ひとごと》のように考えていた。

決意を告げることは容易であった。恐懼《きょうく》はとっくに通り越している。神意か人為かと問うこともやめていた。ただ心に芽生えた想念を実行に移すばかりであり、そうすることにいささかの躊躇《ちゅうちょ》もない。

だが重臣たちからは、いかなる故か、と問われるだろう。

いったいいつ、そのような決意を抱いたのか、とも。

——どう答えるのが、最もよいか。

己個人の、煩悶《はんもん》の果ての決意である、といったことを語るべきとも思う。治天《ちてん》の政経は一変し、生き場所を失う者が続出する。その因果を事細かに説明したくもある。だがそのような理屈は難解で、眩惑《げんわく》とみなされてしまいかねない。それでは軍勢の士気に障る。

それよりは、これが下克上の習いである、といった正体のない詭弁《きべん》に頼るべきだろう。

我々はずっとそうしてきた。今さらしてならぬことがあろうか。詭弁に頼るなら、それくらい単純な方が良い。

そんなことを漠然と考えるうち、夜になった。光秀は定めていた通り、野条《のじょう》という場所で勢揃いを命じた。家臣たちは一糸乱れず従った。なぜここで止まるのか、といった疑念の声は起こらない。光秀は常に計算高く、機密をもって策を練る者として知られており、兵から受ける信頼は抜群だった。

これから進む先に、分かれ道がある。どちらに進めと命じようと、全軍が従う。ここに来て従わぬ者は、その場で味方に殺されるだけだ。

あるいは、殺されるのは自分だろうか。

――謀反《むほん》。

その一事に恐れをなした者どもの手で、己一人、殺《あや》められる。それは、それでいい。

こうまで達観できるのは、ひどく昂《たか》ぶっているからだと遅れて覚《さと》った。切々として、逆らいがたい昂ぶり。まさに神がかりの境地であり、久しく感ずることのなかった熱い血気に満たされ、まるで若い頃の自分に戻ったようだ。そう思ってふいに笑みが浮かんだ。

——ずっと、この熱に従ってきた。

それは単純明快な喜びの念であった。どのような悪札を引こうと、つきの無さに直面しようと、身中で燃える喜びに従い続けた。その喜びを自分に与え、焚《た》きつけることができる者こそ、主君とするにふさわしい相手だ。

(泥土《でいど》にまみれてなお支障なきものを購《あがな》おう)

いつか自分にそう告げた主君の姿は、昔のまま変わらず輝かしく、己の内にあった。その存在は今なお、己に血気をもたらしてくれていた。そしてそう感じるがゆえに、

——かくもまばゆきを討つ、鬼札とならん。

将として、その血気を全軍に伝播《でんぱ》させることができる。その確信がわくとともに、光秀は下馬し、己が軍勢と、行くべき道を一望した。兵と道。天下取りの切り札がまさに目の前にあった。

——今この手で、天下を取る。

神がかりの血気をみなぎらせながら、下知《げち》を待つ重臣たちがいる場へ歩んでいった。

二

その夜も、賭博三昧《とばくざんまい》となった。

越前国《えちぜんのくに》・一乗谷《いちじょうだに》にある、かの壮麗なる朝倉《あさくら》家の殿舎の一つで、場が開かれた。

光秀は、できれば不参加でいたかったが、

「十兵衛の差配が最も面白い」

という評判が立ってしまったため、断ることもできない。

参加者は、当主である朝倉義景《よしかげ》をはじめ朝倉家の者たちが多い。みな貴種重臣の人々である。武闘派で知られる朝倉景鏡《かげあきら》も、しばしば顔を出した。そして、何でも真に受けるたちの義景に、この勝負に勝ったらあの馬をくれだの、自分は側室を賭けるだのと冗談を言い、ともすると当主を軽んじているとも受け取られかねない態度をするのだった。

当主である義景は、そうした態度を咎《とが》めるどころか、面白がって一緒に笑ったり、大まじめに受けて立とうとしたりするのだから始末に負えない。

参加者の他の面々も似たり寄ったりで、穏和で純朴と言えば聞こえは良いが、要は富裕で世間知らずの集団であった。戦国の世にあって、越前は長々と平和を享受してきた国である。危機といえば、加賀《かが》の一向一揆《いっこういっき》か、近頃すっかり力を失った若狭《わかさ》武田《たけだ》の配下の者どもが益体《やくたい》もない謀叛を起こすくらいである。

そういえば朝倉家でも家臣の中に一揆を企てて謀叛を起こそうとした者がいたが、義景はこの者を誅戮《ちゅうりく》せず、追放で許してしまった。あるいは単に、攻めきれずに逃がしてしまったというべきか。なんであれ、もともとが景鏡の讒言《ざんげん》に過ぎなかったと光秀は見ており、狭い国の中で下らぬ争いごとを起こすばかりで、国の外に目を向けようという者はほとんどいなかった。

心が内へ向かう人々であることから、下手をすれば君臣ともども賭博の熱が度を超して揉《も》め事になりかねず、いったん揉めれば泥沼化するのが常だった。そういう危なっかしい場を上手くまとめてやるのが、この頃の光秀の主な役割になっていた。

自分はあまり参加せず、賽《さい》を振ってやったり、札を配ってやったりする。そうしながら、それとなく場の進行に手を加え、可能な限り五分五分の勝負にしてやるのだ。双六《すごろく》では出た賽の目に合わせて最適な選択を目で合図してやったり、かるたでは札の順番を意図的に入れ替えて不利な者を助けてやったりした。

要はいかさまである。それをごく自然にやり、勝敗を平たくしてやる。

その差配が上手い、というので引っ張り出されるわけで、ちっとも儲《もう》けることができない胴元のようなものだった。

下らない役目だが、それでも人と札を見ることは嫌いではなかった。

特に、義景たちが好んだかるたは、きらびやかな絵が描かれた四十八枚の札と、何の絵もない真っ白い鬼札を加えたもので、南蛮では占術にも使うと聞いて興味を抱いた。

刀剣、棍棒《こんぼう》、高坏《たかつき》、銭の四つの絵が、それぞれ十二枚ずつある。一から九までは数札といって、一の札には刀剣がひと振り、二の札にはふた振りと、だんだん増えていく。また、一の札には恐ろしい竜が描かれており、どうやら四つの道具は、その竜と対峙《たいじ》するためのものだと知れた。というのも、刀剣ないし棍棒で竜と戦っていたり、高坏や銭でもって竜を宥《なだ》めたりする絵図になっているからである。それが九の札までで、十の札には侍女、十一の札には騎乗の剣士、十二の札には王が描かれている。

これらの札の絵図と数を用いて役を作り、賽の目に従って競う。運と戦略が勝敗を左右する、なかなか魅力的な遊戯である。そして朝倉家の面々は、自分たちの都合でどんどん新たな遊び方を考え出していった。賭け金が際限なく上がっていくようにしたり、どんな札の代わりにもなる真っ白い鬼札を何枚も増やして逆転を容易にし、賭け金を釣り上げやすくしたりする。

光秀からすれば、度を超した発想である。誰も彼も大勝することばかり考え、大敗することを考えていない。光秀は、いつ誰に、どの札を配るかを計算し、ひそかに楽しむことで自分を慰めていた。賭けの上限が桁違いで参加は無理だから、そういう楽しみ方しかできない。そうして、当主とその家臣たちが一喜一憂しながら遊興に溺れる様を、遠くから見るように観察した。

そもそも、賭博は人の心の箍《たが》を外す行いであるとして、当時の武将はこれを禁じる者が多かった。たとえば四国《しこく》の長宗我部《ちようそかべ》元親《もとちか》などは、自ら賭博禁止の条例をしたため、これを家臣に厳守させたという。だが何かにつけ驕慢《きようまん》と遊興が過ぎる朝倉家では、当主自ら賭け事にひたり、さもなければ美女と酒に時を費やすというのが、いつもの姿であった。

——変わったものだ。

ふと光秀はそう感じた。十年前、光秀が越前に来た頃、ここまでひどくはなかった。そのはずである。だが今の義景たちの姿を見て、以前はどうだったか思い出せなかった。

——己も、そうなのか？

かつて城を奪われ、一族とともに命からがら逃げ、紆余曲折《うよきょくせつ》を経てこの地に来た頃の自分は、どうであったか。この平和な国で、気づけばあっという間に時が過ぎていた。以前の自分と、今の自分とが、どのように変わったか、あるいは変わっていないのか、咄嗟《とっさ》にわからなかった。

勝負が一段落したところで、ふいに義景から声をかけられた。

「――ときに、明智よ」

「はい、義景様」

「細川殿はなんと申しておった？　首尾良き次第になると思うておったが……」

「それがしには計りかねることでありますが、首尾良き次第とは聞いておりませぬ」

「期待はできぬでござりましょう」景鏡が傲然《ごうぜん》と口を挟んだ。「一向宗のやつばらを懐柔せしめるなど、我等の手にも余ること。さきの将軍の弟君とはいえ、容易に靡《なび》きはせぬでしょうな」

「さようか」義景は落胆を隠さず呟《つぶや》いた。「将軍家の威光も、さしたることなきかと思いとうはない。むしろ一向宗の者どもに、その価値がわからぬのであろう」

「義秋様《よしあき》がこの地におわすという、まことの価値は、我等が重々わかっており申す」

他の者たちが口々に義景や景鏡に賛同するのをよそに、光秀は会話から取り残されたていで札を回収し、次の勝負の準備を整えていた。

――価値がわからぬのはお前たちだ。

そう言ってやりたかった。

前将軍の足利義輝《あしかがよしてる》が、松永久秀《まつながひさひで》や三好《みよし》氏らに殺害されるという事件が起こった。そのため仏門に入っていた弟の覚慶《かくけい》が、細川藤孝《ほそかわふじたか》ら幕臣の助けを得て還俗《げんぞく》し、義秋と名乗ったのである。

義秋は松永久秀の手を逃れ、僅《わず》かな幕臣とともに若狭武田を頼った。もともと若狭武田は将軍家から絶大な信頼を得ていた家である。だが室町《むろまち》幕府とともに衰退の一途を辿《たど》り、とても義秋を擁立して次代の将軍にすることができない。そこで義景が、景鏡を使者として義秋を迎えた。

それまでにも義秋は諸大名に支援を要請しているが、どこも内憂外患の状態にあって応じる者とてなかった。

それで義秋は、朝倉家の支援を求めつつ、見返りに一揆の和睦をはかるなど内政に貢献しようとした。朝倉家が後顧の憂いなく義秋を上洛させ、将軍位につけられるようにするためである。

だが、うまくいかなかった。

「首尾良き次第」

と義景がいうのは、一向衆が、無条件で朝倉家に従うということを意味した。全面降伏の勧告である。単に和睦させようとした義秋とは根本的に考え方がずれている。かえって両者の確執の深さがあらわになり、火に油を注いだようなものとなった。

——無為になる。

光秀は将軍家の一件について、そう予測した。なりふり構わず支援を求めたにもかかわらず、朝倉が動かないのであれば、いずれ義秋の方から離れていくだろう。義景たちは、義秋は自分たちを頼らざるを得ないと信じ切っているが、いずれ誰かが次代の将軍を擁立することになる。

あるいは松永久秀らが、別の者を将軍として擁立してしまうかもしれない。

——天下を取れる好機かもしれないのに。

それをみすみす逸することになる。とはいえ、朝倉家にとっては今いる地こそ栄《は》えある天下だった。富裕で安全でぬくぬくとした、小さな天下である。

——天下三分、危急存亡のとき、か。

つい、心の中で、『三国志』の一節を連想した。朝倉だけではない。今や諸国が、それぞれの領土という小さな天下を守ることに汲《きゅう》々《きゅう》としている。隣国はすなわち敵である。それどころか、油断すれば身内にすら領地を奪われる。父子が城を落とし合い、母や妻の一族郎党を滅ぼす。それが今の世だった。

将軍を擁立するということは、必然、京を目指すことになる。

五畿七道、すなわち日《ひ》ノ本《もと》の天下国家を鎮護《ちんご》する、という大願なくば将軍擁立などできはしない。実際にできなくとも、公言することになる。ありとあらゆる敵と面倒ごとを一身に招くことになる。今このとき、そのような者などいるはずもない。松永久秀たちですらすぐさま新将軍の擁立を実現できていないのが証拠だ。

――己も、そうか。

朝倉家の御殿で、主人の遊興のために働くばかりの自分は、さながら瓦礫《がれき》のごときものだと思った。心の声が、このまま朽ち果てる気かと問うていた。

――平和に生きて何が悪い。

そう心の声に反論してやった。自分には守るべき妻子がある。一族がいる。明日をも知れぬ日々に耐えて今の居場所を得たのである。ここで生きる以外にすべはない。

それにしても、と純粋に興味を抱いて考えた。もし将軍を擁立する者が出るとすれば、それはどこの誰であろうか、と。

よほどの馬鹿か、傲慢な命知らずであろう。とても長く生きられるとは思えない。

だが、少なくとも小さな天下を飛び出す心は持っている。そのことを羨《うらや》むべきかどうか判然とせぬまま、もし本当にそんな人物がいたら、見てみたいものだ。何の気無しに、そう思った。

三

義秋の仲介は、義景らの予想に反して実を結んだ。加賀の一向宗との和解が成立し、一揆の憂いがなくなったのである。むろん、義景が期待した「首尾良き次第」というわけではなく、朝倉家の側の譲歩もあったが、一揆の不安があるのとないのとでは雲泥の差だった。越前の内政はいよいよ安定し、朝倉家は事実上の管領《かんれい》としての立場を得た。

この成果があり、義秋はひそかに朝倉家を訪れ、上洛の算段について問うた。とともに義景の母である高徳院《こうとくいん》に位を叙することまで仲介した。

義景は自邸で義秋を元服させ、以後、義昭《よしあき》と名乗ることになった。だが朝倉家がしたのはそこまでだった。

その年の夏、義景の幼い世子《せいし》が突然死した。当主の家の内側については光秀も詳細を知り得なかったが、水面下でお家争いがあり、毒で死んだという噂《うわさ》が立った。真実はわからない。なんであれ義景はよほど衝撃を受けたようで、国の経営も将軍擁立の大義も完全に放り出し、陰鬱《いんうつ》な日々を送るとともに、これまで以上に、尋常ではない遊興の日々に耽溺《たんでき》した。

——脆《もろ》いな。

国が富むほどに人が弱くなる印象で、朝倉家の前途に暗雲が立ちこめるようだった。

なんとしても将軍になろうとする義昭とその家臣たちも、同様に感じたのだろう。光秀は、義昭が越前を去ろうとしているのでは、という話を、朝倉家の家臣の一人から聞いた。さもありなん、としか思わなかったが、話はそれだけではなかった。

「義昭様は、そこもとに仲立ちを頼みたがっているとか」

そう言われて光秀は呆気《あっけ》にとられた。

「何故それがしに?」

「身辺の縁を頼りたいのでは」その家臣は光秀を覗《のぞ》き込むようにしていった。「いずれ細川藤孝殿から聞くことになろうが、なんであれ、詮無《せんな》きこととお伝えするがよかろう。義景様は、義昭様が越前におられることをお望みゆえ、な」

将軍家の世継ぎを生殺しにしておいて勝手なことを言うものだと心底呆《あき》れたが、顔には出さず、微笑《ほほえ》んで承知した旨を告げた。

ほどなくして幕臣たる細川から、本当に話があった。

細川は義昭を寺から脱出させて以来の侍臣の一人で、このとき窮乏のどん底にあったといっていい。日用品にも事欠く有様だったが、それでも義昭を将軍位に就けるべく精力的に奔走し続けていた。

その細川が、長崎称念寺《ながさきしようねんじ》門前の光秀の居宅に直接現れ、こう告げたのであった。

「織田上総介《おだかずさのすけ》殿を頼りたく、前《さき》の将軍の家臣にして朝倉公に仕えるそこもとが血縁にあると知り、無理を承知で仲介をお頼みしたく参上した」

――何を言っているのか。

反論したい点が多すぎて、咄嗟にどう返していいかわからなかった。

まず、織田上総介というのは、光秀が知る限り、尾張の小大名である。しかも一族との内紛を抱え、外にもそこら中に敵がいる。そんな人物を頼ってどうするのか。

それに、前の将軍の家臣という点は、光秀自身、越前にいた十年の間にほとんど忘却していたことがらである。光秀の一族が城を失い、路頭に迷ってのち、ときの将軍・義輝のもとで禄《ろく》を得たことがあったのは事実である。そもそも明智氏の本流である土岐《とき》氏は、室町幕府において三管領四識《ししき》家につぐ諸家筆頭の家格であった。だが今の世では、さしたる役もなく、そもそもまともに給与も支払われず、にっちもさっちも行かなくなって我から暇を乞うて改めて朝倉家を頼ったのである。そのとき光秀はせいぜいが侍郎か足軽大将で、名実ともに将軍の家臣であった藤孝とは大いに差があった。だいたい藤孝も、そのとき光秀の存在など目に入っていなかったはずである。こうして越前に義昭とともに来て初めて、光秀が義輝の配下であったことを知り、義景への仲介を期待して接触してきたのだ。

ただ、血縁という点では、確かにその通りだとしか言いようがない。光秀の叔母が、斎藤道三《さいとうどうさん》に嫁いでおり、その娘・濃姫《のうひめ》は、織田上総介の正妻である。光秀にとって濃姫は従妹にあたり、つまり織田上総介は、光秀の義理の従弟《いとこ》というべき存在となる。

だが斎藤道三は、その息子・義龍《よしたつ》に攻め滅ぼされた。道三と同盟していた明智家はその余波で攻められた。光秀とその妻子や弟らは、一族の血を残すことを使命として落ち延びたのである。

その光秀の一族に、これまで織田家が何をしてくれたというのか。今の今まで血縁者が尾張にいることすら思い出しもしなかった。

こうしたことを述べ立てたかったが、藤孝を失望させ、ひいては義昭が越前を去る事態を招いてはまずかった。朝倉家に世話になっている身としては、義昭にはこのまま引き続き、飼い殺しになっていてくれた方が都合がよいのである。

——自分のように。

ちらりとそんな想念がわいたが、心の隅に押しやり、当たり障りのないよう言った。

「織田上総介殿は、確かにそれがしも新進気鋭の人物とお聞きしております。ですが一族の内紛を抱えた上、美濃《みの》には斎藤義龍という強敵がおります。彼《か》の者が将軍御上洛を実現するには、三河《みかわ》や伊勢《いせ》とも同盟せねばならず、北条《ほうじょう》、武田、上杉《うえすぎ》とにらみ合い、ひいてはここ越前に比する武力を有さねばなりません。その上で松永久秀のようなやからと対峙し、将軍をお守りするというのは、とても無理でしょう」

光秀自身は我ながら理路整然と反論できたと思ったが、藤孝はなぜか訝《いぶか》しむようにしげしげと見つめ返してきた。無意識にしているらしく何度か首をかしげてから、おもむろにこう言った。

「その考えは正しいと存ずる。いや、実はそこもとをたいそう明晰《めいせき》な御仁と見ていたが、正直、ここまでとは……」

「では、ご納得を――」

「だが、いつの話をしておられるのかな?」

「……いつ?」

「織田上総介殿は無事、一族を支配し、斎藤義龍を破って美濃を平定したとのこと。それがために義龍もまた、ここ朝倉を頼ろうとしているとか」

光秀は危うくあんぐり口を開きかけた。その光秀をなおさらに見つめながら藤孝が言った。

「織田勢は伊勢へ攻め入り、三河と同盟し、四ヵ国に勢力を伸張する勢い。また、浅《あざ》井《い》家とも婚姻の縁を結び、近年、最も目覚ましき国と存ずる」

信じがたい言葉の数々に、激しい衝撃を立て続けに受け、身も心もいっぺんに揺さぶられる思いだった。

――十年の眠り、これほどか。

自分が安寧の地に埋没しているうちに、父祖の仇《かたき》がとっくに土地を追われ、しかも己が食い扶持《ぶち》を得ている朝倉家を頼っているというのである。朝倉家の面々を純朴な世間知らずと心の中で笑っていた自分こそ、半ば眠りながら生きていたようなものであったのだと思い知らされた。

そしてさらに藤孝が告げた言葉こそ、眠れる男を覚醒させる契機となった。

「このところ、織田上総介殿は、『天下布武』の朱印を用いられているとか。実は以前にも我が主、義昭様の御上洛を実現すべく彼の御仁をお頼りしたものの、当時はそこもとの述べられたように、内憂外患の際《きわ》であった。なれば、と義昭様のお力で織田・斎藤を和睦させんとしたものの、上総介殿がこれを反古《ほご》としたゆえ、断念した次第」

光秀はその大半を聞き逃した。

――天下に武を布《し》く。

ただそれだけに脳裏を占領されていた。そんな大言壮語を吐く男がいるのかという思いに呆然となり、気づけば突飛な連想がよぎっていた。五畿七道に広がる道と、かるたの絵札である。何十枚もあるそれが、ぱっと頭の中で飛び散るようだった。刀剣、棍棒、高坏、銭をもって竜を打倒する絵図が次々に舞い、なかでも刀剣を掲げて起《た》つ王の絵図が、京へ続く道の上に浮かんでいるさまが、ひときわ強く心に迫った。

四

結局、光秀は藤孝の願い通り、将軍上洛支援の要請を記した御内書を携えた藤孝とともに、岐阜《ぎふ》と改名された地へ赴くこととなった。

この時点で、半ば幕臣の身分となっている。少なくとも藤孝はそのつもりで光秀に接していただろう。義景の意に反して、義昭を朝倉家以外の大名と引き合わせることに荷担するのだから、そうなるしかない。

無事、城に入ることができたが、どこかの部屋で面謁《めんえつ》するのだと思っていたら、馬場が近くにある広々とした庭に案内されて面食らった。そこに人だかりができており、武士や商人のみならず得体の知れない南蛮人までもがいて、いったい何の集まりかと訝しんだ。

「殿はあちらにおられます」

案内してくれた家臣が人だかりの向こうを示して言った。聞けば、たいていの用件は立ち話で済ませるのだという。型破りもいいところで、見たところ誰も平伏していないどころか、膝《ひざ》をついて話している者もいない。

「それはさすがに――」

藤孝も口ごもった。まさか将軍御上洛の件を、公衆の面前で話すわけにもいかない。

かと思えば、ふいに人垣が割れ、その間から男が真っ直ぐこちらへ歩み寄った。両腕に新品の鉄砲を二つ抱えていた。どうやら商人が持ってきた鉄砲の品定めをしていたらしい。まるで子どもが玩具《おもちゃ》を手に入れて脇に抱えているような姿だった。

その姿のまま、これより光秀にとって見慣れたものとなる、癇癖《かんぺき》持ちの男が険しい顔をして迫った。目つきは鷹《たか》に似て獰猛《どうもう》そのものだ。射貫《いぬ》くような眼差しが、すぐそばから藤孝と光秀に向けられた。

「久しゅう、細川殿」

やや甲高い声で男が言った。藤孝が慇懃《いんぎん》に頭《こうべ》を垂れた。

「お目通り頂きかたじけのうございます、尾張守《おわりのかみ》殿」

「一件について間もなく叶《かな》う。相談、のちほど」

「は――」

あまりに一方的に言われ、藤孝が困惑して言葉に詰まった。

光秀も同様である。今のは何のことか。まさか御上洛のことを言ったのか。これほどまで無造作に返答すること自体考えられなかった。

「そちらが明智十兵衛か」

だしぬけに呼ばれた。光秀はなぜかぎくっとなりながら頭を垂れた。

「はい。尾張守様がそれがしの名をご存じとは――」

「お濃がえりゃぁ誉《ほ》めとったわ」

いきなり口調が変わった。笑いらしきものがその声にふくまれている。驚いて顔を上げると、信長の表情から険しさが消えていた。

「今、なんと……？」

「城からおん出るとき、身重のかかあを背負うて逃げたと聞いとるが」

「は、確かに、その通りでございます……」

妻は煕子《ひろこ》といい、光秀とは鴛鴦《えんおう》の仲で知られている。武家には珍しく、婚前から互いに知る仲だった。婚儀を前にして煕子が痘瘡《とうそう》にかかり、顔にあばたが残ったことから、その父親が代わりに妹の方を光秀に嫁がせようとしたところ、光秀が反対して煕子を娶《めと》ったのだった。

城から落ちのびる際、みごもっていた煕子をおぶって歩き続けたことが急に思い出された。家来の者たちが何度も代わろうとしたが、きっぱり退け、最後まで煕子とその腹の中の子を背負った。そのときの重み、落城の悔しさ、得も言われぬ心細さ、ふがいなさが、遠く時を超えていっぺんに胸に迫った。

「そのようなことまでご存じとは……」

はからずも血縁の者としていたわりと親愛を示してくれているのかと思ったが、男はあっさりと話題を変えた。

「たいそう鉄砲が上手だそうだな」

口調まで変わっている。藤孝も周囲の人の群も、どう話が流れていくのかと光秀と男を交互に見守っていた。

「多少の覚えがある程度でございます」

「百発百中か」

完全に光秀を無視して男が言った。光秀はぎょっとなった。その通りだったからだ。光秀の仲立ちをもくろんだ藤孝の意図を受け、事前に光秀について情報を集めさせたのだと知れた。とともに、光秀は自身がそのことを忘却していたことを思い知らされた。

朝倉家に出仕を願った際、諸般の作法とともに武具全般の扱いを試されたのである。光秀は一家安泰をかけて見事に応じてみせた。中でも鉄砲の腕前は、居並ぶ者たちの度肝を抜くほどであった。城を追われてのち、鉄砲のみならずあらゆる面で己を錬磨《れんま》した。血道を上げる努力だった。だがそのことも朝倉家での安寧の日々の中でいつしか忘れていた。

「鉄砲の目利きは、何を見て選ぶ」

男が両腕の銃を心持ち掲げてそう訊《き》いてきた。大して真剣に訊いていないようでもあり、返答次第では二度と口をきかないと言っているようでもあった。話しかけてもらうのを待っている周囲の人々のことなど見てもいない。苛烈《かれつ》なまでの傍若無人《ぼうじゃくぶじん》さだった。

「華美と対極にあるものを選びます」

きっぱりと答えた。なぜか意地のようなものが込み上げてきていた。蔑《ないがし》ろにされたり、慇懃無礼に扱われたりするのとは違う、心のひだを無遠慮に突き回されるような、土足で入り込まれるような気分がするのだった。

「ほう？」

男が顎《あご》をしゃくって詳説《しょうせつ》を促した。

「装飾のより少なきもの、仕掛けの単純なもの、細工がし難きものこそ上々。合戦においては鉄砲は最も重く、かつ繊細なしろもの。泥を浴びせ、蹴散らかしてなお正しく作動し、暴発せぬものを選ぶべきと存じます」

「暴発を試すか」

そう言って男がいきなり笑い出した。ともすると耳障りになりそうな甲高い笑い声であったが、光秀にはなぜかそれが急に心地よく聞こえてきた。

「使う方も命懸けの武器よな。人を使うのによく似ておる」

光秀が何か言う前に、男は急にきびすを返した。

「泥土にまみれてなお支障なきものを購おう」

その言葉をどこかそこら辺の宙に放り投げるようにして口にすると、尾張守こと織田上総介信長は、一言の挨拶もなく馬場の方へ歩いていってしまった。藤孝がその背へ慌《あわ》てて頭を下げ、大勢の者たちが男の後を追った。

光秀は一種呆然として男の背を見送った。

泥土にまみれて、というのが、なぜか自分の今後の十年を指摘されたように思えていた。

これよりほどなくして足利義昭は、引き留める朝倉義景に丁重な礼を述べた書状を残し、越前を去った。朝倉家に見切りをつけ、織田家との上洛の約束を信じたのである。

光秀は改めて、義昭に仕えて幕臣となる一方、織田家から銀五百貫をもって仕えるよう打診され、これを受けた。朝倉家にいたときとぴったり同額の給与である。給金の額まで調べ上げられていたのかと光秀はますます呆気に取られ、思わず、という感じで承諾したものだ。

そうして気づけば、朝倉家の安寧に首までつかっていた自分が、尾張のうつけこと織田上総介信長によって、その温かい泥のごとき平和から、力ずくで引きずり出されていた。

五

——なんたる悪札を引いたものか。

たびたびその思いに襲われた。そのつど、なぜか己の生命が激しく燃え上がるような感覚に満たされた。

光秀の生活は、足利義昭と織田信長の仲介役となり、また両者の家臣として二君に仕えて以来、何もかもが朝倉家にいたときとは真反対となった。

まず、織田家中は徹底した競争主義、成果主義、合理主義の世界であった。実力を発揮しない者は無名のまま置き捨てられる。太鼓持ちやおべんちゃらはまったく通用しない。年功序列と家格が万事においてものを言う京や一乗谷の常識とは画然と違った。

扶持や領土が欲しければ知恵と力で手に入れねばならない。無能な者からは奪ってもよい。斬新が誉められ、多くを試みることが奨励《しょうれい》され、失敗は挽回《ばんかい》すればよく、無為無策は穀潰《ごくつぶ》しとして咎められる。心身を休めるいとまなど金輪際《こんりんざい》なかった。

加えて、信長は家臣の一々を頭にたたき込んでいる。人材こそ国の資源とみなし、誰と誰が縁戚で、いつどこでどのような能力を発揮したか、どのような志の持ち主かをとことん把握せねば気が済まないようなたちだった。うかつな讒言は信長の逆鱗《げきりん》に触れるようなもので、競争力で勝てぬやからとみなされ、下手をすればその場で成敗された。

その信長自身が誰よりも働いた。絶えず頭脳を回転させ、五体を酷使することを厭《いと》わない。行軍では他の兵と同じく信長も寒さに震えながら野営し、泥まみれになって働き、先陣を切って突き進んでゆく。

そのくせ驚くのは、いつ不甲斐《ふがい》なき者とみなされ、首を刎《は》ねられるかわからぬという恐ろしい緊張感に満ちた主従関係にありながら、そこに、おかしなほど気の置けない間柄が入り交じることだった。

信長は、しばしば家臣にあだ名をつけた。それも、笑うに笑えない、人を小馬鹿にしたような子どもの悪口のごとき名をくれてやるのである。

光秀の場合、

「キンカン」

というあだ名で、これは禿頭《はげあたま》を意味した。といっても光秀は豊かな頭髪の持ち主である。もっといえば、女人が好む面相をしていた。京や一乗谷での生活のお陰で、所作や身なりも尾張・美濃の武士たちより、ずっと洗練されている。ありていに言って女性に慕われる男である。そんな男を、わざわざ衆目の集まる前で、こき下ろすようなあだ名で呼ぶ。

その理屈も、光秀の二字から、『儿』と『禾』と抜き出して重ねると『禿』になるという馬鹿馬鹿しいもので、信長の駄洒落《だじゃれ》好きの産物であった。

「手柄を立てよ、キンカン」

信長からそう言われるたび、なんだか相手も自分も周囲の者どもも、みな図体《ずうたい》がでかいだけの無邪気な童《わっぱ》であるかのような気がしたものだ。

そして、その童どもが先を争うようにして、危機また危機の死地へ赴くのである。

何しろ信長には敵が多すぎた。信長が力をつければつけるほど、諸国はみな敵となってゆく。信長一人が存在するだけで、それまで縁もないどころか牽制《けんせい》し合っていた諸勢力が突如として連合し、包囲しにかかるということがひとたびならず起こった。

光秀は、義昭上洛の直後から、その危難に遭った。

永禄《えいろく》十二年（一五六九）正月、信長の庇護《ひご》のもとで上洛を果たし、本圀寺《ほんこくじ》に御座《おわ》す義昭を、三好勢が急襲したのである。しかもこのとき信長の軍勢は岐阜に帰ってしまっていた。藤孝から仲介役を頼まれるや否やの、絶体絶命の危機である。当然、光秀の理性は大いに嘆き、なぜ安寧を捨てたのかと己を咎めた。

――悪くじ、悪出目、悪札の三拍子ぞ。

だがそのくせ五感は異様なまでに冴え渡り、身はかつてない血気を覚えるのだった。死地にあって苛烈なほど自己の生命を感じ、少ない味方たちとともに寺の床板や畳を盾にして矢玉を防ぎ、屋根から鉄砲を撃ち返し、弦《つる》が切れんばかりに弓を放って応戦した。

織田勢とその同盟者の軍勢が救援に駆けつけたときなど、

――九死に一生を得た。

その場にへたり込みそうになるほど安堵《あんど》する己と、

──もう終わりか。

戦闘終結を惜しみさえする、けだもののように凶猛な己がおり、どちらが本性か自分でも判然としなくなっていた。

まるで二君に仕えたがために、自身の中にも二人の己が同時に存在するような不思議な心持ちであった。

安堵する己は、将軍となった義昭のもと、藤孝とともに幕臣として、幕府存続のために働いた。

凶猛な己は、天下布武という大言壮語が現実のものとなることを疑わない信長のもと、いつしかその夢想じみた野心の信奉者となっていった。

信長が大それた野心を抱けば抱くほど、家臣たる己の身は猛《たけ》り、より過酷な務めと、より強烈に自他の生命の燃焼を感じることのできる場を求めるようになっていたのである。

将軍義昭を無事に守り抜いてのち、間もなく義昭と信長は衝突するようになった。

信長は、当然のように将軍義昭の権威を利用し、かつその自由を束縛した。義昭も義昭で、信長の勢力を背景に将軍位を得ておきながら、無条件で諸将が自分に従うなどと信じる始末だった。

光秀は両者の関係持続のため奔走する一方、信長配下数名とともに京都奉行に抜擢《ばってき》されて初めて政務を担い、かつ織田家の盾として矛《ほこ》として合戦に赴いた。

その頃、光秀の郎党として加わってくれるようになった一族の者たちなどは、光秀の猛烈な働きぶりを危ぶみ、たびたび労《いたわ》ろうとしたものだ。

「我は、泥土にまみれてなお支障なきものゆえ、造作もなきこと」

光秀はそう笑って、ことさらに面倒な役目を引き受け、信長も信長で、

「貴様に浴びせる泥を用意した」

などと、次第に難題を任せるようになっていった。

中でも二つ、途方もない「泥」を浴びせられ、明智十兵衛光秀ことキンカンの名を織田家中に知らしめることとなった。

第一の「泥」は、信長を守り抜く殿軍《しんがり》の一員として浴びた。

元亀《げんき》元年（一五七〇）四月、金《かね》ケ崎《さき》の《の》退き口である。

その年、信長は義昭の名で、朝倉義景に上洛を命じたが、義景はこれを拒否した。信長にとっては、どちらの目が出ようと構わない勝負だった。義景が従えば越前を長きにわたり当主不在にしてやり、義景が拒めば反逆《はんぎゃく》として攻める。いずれにせよ美濃と京の間にある越前の攻略の端緒となる。あからさまな挑発ともいえた。

後者の目が出たことで織田は徳川とともに、諸国へは若狭征伐を名目とするなどし、越前朝倉を打倒すべく進撃した。だがここで織田の同盟国であった浅井が、よもやの裏切りを働き、織田と徳川は撤退の憂き目に遭《あ》った。

光秀はその殿軍にあって、朝倉勢の追撃にさらされ、かつて己が居座った安寧の地の兵どもに激烈な「泥」を浴びせられた。

——こたえられぬほどの悪札を引いたものだ。

このときも光秀は胸の内で毒づき、冷静に、かつきわめて獰猛に、一隊を率いて戦った。光秀だけでなく、同じく殿軍にいた木下隊はじめ、織田軍全体がそうだった。深刻な損害を受けながらも最後まで統率を失わず、窮地にあってどの隊も潰走せず、信長を京に退かせたのである。

——なんと負けに強き軍勢か。

敗走したにもかかわらず、光秀は、窮地をともにした軍勢の偉大さに感動していた。

織田といい同盟相手の徳川といい、負けることに強い。敗勢にあって粘り強く生き延び、苦汁をなめるたびより強大になろうとする。朝倉家のように安寧を守るだけでは決して手に入らない強さだった。

京に戻った光秀は、他の家臣らとともに信長から恩賞を受けた。あの金ヶ崎で殿《しんがり》にいた、という一事だけで、織田家中で一目置かれるようになった。

その翌年、早くも第二の「泥」を浴びた。

元亀二年九月、比叡山《ひえいざん》焼き討ちであった。

前年六月の姉川《あねがわ》の戦いで、浅井・朝倉に対し、織田・徳川が勝利してのち、浅井・朝倉が比叡山に立てこもり、正親町《おうぎまち》天皇が調停したことから全山が合戦の焦点となった。一方で、六角《ろっかく》氏や三好勢、さらには石山《いしやま》本願寺の勢力が織田勢包囲をはかった。

――悪くじの尽きることのない御家運だ。

光秀はますます強大となる諸国の包囲に、むしろ織田信長とその勢力が、万人にとって畏怖《いふ》の対象となりつつあることを肌で感じた。武田や上杉といった強国の主たちですら、織田を攻めねば自分たちが滅ぼされる、という危機感を抱くようであった。

そしてこのとき、信長は諸大名の度肝を抜き、朝廷すら恐懼せしめる策をとった。

まず大坂・越前間の通行を海陸ともに封鎖し、包囲する諸勢力の連絡網を断った。さらに一向宗の一揆と呼応する浅井を退けるや否や、一揆に参加した伊勢の村を焼き払い、灰燼《かいじん》に帰さしめるとともに、一揆の拠点となった城をことごとく攻めて殲滅《せんめつ》した。

道を分断することで連合する敵をそれぞれ孤立させ、最も脅威となる相手に戦力を集中し、徹底的に戦う。それが信長の常套《じょうとう》手段であった。下克上とは道作りであり、反対に整備された道を奪われれば、どれほど強固な砦《とりで》を持とうとも負けるしかない。

さらに信長の覇道の特質は、それらの策ですら、より大きな勝利のための下地作りに過ぎないということだ。一揆を退けた信長は、三井寺《みいでら》に本陣を置くと、改めて比叡山攻略を最優先課題として告げ、家臣たちを驚かせた。光秀もその断固とした決意を聞き、総身が粟立《あわだ》つのを覚えた。

これまで浅井・朝倉との戦いのさなか、信長はたびたび比叡山に譲歩や講和をはかったが、ことごとく拒絶されてきた。

正親町天皇の弟である覚恕法親王《かくじょほっしんのう》を主とするなど朝廷の加護厚く、地理においては陸路の要衝《ようしょう》をなし、軍事においては数万の兵を置いておけるおびただしい坊舎を有する。山から延びる道という道を支配し、政治・貿易・軍事・信仰の拠点として一帯に君臨してきたのが比叡山である。越後《えちご》の上杉景虎《うえすぎかげとら》が四宝としたものを、全て持っていたわけである。

ここにおいて比叡山を敵城とみなし、織田方につかないのであれば攻め滅ぼす、というのが信長の決意であった。

これにはさすがの歴戦の諸将からも反対の声が起こった。佐久間信盛《さくまのぶもり》などは、王城鎮守《おうじょうちんじゅ》たる山を攻めるなど前代未聞の戦《いくさ》であると言ったという。

だが信長は聞かず、比叡山の包囲を命じた。その時点で怖《お》じ気《け》づく者はついにいなかった。軍事拠点という点では、比叡山を攻めざるを得ないことは承知していたからだ。これはやむをえないことだと、みな自分に言い聞かせているようだった。

光秀は違った。むしろ、いつものように、理性でこの事態を嘆いた。

――悪運が膨れあがって日ノ本を揺るがすまでになった。

この事態を招いたのは、ひとえに信長が成し遂げた下克上と、掲げた天下布武ゆえである。信長の意志が、ついにこうして大名勢のみならず、民衆を先導する寺社勢力とも対峙することとなった。将軍家を傀儡《かいらい》とするばかりか、朝廷をも畏怖せしめんとするまでに至った。

そう思うだけで、脳裏は冴え渡り、身は凶猛たらんとして血気に満たされた。

そして信長は、自分の野心に呼応する者たちを見定めて選《え》り抜き、配置させた。

光秀はその一人に選ばれた。しかも気づけば攻略の中心に位置していた。

「なで切り」

すなわち皆殺しの段取りを緻密《ちみつ》に構築してのけたことから、そうなった。光秀としては、やるからには徹底せねばならないという信長の精神に呼応したまでだが、諸隊の指揮官の多くがその無慈悲な作戦にぞっとなったような顔をした。

その光秀の案が呼び水となり、もはや織田軍全体が慈悲無き戦闘に傾いた。池田恒《いけだつね》興《おき》なども、

「一人も討ち漏らすことなく討ち取るには」

と視界を保つために早朝の攻撃を提案し、信長がその考えを採用したため、夜のうちに山麓《さんろく》を取り巻くことになった。

比叡山の延暦寺《えんりやくじ》はこの包囲に驚き、慌てて黄金の山をかき集め、信長と和睦しようとしたが遅かった。そうして日が昇るとともに、総攻撃が命じられた。坂本《さかもと》・堅田《かたた》を焼き、数万の兵が一斉に山へ攻め上った。

僧も僧兵も区別無く斬り捨て、山に立てこもった住民は女子どもに至るまで皆殺しとなった。炎が山を襲い、延暦寺も日吉大社《ひよしたいしや》も灰燼に帰して消え去った。

光秀の理性はその無惨さにおののいたが、身は猛り狂うがごとく熱を帯びていた。長く諸勢力の戦略拠点ともなってきた山中の施設をことごとく破壊し、焼き払い、山中の人々もろとも灰と化さしめた。異臭が立ちこめて身にしみつき、参道は血で真っ赤だった。

おびただしい人死にを見届けて山を下り、信長が本陣とする館に報告に上がった。信長は報告を聞くと、やけに澄んだ目で光秀の背後を見やり、かすかに口元をほころばせて言った。

「たいそう泥にまみれたな」

光秀が振り返ると、石畳に己の足跡があった。

ただの泥ではなかった。人の血でぬかるんだ土だった。気が遠くなるような赤さの血泥《ちどろ》だった。

「粗相《そそう》いたしました」

光秀は主に向き直って詫《わ》びた。信長の前に出るときは簡易であれ、なるべく身なりを整えるのが常だった。義昭に幕臣として仕えたことで戦場に出るときは顔に戦化粧を施すことを覚えたが、汗で乱れたそれもいったん拭《ぬぐ》い、新たに化粧し直すということまでした。

「支障ないか」

信長が静かに訊いた。

「いささかもありませぬ」

真っ直ぐな思いを込めて告げた。むしろこのとき初めて、かつてない「泥」を浴びたのだとやっと気づいたが、だからといって血気を失うこともなかった。ついに京周辺における最大規模の軍事拠点を壊滅しおおせた、という昂揚感の中にあった。

信長が急に笑い出した。甲高い、それでいて光秀の耳に妙に心地よく聞こえる声だった。

光秀はその様子に、いつかよぎった連想を再び覚えた。かるたに描かれた刀剣の王の姿が久々に心に迫った。竜を殺めてその血を浴び、それを誉《ほま》れとする王だった。

その信長が、初めてあったときのように急に口調を変えて言った。

「お前ゃぁが後始末せい」

それが、光秀の仕事となり名誉となった。

信長が比叡山を出て上洛してのち、光秀は山に立てこもっていた敵の首級と、施設の完全破壊を確認して回り、ついで寺社領を綿密に把握した。

信長は後日、この寺社領を光秀をふくむ五名の家臣に分け与えた。このとき得た領地に加え、近江の一郡五万石を与えられ、ともに光秀の拠点となった。そして信長の許しを得て、城を築くことになった。

信長と出会って僅か三年半余。気づけば、一国一城の主になっていた。

六

十年がまたたく間に過ぎた。

朝倉家にいたときのような眠れる十年とは異なる、限りなく覚醒し続けんとして過ごした、血気横溢《おういつ》たる十年であった。

天正九年（一五八一）もまた、光秀は正月から多忙の日々を送った。完成して七年目となる坂本城、信長の居城である安土《あづち》城、そして京を行き来し、変わらず信長の天下布武のために邁進《まいしん》していたのである。

思いは変わらないが、身辺も世も大いに変わった。激変といってよかった。

己を顧みるに、このとき近江一郡五万石に加え、丹波《たんば》一国二十九万石を得て、三十四万石の大名にまで立身していた。

郎党・家臣もおびただしく増えた。有能な人材も、腹心の配下も得た。従弟であり女婿《むすめむこ》でもある明智秀満《ひでみつ》には福智山《ふくちやま》城を与えることができた。信長に降《くだ》った稲葉一鉄《いなばいってつ》のもとから、勇名高き斎藤利三《としみつ》が明智勢に加わり、光秀はこれを臣下とし、黒井《くろい》城を任せた。どれも丹波を攻略したことによって得た城である。

そうした寄騎《よりき》を合わせると、二百四十万石に達する勢力となった。近江《おうみ》は東山道《とうさんどう》においては五畿の出入り口にあたり、丹波は山陰道《さんいんどう》を攻略する足がかりである。大勢力をもって、五畿七道のうち畿内を中心に二道を治める。事実上の、近畿《きんき》管領とすらいえた。

かつて身を寄せた、信長に滅ぼされる前の、朝倉家を凌駕《りょうが》する勢力である。

そしてこのとき、光秀は、幕臣ではなくなっていた。

丹波平定こそ、将軍義昭との決別を意味した。たびたび信長と衝突するようになった義昭は、二度までも挙兵し、ついに信長によって京から追放された。そして光秀に、親義昭派の武将が多くいる丹波の攻略が任せられたのである。

それは信長に仕えて最初の三年と同じく――あるいはそれ以上に困難な務めとなった。多くの兵を失い、信長が浅井にされたような、予想外の裏切りにあって危機に陥ることもあった。

合戦だけでなく病で危うく己の命を失いかけるということも経験した。結局は生き延びたものの、その際の看病がもとで、半生をともにした妻の熙子が、代わりに病死してしまった。そのときは不思議と理性も心も身も一つになって悲痛をとことん味わったものだ。

そうしたことがらのどれが「泥」であったか、判断はつかなかった。常に泥土にまみれていた気もするし、誉れ高く晴れやかに生きてきたという実感もある。

理性が悪運を嘆くほどに望外のものを得てきた。その第一は、領土でも金銀財宝でもなく、身中に起こった己自身の血気であることもわかっていた。それを力ずくで与えてくれた主の健在こそ、己にとっての安堵に他ならなかった。その思いがあったからこそ、こうして栄達の道を歩めたのだ。

そしてその主君安堵のために、多くの滅亡があった。朝倉も浅井も滅んだ。斎藤義龍も死んだ。武田信玄も上杉謙信も世を去った。とても敵《かな》わないと思われた強敵たち、突破し得ないと思われた包囲のことごとくを乗り越え、信長という唯一無二の主君のもと奔走してきた。

諸事に忙殺されながら、気づけばそんな追憶が頻繁によぎり、

――まるで昔話をしたがる好々爺《こうこうや》の心境だ。

己に呆れて笑みを浮かべるようになっていた。

無為の十年、激烈の十年。いずれも味わうことができた己はなんと幸福であるか。

そうした思いは、これまでであれば合戦の場で発揮されたものだが、この頃は、もっぱら政略や文治の場で発露されるようになっていた。

この年の二月と三月に、光秀は信長から命じられ、京で御馬揃えを司《つかさど》った。皇居周辺で、きらびやかな出《い》で立《た》ちをした織田勢の雄姿を見せるのである。信長をはじめ、その子息たち、各将、はたまた信長昵懇《じっこん》の公卿衆のうち乗馬が達者な人々に、それぞれ騎馬を伴わせて往来を進ませる。通常は爆竹を鉄砲に見立てるなど、派手な演出を入れるものだが、これは朝廷からの願いで催されたことと、その朝廷内で不幸があったことから、光秀はこたびの御馬揃えは粛々《しゅくしゅく》として荘厳たるよう注意を払わせ、騒音を戒めることを徹底させたものだった。

こうした織田側の気遣いを示しつつ、光秀は信長の朝廷工作の先鋒となって働いた。

治天の策——すなわち信長と朝廷の一体化である。

具体的には、まず正親町天皇から誠仁《さねひと》親王に譲位させる。そして新天皇たる誠仁天皇に、信長を准三宮《じゅさんぐう》として遇させる。この時点で信長は皇家の一員となる。さらに誠仁天皇から、その子にして信長の猶子《ゆうし》となった五宮《ごのみや》に譲位させる。

事実上、信長は天皇の義父となり、院政を敷くことが可能となる。これぞ信長を「治天の君」とする秘策で、どこのどのような大名も決して手の届かない、「神格信長」の完成となる。

下克上を生き抜いた武将は、誰もが神がかりを日常とするようになる。それがいつしか、民衆にとっては、現世において神と並ぶ存在となってゆく。武将その人が、信心の対象となるのだ。

人々の畏敬《いけい》の念が、一人の人間を、神がかる人から、神そのものへ変えていく。そうした人心の働きを、戦国武将として治世にいち早く取り入れたのは上杉景虎と武田晴信であった。今では信長が、京という日ノ本の中心にして聖地において、朝廷を通した神格化を果たそうとしていた。

後世、秀吉や家康が自身を神格化することで、日ノ本全土を統治する正当性を得んとしたのと同じである。それを、信長は誰よりも早く計画していたのだった。

信長が神となり、五畿七道を、日ノ本の全六十六ヵ国を支配したとき、この自分の念願も成就する——光秀はそう信じた。

そしてそんな思いを揺るがす出来事が、幾つも起こった。

徳川が遠州高天神城《えんしゅうたかてんじんじょう》を落とし、武田方が後詰《ごづめ》できなかったことから、その弱体化が明らかとなった頃のことである。

家臣の斎藤利三が、光秀に面会を乞うてきた。光秀はすぐに利三と会った。そしてその口から、予想外の言葉を聞いた。

「上様は、信孝《のぶたか》様を御大将とし、三好康長《やすなが》らを補佐として四国に攻め上らせる由《よし》。殿は、いかがお聞き及びにござるか」

「なんと」

光秀は僅かに目を見張ったが、それ以上は驚いた様子をあらわにせぬよう咄嗟に表情を作った。じっとこちらを見据える利三を宥め、ともに脳裏で事態を推測する時間を稼ぐため、やんわり笑みつつ扇子を広げるなどしてみせた。

四国は、光秀が長らく工作をしていた地だった。かの土地を制圧せんとしている長宗我部元親の正妻が、斎藤利三の妹であったことからの工作担当である。

主眼は、まず信長と元親の間を取り持ち、四国を当面の抗争から除外することにあった。具体的には信長から「切り取り自由」の朱印状を、元親に与えた。自由に四国を支配して良いという約束である。

だがそれはあくまで方便で、戦国の世の習いといってしまえばそれまでだった。やがて信長は、元親に、「二国まで安堵する」とか、「やはり支配権は確約しない」といった最初の約束を反古にするようになった。

それはそれでいい。両者を仲介した光秀もそう思ったし、元親自身もそうであろう。元親は「四国は自分の自由」と信長の言を突っぱね、四国制圧を続行している。

誰もが、いずれ信長と長宗我部の対決は避けられないと見ていた。

だが――

「御大将は、殿がふさわしきはず」

利三がただでさえ低い声をますます低めて口にした。

信長は、調停工作をした者が、決裂時には戦陣の先頭となることを通例とした。対武田、対朝倉、対上杉、対毛利《もうり》――いずれもそうである。

対長宗我部の一件で、光秀を外すことは異例といっていい。百歩譲って信長の三男である信孝を大将とするのはいい。だが補佐に三好氏を選ぶとは思えない。

だが本当にそうだとすると、信長はいったいどのような思惑を持っているのか――

このとき光秀にも、咄嗟に答えが出せなかった。

「推測無用。このことは他言せぬように」

とだけ利三に告げた。

利三は、百も承知というように無言でうなずいてみせた。

それからしばらくして、今度は別の子息が話題になった。

九月。信長の次男である信雄《のぶかつ》が、伊賀を攻めたのである。

実は信雄は以前、軍令を無視して伊賀を攻めて失敗し、重臣を戦死させたことで信長から大いに叱責《しっせき》されたことがあった。その雪辱戦というべきであろうが、何から何まで段取りされた合戦だった。信雄の補佐として、滝川一益《たきがわかずます》、丹羽長秀《にわながひで》が参陣し、さらに信長の旗本馬廻である近江衆や、光秀が領地安堵に協力してやったことがある筒《つつ》井順慶《いじゅんけい》の大和衆《やまとしゅう》も加わった。

これで勝てないわけがない。伊賀はひとたまりもなく制圧された。そして信雄に伊賀四郡のうち三郡までもが与えられ、残り一郡は、信雄の叔父である信包《のぶかね》のものとなった。

――織田一門の足固めか。

信長がいよいよ全国を支配するにあたり、足下を盤石《ばんじゃく》にせんとしている。おおかたの者がそう受け取った。光秀もそう理解した。だが光秀の心がざわめいた。これまで理性に抗《あらが》い、身の着火点として働いてきた心が、この事態のどこかに違和感を覚えていた。

だがそれが何であるか、どうしてもわからぬまま、年が過ぎていった。

天正十年、さらに予想外のことがあった。しかもまたしても信長の子息が関わっていた。

正月、武田方の木曾義昌《きそよしまさ》が裏切り、信長に通じることとなった。この義昌の謀叛を促した工作に、三男の信孝が主要な役割を果たし、首尾良く義昌と徳川家康を仲介したのだという。

武田勝頼《かつより》はただちに義昌の討伐に動き、この義昌の救援要請に従い、信長も動いた。

そして信長の長男である信忠《のぶただ》を筆頭として、甲州征伐が行われたのであった。

このとき、光秀は当面の合戦がない者たちの一人だった。柴田勝家《しばたかついえ》や羽柴《はしば》秀吉といった主立った重臣は、それぞれの敵と対峙しており動けずにいた。

――役目が来るか。

光秀はひそかに武田方との最終決戦に赴けという命令を待った。

が、その命令はなかった。

いや、出征を命じられたことは命じられたが、もはや戦いとは呼べなかった。

「十分に兵糧《ひょうろう》を用意して付き従え。兵数は多いに越したことはない」

というのが信長の命だった。戦うのではなく、信忠らが武田方を滅ぼすところを観戦しに行くのである。証拠に信長は、

「関東見物」

などとも言っていた。

このところ戦を与えられず、武功を得られないことに苛立《いらだ》っていた明智方の軍勢は、この物見遊山のごとき行軍にすっかり腐った。それでも光秀はしっかりと軍勢を整え、命令通り多数の兵士を引き連れて行った。

到着するなり、滝川一益の軍が武田勝頼を討ち、戦功一番との報に直面した。滝川はここで上野《こうずけ》一国とさらに信濃《しなの》二郡を与えられることとなった。

そして信長は、この甲州征伐を嫡男《ちゃくなん》である信忠の成果とし、改めて、

「天下の儀もご与奪」

の旨を告げた。

家督を嫡男に譲ることを宣言したのである。これで、その下の次男三男にも領地を与え、長男を補佐させる体制を作ろうとしていることが明白となった。

いや、信長がそのように画策していることはわかっていた。一門に領地を与えることは何ら不自然なことではない。

だがまさにこのとき——武田方が滅びを迎え、その功がそっくりそのまま信忠に与えられたのを目の当《ま》たりにしたとき、光秀の心が一挙にざわめいた。

——天下を譲る。

信長はそう告げたのである。単に織田家の家督を継がせるというのではない。天下

の交代を、血縁による継承をもくろんでいた。

それ自体は問題ではなかった。信長とて不死ではない。いつかそうするときが来る。

だが時期が問題だった。

五畿七道に至る道々はまだ掌握には遠く、「神格信長」も成らず、六十六ヵ国の支配も成っていない。なのにここが織田家の野心の極みであるかのような態度を示している。

——急いでおられる。

織田一門の体制作りが急速に進もうとしている。急進は、信長に限り、単なる焦りなどを意味しない。その先の構想があるからこそ急速な変化が可能なのだ。つまり現時点で、すでに全国支配を完成させた後のことを、信長は考えているということになる。

己を神格化し、天そのものとなり、ついにはこの国における野心の成就となる——

突然、その考えが根底から覆るのを光秀は悟った。いったいどういうことか判然としなかった。いや、心がそれを正しく見抜くことを拒もうとしていた。

——この国における野心。

それが信長とその配下全員にとって、成就すべきことだった。そう信じたはずだった。なのに何もかもが音を立てて崩れ去ってゆく思いに襲われた。

——天下。

血気の源泉たるその野心を、信長は捨て去る気なのではないか。理屈を通り越してそんな確信がわいた。

——信長様がいない天下。

そこに取り残される自分の姿を、光秀はありありと想像した。

七

安土城に凱旋《がいせん》した信長を、多くの使者が訪れた。特に朝廷は、正親町天皇と誠仁親王からの武家伝奏《てんそう》の勧修寺晴豊《かじゅうじはるとよ》を勅使とし、戦勝祝いを届けさせるとともに、信長の叙官の意志をはかった。

信長は叙官についてははっきりした態度を示さず、せっかく授けた官位を辞すなど、朝廷の面々を困惑させること甚《はなは》だしかった。正親町天皇もまた誠仁親王に譲位することを望んでおり、信長と利害は一致している。ここで信長に叙官を受け入れてもらい、ひいては譲位の儀へと進みたがっていた。

だが信長が何の位を求めているかわからない。そのため正親町天皇は、太政大臣・関白・征夷大将軍のいずれも望むとおり推挙する心づもりだった。いわゆる三職推任《さんしきすいにん》である。

勧修寺晴豊もそのことを知っており、信長の意を汲《く》もうとした。が、上手くいかず、いったん安土城を辞去してのち、なんと十日と経《た》たずして再び勅使として現れた。

何の魂胆かとかえって怪しんだ信長は、家臣の森蘭丸《もりらんまる》を遣わし、勧修寺晴豊の再来の意を問わせた。とともに、光秀を呼びつけ、

「公卿どもの意は?」

不機嫌な顔で問うた。常に陰謀に取り巻かれてきた信長である。自分の周囲で工作をする者をとことん憎悪していた。

「譲位の件もありますゆえ、なんとしても上様に官位をお授けになりたいのでございましょう。ですが、何をもってすれば上様がご満足なされるかわからず、どうにかして上様の意向を知ろうとしているのだと推察します」

光秀はすらすらと答えた。長らく義昭と信長の仲介役として働き、京都所司代を務

めてきたのである。今なお公家《くげ》たちと親交を持ち、朝廷の中枢にいる人々から独自に情報を得ていた。

「益体もないやつばらよ」

信長が一転しておかしそうに笑った。光秀はじっとその様子を見守った。何をもって、今の信長は満足を得るか。光秀もまた正親町天皇に劣らず、懸命に見抜こうとしていた。

「何を持ってくると思う？」

「将軍職、関白、太政大臣のいずれかでしょう」

「天皇位以外、何でもか」

そう言って信長はまた笑った。まるで、天皇になれというのだったら、なってやると言わんばかりである。この日ノ本でこれ以上の不遜《ふそん》はないだろう。むろん、信長が本気で言っているとは思えない。あくまで藤原《ふじわら》氏のように外戚《がいせき》として君臨するのが信長の目的である。常に宮中に御座し、おびただしい儀式の一々を司らねばならない身になろうとは思っていないはずである。

が、光秀は、もしやその意志もあるのかと空想した。そうであってくれた方が、よほど心平らかでいられるとすら思った。

「キンカン、いかがした」

「は――」

「貴様、疲れたつらをしておる」

「そのようなことは……むしろ、このところ戦に立てず、家臣ともども覇気をもてあましてございます」

思い切って正直に述べた。信長は笑みをおさめ、小さくうなずいた。

「すぐ役目が来る。それまで言われたとおり大人しく在荘し、英気を蓄えておけ」

「かしこまりまして御座います」

「馳走の用意は怠りないか」

「はい。徳川殿の来着を心待ちにしております」

「貴様のもてなしは評判がよい。くれぐれも粗相なきよう」

「承知いたしました」

光秀はその場で信長に問い質《ただ》したいという思いを秘め隠し、大人しく辞去した。

結局、信長は勧修寺晴豊を接待したのみで何の返答もせぬまま京に帰してしまった。

その頃、安土城へと一目散に駆ける早馬があった。毛利勢の高松《たかまつ》城を水攻めにしている羽柴秀吉からの急報である。

安土城に徳川家康が到着し、光秀主導の歓待の席が催されるさなか、その急報が信長のもとに届けられた。

高松城の清水宗治《しみずむねはる》の後詰に、毛利の軍勢が打って出てきたため、秀吉側もまた信長に出馬を要請したのである。

家康を饗応《きようおう》して三日目、光秀は再び信長に呼び出された。すでに急報のことは知らされていたが、そこで改めて信長から出馬の旨を告げられた。

「これぞ天意よ。わし自ら打って出て、中国の猛者《もさ》どもを討ち果たし、九州まで平らげてくれる」

そう言って信長が呵々《かか》大笑した。

光秀はそこに変わらぬ信長の姿を見た。その口から放たれる天下布武の意志は、そのときも光秀の血気を目覚めさせてくれた。だが同時に、信長が意図して告げようとしないことも浮き彫りになるようであった。信長に仕えて十年余、その考えを読み、願うところを一つにし、主君の影のごとく追いかけ、陽に対する月のごとく精一杯輝かんとしてきた。

まぶしかった。その信長に、今こそ問うべきだった。そうしなければ自分がどうにかなってしまいそうだった。

「四国の件は、お告げ下さらないのですか？」

信長が笑みを消した。怒りを抱いたかに見えたが、このときはまだそうではなかった。むしろ光秀が怒りを秘めているのではないかと探るように見つめてきた。

「信孝にやらせる」

きっぱりと信長が言った。

「三好康長殿の猶子《ゆうし》とすると、もっぱらの噂でございます」

「変わらず耳ざといな」

「三好氏を使い、四国に兵站《へいたん》を築いて長宗我部と対峙させる。毛利を攻めてのちは、羽柴秀吉殿も、彼の地へ討伐に向かうのでしょうな」

「長宗我部は、貴様の配下の妹を娶《めと》っておったな」

「はい。それが織田家の姫であれば、また話は違いましたでしょうか」

問うたとたん空虚なまでの悲しみに襲われた。信長は目をそらさず、淡々とうなずいた。

「違ったかもしれぬ」

「羽柴殿には、信孝様を庇護させるおつもりでしょうか」

「そうなろうか」

「こたびの徳川殿の饗宴の主眼は、かの御仁に、ゆくゆくは織田一門の宰相となってもらうこと。すなわち、信忠様の補佐となってもらうためと存じます」

信長が笑い声を発した。

「ようわかっておるな」

「とすれば信雄様には、柴田勝家殿や滝川殿が――」

「貴様だ」

「ですが、それがしは――」

「貴様に任す。柴田も滝川も、老いた」

光秀は絶句した。配下の齢について、かくも酷薄に言い捨てられるのかと言いたかった。それではこの自分はどうなのか。五十を超えてしまった自分は。

涙で目の前の男の顔がにじんだ。かつて血気をみなぎらせてくれた男の声が、今や耐え難い悲痛の念をもたらしていた。

「六十六ヵ国を統べ、帝の外戚たるを成就し、まことの天下人となられたとき、上様はいかなる治世を――」

「かねて、言うていたではないか」

信長が告げた。この男にしては信じがたいほど和《なご》やかな声音《こわね》だった。

「日ノ本の王たることが成った暁には、船団を作らせ、海を渡り、唐国《からくに》へ攻め入ると」

「この国の天下はどうなるのです」

「とうに譲った。これより攻め上る中国、九州、四国、いずこも、我がものではない」

「上様――」

「合戦はいつまでも続かぬ。この国の戦は、じきに終わるのだ、キンカン」

その言葉に、光秀はよもや味わうとも思っていなかった衝撃を味わった。だが初めての衝撃ではなかった。十年以上前、細川藤孝に、いつの話をしているのかと言われたときとまったく同じ衝撃だった。

頭ではわかっていた。心がそれを拒んだ。日本中の武将たちがそうだった。

天下が統一されれば、合戦がなくなる。下克上も終わる。戦いのために整備されてきた道が、人々の往来や商いのために用いられることになる。二度と、どの武将も命がけで自由に道を疾駆することがなくなってしまう。それぞれあてがわれた地を守り、田畑を耕し、子を育てる。戦国以前の生活に戻るのである。そこで育った子らのほとんどは、自国の風景以外の世界を知ることなく大人になり、老い、死んでゆく。そうした平和において、血気は不要である。武将として生きてきた身からすれば、墓に入れと言われるのと同じ生活である。

同時に、武将達はこの国の政経の転換という、これまでにない危機を迎えるだろう。家臣に与えるべき新たな領土を得るすべがなく、恩賞の仕組みが根本的に成り立たなくなる。合戦によって大量に消費されていた物資が余り、戦場で働くために育った者たち全員、浪人となる。その転換についていけない者は、この国で生きるすべを失う。

それが自分たちの世代の末路だった。本当の転換は、次の世代によって成されるのだ。信長が重臣達を補佐とした、子らの世代によって。

光秀は今の今まで血気と野心の夢の中にいたことを悟った。現実を拒むという点では、朝倉家の安寧の夢と何ら変わらなかった。その夢から突如として醒《さ》めたとき、天下を取るということの意味がまったく変わっていた。

これから手に入れる領土の全て、五畿七道の六十六ヵ国全て、自分達のものではなかった。子孫繁栄のための、新たな政経を発明する場となる。自分達はそれを見届けるしかない。

そして信長はその布石を着々と打っていた。そうしながら、自分自身をその新たな時代から度外視していた。

「なぜ……この国に君臨されぬのですか。唐国へ攻め入れと臣下にお命じになられればよきことではございませぬか」

「いかなわしでも、この先の政経は創れぬ。生まれ育ちが、これからの世にそぐわぬ」

信長は笑った。目に涙を溜める光秀にも、同じように笑うべきだと言っているようだった。

「五畿七道を、八道、九道とすべき地を求め、海を渡る。その方が性に合う。同じ性分のやつばらを道連れとしてな」

それもまた一つの解決策だった。これからの時代に適応できぬ者たちを、より過酷な戦場へ送り込む。さらなる巨大な天下への野心を焚きつけ、七道が八道になるもよし、ならぬもよし。だがそれは、いわば壮大な口減らしだった。

「さだめしそこは戦の無間《むげん》地獄か、キリシタンどもの言う煉獄《れんごく》といったところであろうよ」

所詮、厄介払いに過ぎない。そのことを隠しながら、渡海の夢を抱かせて地獄の道連れとするほかない。信長はそう言っていた。

「さもなくば、名家の子息を殺して回るか、いずれ我が子に殺されるかであろうよ」

ひどく軽い口調だった。その分、陰惨な未来をありありと予見していることが伝わってくる。

己の子らが争いに敗れぬよう、あらかじめ諸家の有望な若者に咎を押しつけ殺す。あるいは父子相克と新旧世代の争いが極まり、かつて斎藤道三と義龍が争ったような事態に突入する。下克上が最初から繰り返され、戦いの無間地獄が日ノ本のありようとなる。信長自身、そんな未来しか見いだせないことへの絶望がひしひしと伝わってきた。

「それがしも、上様のお供をしてはなりませぬか」

「ならぬ」

「なにゆえでございますか」

「貴様は、戦に向いておらぬのよ、キンカン」

咄嗟に何を言われたのかわからなかった。なぜか息が詰まり、血の気が引くあまり、ぼんやりと主君を見つめることしかできなくなっていた。

「一乗谷の平和に住まっていた頃の貴様が、本来の貴様だ。それを、わしが変えてしまった」

何を言っているのだろう。本当にわからない。主君の言葉がこれほど理解できないなどということは過去にないことだった。

「それというのも貴様のような英才が必要だったからだ。わしが穏和だった貴様を血泥の道に引き込んだのだ」

そこでいきなり理解が訪れた。心が懸命に理解を拒んでいたが、それ以上は光秀の理性が現実の否定を許さなかった。

「よもや……そのようなことを、本気で――」

「わしの本心だ。もうよい。毛利を討てば、終わりだ。もう貴様に戦はさせぬ。これ以上、貴様に血と泥を浴びさせはせぬ。もとの貴様に戻り、その英才を子孫安寧に用いてくれ」

光秀は危うく気が遠くなりかけた。信長の優しい声がたとえようもなく恐ろしかった。いつもの苛烈な叱責の方がまだ幸せだった。この僅かな会話で、これまでの半生を木《こ》っ端《ぱ》微塵《みじん》に打ち砕かれる思いがした。

「どうかお願いでございます」

気づけば光秀は涙を噴きこぼし、床に額をこすりつけ、懇願していた。

「それがしにお供をさせて下さいませ。彼の地を攻めよと仰《おお》せ付け下さいませ」

「キンカン──」

「それがしに四国をお与え下され！　長宗我部元親の正室が、我が臣の妹であろうと構いませぬ。その妹が首だけになって帰ってこようと、何を気にすることがございましょうか」

「よさぬか」

「後生でございます！　それがしにも九州を攻めよと申しつけ下され。唐国に渡れとお命じ下され」

「よせと言うておるわ！」

「もしお命じ下されなければ、それがしこそ、織田一門の仇となるやもしれませぬぞ」

涙を流しながら言い放った。叫ぶのではなく、震え声でささやくようだった。

信長が息をのんだ。光秀の心は他に口にすべき言葉を持たなかった。身中が悲しい血気に昂ぶっていて止めようがなかった。

「策謀の限りを尽くし、羽柴殿や徳川殿と一戦仕《つかまつ》りましょうぞ。そしてこの手で、信忠殿を、信雄殿を、信孝殿を、次々に討ち果たし、下克上の道を邁進いたします

――」

「たわけっ！」

信長が跳ねるように立ち、その勢いのまま、平伏する光秀の肩を蹴り飛ばした。

ひっくり返った光秀の脇腹を、さらに蹴った。

「この――たわけ！　ええい……、この――たわけめが！」

主の怒声に、人払いされていた小姓たちが飛んできた。他の家臣たちも何ごとかと足音を立てて現れた。信長の謁見《えっけん》を待っていた者たちも離れた場所から恐る恐る覗いていた。そこに、家康もいた。信長と光秀の様子を目にするなり顔を伏せ、何も見てはいないというていで速やかに立ち去った。

「後生でございます……」

信長に激しく打ち据えられながら、なお、光秀は這《は》いつくばって弱々しく懇願し続けた。

八

織田家中で出世頭と名高い光秀が、信長に折檻《せっかん》されたという噂はまたたく間に広がったが、誰もその理由は知らず、憶測ばかりがまことしやかに語られた。

信長はむろん、光秀も子細は語らない。ただ光秀は、四国の件で、上様の御不興を買ってしまったといった言いつくろい方をした。それはそれで真実でもあった。

間もなく、羽柴秀吉の出馬要請に伴い、信長は重臣たちに出陣の用意をするよう命じた。

光秀も、信長の命に従って坂本城に戻り、十日のうちに準備を整えた。

その間、光秀のもとに、信長からの使者が訪れ、主の命をこう伝えた。

「出雲《いずも》と石見《いわみ》の二ヵ国を与えん。しからば、丹波と近江一郡は召し上げるとの由《よし》」

毛利から領地を奪い取っていい、という命令であった。代わりにそれまでの領地を取り上げる。いずれも織田一門に分け与えるつもりであることがわかった。

まだ獲得してもいない土地を与えるという。ともすると放逐《ほうちく》するかのような言い方だが、むしろそれが織田家の常道だった。丹波にしろ近江一郡にしろ、そもそもそうして獲得していったものだからだ。

攻略すべき道はまだまだ残っている。領地も、一国一郡持ちから、二国持ちへと拡大されるのだから出世だった。信長は光秀を咎めているのではなく、慰め、励ましていた。そして、

（もう貴様に戦はさせぬ）

それが、信長から与えられる最後の栄誉というわけだった。

あるいは、これまでの光秀の働きを考慮しての、手切れ金だった。

光秀は諾々《だくだく》とその命を承ったと告げて使者を帰した。

自身は、坂本城から丹波亀山城《かめやま》へと軍勢とともに移動した。そこでしばし兵を待機させ、戦勝祈願のため愛宕山に登り、腹心の者たちに連歌師《れんがし》を交え、連歌を詠《よ》んで奉納した。

気力の失《う》せた、呆然《ぼうぜん》とした思いでいたため、奉納したのが、どんな歌であったかも思い出せなかった。

それから光秀は、習慣として何度かくじを引いた。幾つも引いて、より精密に吉凶を見て取るのが武将の習いである。いつもは一つ引くたび、神経を張り詰めさせて神意をはかるが、もはや吉凶に興味がなくなっていた。身は虚脱しっぱなしで、心は麻《ま》痺《ひ》したように何も感じなかった。

だが、最後に引いたくじを開いた瞬間、はっとなった。

真っ白な紙がそこにあった。

何も記されていない。神社の者が、うっかり白紙のまま入れてしまったものであろうか。そう理性は考えたが、心はその純白の紙に引き寄せられた。ふいに鼓動が身中に響き始め、やがてこれこそ神意であるという驚くべき確信に襲われていた。

脳裏に、いつか見た、かるたの絵図が舞い飛んだ。

天下に、五畿七道の上に、真っ白い札が浮かんでいるのが見えた。何も描かれていない、どのような札の代わりにもなれる、鬼札である。

――下克上とは道を作ること。

急にそんな考えがわいた。まったくその通り。自分は主君のため、おびただしい道を整備してきた。この京でも。五畿七道に通ずる道を。天下への道を。

ふと、今いる場所を見回していた。愛宕大権現《だいごんげん》。そこからやや離れた場所に亀山城がある。ゆっくりと東を向いた。木々に隠れて見えなかったが、その先に、京の町が広がっていた。

そこに信長がいる。

諸将に軍勢の準備を命じたことから、信長自身は僅かな手勢のみで上洛していた。そして毛利勢との戦いの前に、上洛時の常として本能寺に逗留《とうりゅう》し、公卿衆や商人たちと面談しているはずであった。

どくっ、と鼓動がひときわ強く身中で響いた。

（貴様は、戦に向いておらぬのよ、キンカン）

己に絶望をもたらした声がよみがえった。

にもかかわらず、その声に心が昂ぶり、総身に血気がわくのを覚えていた。

――戦に向いている人間など、どこにいる。

あるいは、向いていない人間など、どこにいるのか。戦が人の本性なら、なぜ平和など求めるのか。平和が人の本性なら、なぜ戦など起こるのか。人はどちらでもあって、どちらでもないのだ。万人がそもそも泥土の中におり、それゆえ、まばゆいものに惹《ひ》かれて動くに過ぎないのではないか。戦の泥土にあっては平和がまばゆく、平和の泥土にあっては戦がまばゆく見える。それだけのことではないのか。そして人にそう思わせる根源こそ、

――天下。

その想念に他ならないのだ。

支配も自由も、征服も融和も、天下という白紙の想念の内にある。過去も未来もそこに包含されている。武で獲ろうと、未知の政経がその獲得の手段となろうと、天下という想念そのものに変わりはない。自分はそのまばゆき想念を追い求めた一人の男の姿に、尊さと救済を、そして生の充実を見いだした。

その男が、ここにいるぞと呼んでいる。

いや、これこそまさに天のお告げというものか。

彼方にいる男が、その手にしているものを、力ずくで獲ってみろと言っている。戦に向いているかいないか、試してみよ。このあとの政経において安寧の眠りにつくだけの人生が待っているのなら、今ここで眠りを破ってみせよ。

武将達を失望させない世を、お前が創ってみせよ。

――天下を取るべしと神が告げたもう。

光秀は白紙のくじをたたみ、懐にしまった。その手が興奮で震えていた。

家臣とともに山を下りながら、己の頭脳がめまぐるしく働き始めるのを覚えた。頭は冷たく冴え、心は昂ぶり、身は急速に熱を帯びている。

亀山城に戻り、光秀はただちに準備と出発を命じた。本来進むべき中国方面とは逆の、京への道である。このことで兵を不審がらせないため、

「信長様が、我が軍の陣容と軍装を御覧になりたいとの仰せである」

と触れ回らせておいた。

そして軍勢を老《おい》ノ坂《さか》と呼ばれる場所へ向けて進ませると、その先にある分かれ道を前にして、いったん全軍に停止を命じて勢揃いさせた。そして馬首を右へ左へ向け、

自ら下知して回り、三段の備を整えさせた。

「人数は何ほどであるか」

斎藤利三に問うた。

「一万三千は御座あるべし」

――よし。

とっくに知っているはずなのに、十分な兵力がこのときこの場にあることに感謝した。まさに神仏からの賜《たまわ》りものだった。

光秀はその軍勢から離れ、明智秀満を呼んだ。

「談合すべき仔細あり」

と告げ、重臣たちを集めさせ、自分は床几《しょうぎ》にて待った。やがて集められたのは、斎藤利三、明智秀満、明智光忠《みつただ》、溝尾《みぞお》茂朝《しげとも》、藤田《ふじた》行政《ゆきまさ》の五人である。彼らが揃い、無言で光秀の言葉を待った。

「我に叛意あり」

五人が瞠目《どうもく》した。だが驚きの声一つ漏らさない。一瞬で緊張を帯び、背筋をただして主君の説明に聞き入る姿勢を見せた。

どいつもこいつも、これぞ下克上を生きた者どもである。叛意、と聞いても動揺を見せるどころか、早くも血気を溢《あふ》れさせている。

光秀は彼らにどう説明するかと思案する必要すらなかった。必要なのは命がけの確信である。それは武将において神がかりを示すことを意味した。この瞬間、思案は一切退けられ、ただ心が望むまま、神がかりの言葉を高らかに口にしていた。

「甲州征伐の折の無為、四国の儀、先日の打擲《ちょうちゃく》の一件、はたまたこたびの丹波召し上げ。上様におかれては、我が遺恨の種を存分に播《ま》いて下さったものだ。いずれにせよ、これらはすべて目出度《めでた》きことになるかもしれぬ。有為転変《ういてんぺん》は世の常であり、ひとたび栄えたものは、いつしか衰えるもの。ならば思う存分、老いたる命を楽しもうではないか。我は今宵、たとえ一夜限りであろうとも天下を心ゆくまで楽しもうと決めた。お前たちが我に賛同せぬのであれば、この身一つで本能寺に乱入する。狼藉《ろうぜき》をもって上様のもとへ押し入り、この手で天下を奪ってくれる。かなわねば綺麗さっぱり腹を切って楽しむ。さあ、お前たちはどうする。上様は寡兵で本能寺におられる。今このときこの地にあって千載一遇《せんざいいちぐう》の好機に従い、天下取りに赴くか。それとも来た道を戻るか。ただちに選びたもう」

五人が、みるみる破顔した。凶暴な歓喜の顔である。どの男も立派な武将の顔だった。主君が天下を取ると決意し、血を滾《たぎ》らせない臣下などいるはずもなかった。

「まこと目出度し！」

「今より上様とお呼びしましょうぞ！」

「それがしも、この世を存分に楽しみとう存じます！」

五人が喜びの声で応じ、早々に、段取りを決めてくれと光秀を急《せ》かした。戦いを口にするからには光秀の脳裏には緻密な戦略があるはずだと考えているのだ。

光秀は言った。今は六月一日である。夜は短く、残り五里の道のりを急いで進み、黎明《れいめい》には本能寺を取り囲んで準備を整え、すぐさま片をつけるべし——五人がその意見に賛同した。一帯の軍道を整備したのは自分達である。誰もが正確に進路を思い描くことができた。細かい点を素早く確認すると、みな堂々たる足取りで各隊の持ち場へ戻った。

再び軍勢が進み始めた。長く一列になって進んだのではなく、三手に分かれての行軍であった。それぞれ、光秀、秀満、光忠が率いた。

いずれも、ほとんど火を焚かず、馬のいななきを抑えるため布を噛《か》ませるなど、完全な奇襲の態勢で進んだ。やがて光秀の一手が沓掛《くつかけ》に至り、そこで兵に小休止を命じるとともに、先遣《せんけん》を放った。この者に、光秀はこう命じた。

「味方の中には、本能寺に我らのことを知らせに行く者があるかもしれない。もしそのような者を見つけたら斬り捨てよ」

安田国継《やすだくにつぐ》という先遣を担ったこの男は、途上、暗いうちから畑に出ていた農民たちを見つけた。そして、万一のこともあると判断し、何も知らない彼らを片っ端から斬り捨てた。それが、この変事における最初の死者となった。

先遣を放ってのち、ほどなくして進軍が命じられた。そして桂川《かつらがわ》に達したところで、光秀は上士下士に軍令を出した。

「馬に履かせた沓《くつ》を捨てよ。兵は草鞋《わらじ》を足半《あしなか》に履き替えよ。鉄砲足軽は火縄を一尺五寸とし、両端の口火を切り、五本ずつの火先を逆さまにして下げよ」

光秀らしい、具体的で誤解の余地のない指示であった。丹波平定ののち、光秀は同じ要領で独自の軍法を作っていた。地方によってばらばらだった枡《ます》の基準を統一させ、石高に合わせて賦役《ふえき》を課すなど、それまでにない軍事の基準を定めたのである。

そうした統率の工夫が、このとき最大限に発揮され、この突然の戦闘態勢に動揺する兵は皆無といってよかった。いったいどこの誰を討つための行軍かまったく知らされないまま、誰も逆らわず進み続けたのも、具体的な指示に従うという単純明快さが、根本的な疑念すら忘れさせてしまうからだった。

彼らは土地から引き離され、一単位として軍に組み込まれた者達である。かつて上杉謙信が編み出したという五種編成による兵法と、その特質を、光秀もまたしっかりと磨き上げている。

あるいは上杉氏以上に、光秀は人間の習性を知り尽くしていた。何ヵ国も渡り歩いて得た知見が、人々を無慈悲な殺戮《さつりく》機械に変えるための工夫をもたらしてくれていた。

(穏和だった貴様を血泥の道に引き込んだ)

渡河を命じたとき、またぞろその言葉がよみがえった。その通りであろうとなかろうと、もはや無意味だった。この十年、自分もまた何万という人々を殺戮者に変えて血泥の道を進ませてきたのだから。

軍勢が桂川を越えると、光秀はそこで初めて、目指すべき戦地を伝えた。

「――我が敵は、本能寺にあり」

そして伝令に指示し、自分が口にした通りのことを触れ回らせた。

「今日より殿は天下様にお成りになる。下々の者は草履取りにいたるまで勇み悦《よろこ》ぶがいい。侍どもは彼の地での手柄次第で、恩賞は思いのままである。兄弟や子がある者は跡継ぎのことは心配するでない。たとえ兄弟も子もない者であっても、必ず縁者の筋を探し出し、間違いなく跡を継がせよう。迷うことなく忠節を持って戦う者ほど、高く処遇される」

敵が誰かもまともに教えない。徳川を倒すらしいと兵が勝手に推測するに任せた。必要なのは、兵どもに、たとえ死んでも不安はないと言って聞かせることだ。自分の死も敵の死も、等しく彼らの利益になると信じ込ませる。兵どもから人間らしい思考を奪う、最後のひと工夫であった。

光秀は己が率いる一手を、丹波口から洛中へと進攻させた。このとき斎藤利三は先手の大将として働き、南北の通りにある木戸門を押し開かせた。また、大勢が街路で渋滞して進軍が遅れたり、騒音で市民に感づかれたりせぬよう、さらに兵を分散させて進ませた。

兵どもの大半が、本能寺がどこにあるかも知ってはいない。だが京の町は碁盤の目のごとく道々で区切られているため、要所要所で案内役がいればよかった。兵は合流地点を見失うこともなく、速やかに、かつ可能な限り静かに、目的地へ向かうことができていた。

三手に分かれて進んできた軍勢が、洛中で再び一つになった。本来であれば不可能な道行きである。出兵直後だからこそ行軍も奇妙に思われない。信長が彼方の地に、遠い未来に、その知略を働かせている今このとき、本能寺周辺は無防備そのものだった。

——これが、わしの桶狭間《おけはざま》ぞ。

かつて信長が巨獣相手に打ち勝った話は幾たびも本人の口から聞いている。巨大な相手には、地の利を最大限に活かし、天の利を求めて五感を研ぎ澄ましながら、的確に敵の急所へ全兵力を差し向けねばならない。

やがて空が白み、六月二日の黎明が訪れたとき、その本能寺を、殺意に満ちた軍勢がびっしりと取り囲んでいた。

光秀の計算通りの到着であり、包囲完成だった。暗いままでは討ち損じる可能性が高くなり、といって明るすぎれば事前に察知されてしまう。まことに最適たる軍勢展開であった。

「いざ攻めん！」

光秀の号令とともに、兵が鬨《とき》の声を上げて四方から攻め入った。

本能寺は、いわゆる寺ではない。砦に等しい構造を有している。その門に、橋に、兵が殺到した。庭へ駆け入り、たちまち蟻《あり》がたかるように土塁や塀を乗り越えてゆく。

光秀は馬上から見るその光景に、かつてなく心昂ぶり、視界がうっすらと赤くなるかに思えるほどの血気を味わった。義昭とともに本圀寺《ほんこくじ》に立てこもったときのことが脳裏をよぎった。果たして信長とその側近たちは、いかなる抵抗を見せるのかと、敷地の外から見守り続けた。

早くも、先手が堂内に侵入したことが伝えられた。だが、坊舎はほとんど無人で、あちこち蚊帳《かや》が吊されているだけで誰もいないとか、数人ほど討ったという声が伝わってくるだけだった。

――上様は本当にここにおられるのか。

そんな不安が芽生えるほど、抵抗を受けたという知らせが来なかった。京には信忠もおり、妙覚寺《みようかくじ》に宿泊している。信長はそちらにいるのか。決して討ち漏らすまいとして、一ヵ所ずつ攻めたことがあだになったのではないか。そういう不安を押し殺し、ただ待った。

そしてついに、厩舎《きゆうしや》、本堂、御殿で戦闘が起こったと立て続けに報告が入った。

そのうち、御殿の方から、さらに喜ぶべき知らせが来た。

「敵将とおぼしき者あり！　白き単衣《ひとえ》に弓を持ち、手勢とともに御殿にて応戦とのこと！」

ぱっとその光景が光秀の脳裏に浮かび上がった。

群がり来る軍勢へ、果敢にも天下人たるその身を顧みず、自ら弓を取って立ち向かう。

かつて兵卒とともに野営し、自ら切り込み、声を上げて戦った、若き日の信長そのままだった。

――見たい。

光秀は心からそう思った。かつて信長が今川義元を討ったときのように。いや、単に領地を守った信長と異なり、光秀の場合は正真正銘の下克上であった。その感激は強烈なものとなり、気づけば見開いた双眸《そうぼう》から涙が溢れていた。信長は最期まで信長だった。光秀はそのことに感謝した。初めて、自分が信長から天下を奪おうとしているのだという実感に襲われた。

（いかなわしでも、この先の政経は創れぬ）

果たして己はどうであろうか。この国にとどまり、子々孫々の天下を支えろと命じられた己は。

流れ出る涙をなんとか周囲に気づかれぬまま拭ったとき、決着を知らせる報告が来た。

「敵将と思《おぼ》しきかの者、弦切れ、十文字の槍持ちて抗うも、手傷を負いて退き、そののち御殿の内より火が起こってございます。首をとらんとしてお味方がいよいよ攻め立て、火勢強きところへ乗り入れんとしております」

「深追いせず取り囲み、出てきた者を討ち取るよう伝えよ」

光秀はそう告げた。そもそも一斉攻撃の際、討った者の首級は一切捨て置くよう命じてあった。

本来であれば、なんとしてでも信長の首を取らねばならない。だがそうする気は起こらなかった。これまでと悟れば信長はただちに自害し、自ら火を放つことも想像できた。

――上様は天下と一つになられる。

信長の肉体は今日限りで消える。だが代わりに、万人がその姿をとどめ続ける。そして己が、その存在を神君《しんくん》として称えるのだ。そこに首など不要だった。今川義元の首も、信長は今川方に返したではないか。むしろ無い方がよかった。

御殿の方から、幾筋もの炎と煙が立ち上るのが見えた。塀の向こうで、それは巨大な塊《かたまり》となって、天を焦がさんばかりに燃え立ち、稀代《きたい》の英雄の魂魄《こんぱく》を天に届けた。

光秀は馬首を返した。まだまだ仕事が残っている。子らを、未来を滅ぼすという仕事が。信長の嫡男である信忠を討つ。その首も、取らせる気はなかった。父子ともども英霊としてこの国にとどまり続けてくれればそれでよかった。

信忠は妙覚寺にはいなかった。本能寺での戦闘を知り、誠仁親王の住まう二条《にじょう》御所に移ってそこに立てこもった。京都所司代であった村井貞勝《むらいさだかつ》もそこにいた。二条御所を包囲させた光秀は、貞勝の提案に従い、使者を通して誠仁親王とその側近たちの解放を約束した。

そうして、やんごとなき人々が去ってのち、再び号令を下した。たちまち大軍が寡兵に襲いかかったが、本能寺の時よりも苦戦することとなった。信忠が父に負けじとしてか、自ら矢面に立って戦い、精鋭揃いの側近がこれに従って猛烈な抵抗を見せた。

これに対し、光秀方は、隣接する近衛前久《このえさきひさ》の屋敷に兵を侵入させ、その屋根から鉄砲と弓を浴びせかけた。ついでおびただしい火矢をもって御殿に火を放ち、信忠方をいぶり出しにかかった。

信忠は父と同じ道を選んだ。自ら火をかけさせて敵を足止めしたのである。

御殿の内部の状況を知ることができなくなったが、信忠が自刃して果てたのは確実だった。光秀は、延焼せぬよう兵士に手だてを命じた。そして、逃げ延びた信長勢・信忠勢を狩り出すよう告げた。強敵は一人も残さず討ち取るのが織田家臣団の慣例である。かくして血に飢えた殺戮者たちが、落人《おちうど》を追って町々を駆け、戸を破って回った。

本能寺と二条御所は燃え、稀代の英傑とその子が滅び、京は混沌《こんとん》の騒ぎに見舞われた。光秀は生まれて初めて、自らの決断でその身に血泥を浴びた。それこそまことの栄誉と信じた。

——我、鬼札として天下を取れり。

光秀は懐《ふところ》に手を入れ、愛宕山で得た白紙のくじを取り出そうとした。己に神意をもたらしたその品を生涯のお守りとするつもりであった。

不思議なことに、二度三度と探ったが、くじは見つからなかった。

夢か幻のように跡形もなく消えていた。

光秀は意味もなく周囲を見回した。その頭上では旱天《かんてん》に黒煙が漂い、どんよりと陽を翳《かげ》らせていった。

燃ゆる病葉《わくらば》

一

戦《いくさ》は第一に、速度である、と叩き込まれてきた。

速度は、道によって生まれる。情報網と、兵站《へいたん》によって支えられる。必要なのは、緻密《ちみつ》な計算、膨大な整備作業、そしてばらまいてなお余るほどの財だ。進路上の村々で褒美《ほうび》を約束し、働き手を確保せねば、道も駅も作れはしない。夜間に火を焚《た》き、駅を配して替え馬を飼わせるのにも、人手がいる。つまるところ、その分だけ財が消えていく。

それだけの努力を惜しまなかったからこそ、自分達は戦いに勝ち、生き残ることが出来た。

明智光秀《あけちみつひで》が、突如として主君、織田信長《おだのぶなが》を討ったときなど、特にそうだった。豊臣秀吉《とよとみひでよし》は変事の報を聞くや、すぐさま全軍を移動させた。その移動速度が、すなわち整備された道路網が、明智と対決し、その首を獲ることを可能としたのである。

そうして築かれた道々の全てが、戦ののち、新たな財を生み出す基盤となる。村々をつなぐ陸路と海路が、平時においては情報と物資の流通網となる。戦を通して築かれた人と人のつながりが、明日の貿易や殖産の契機となる。

ただ消耗し、村や町を荒らす戦は、すべきではない。勝つことは富むことである。それが豊臣秀吉配下たる自分達の鉄則だ。そういう考え方ができるのも、天下という視野を持つからにほかならない。一国一領の安泰しか考えない者ほど、荒らすだけの戦をしでかす。戦後を考えず、馬鹿馬鹿しいだけの〝一所懸命〟のために何もかも投げ出してしまう。

そうではなく、勝つことで富み、富むことで太平をなすのだ。そのために異なる土地同士をつなげ、銭が集まるよう、道を作る。城も街も、道なくば繁栄はない。その理念を、たとえば織田信長などは、あゆちと呼んだ。人に幸いと豊穣をもたらす風のことである。

「あゆちを全国津々浦々に吹かせよ」

豊かさをもたらす道。それは軍道として生まれ、貿易路として受け継がれる。その天下への道を、秀吉が受け継ぎ、広げられるだけ広げていった。そしてそれを今、文治《ぶんち》を志す自分たちだけが、しっかりと守っている。己の領土を第一義とせず、天下に尽くす。小国の集合であることをやめ、五畿七道の六十六ヵ国、すなわち日ノ本《ひのもと》という天下の一部であるという自覚を持つ。

どこの町作りでも同じ理想を掲げた。堺《さかい》、博多《はかた》、敦賀《つるが》。いずこも富ませ、太平をなした。

だから、今このときも、そうあるべきだった。

速度をもって勝機をつかむ。その勝機を、天下が富むことへと通じせしめる。人々が疲弊するだけの、下の下の戦をしてはならない。

その思いが、大谷刑部吉継《おおたにぎょうぶよしつぐ》の、燃えるがごとき義の根底で滾《たぎ》っていた。

病んだ身に鞭《むち》打っての、出陣である。

ただの病ではない。苦難の業病《ごうびょう》であった。

壮年期に入るやいなや、その病が、吉継を襲った。

肌が異様に乾くようになり、顔面や手足の神経が鈍くなった。髪が抜け落ち、皮膚が硬化していった。

鼻が、陥没した。

瞼《まぶた》が、開いたまま閉じることができなくなった。たちまち瞳が白濁《はくだく》した。視力が衰えることはなはだしかった。すぐに、暗いところでは、何も見えなくなった。今では、明るい中、目の前に人がいたとしても、ぼうっとした影としてしか認識されない。

さらには、しばしば両手が麻痺《まひ》したようになった。猿の手のように、指を揃え、奇妙に湾曲した状態のまま、動かせなくなる。筆を執《と》るだけでも、唸《うな》り、呻《うめ》き、辛酸《しんさん》を嘗《な》める思いであった。

その麻痺が、やがては足にもあらわれるようになることが、うすうすわかった。もはや甲冑《かっちゅう》をまとうことすら、不可能になっていた。

不思議なことに、吉継一人が、そのような状態に陥った。

家中において、同様の病に罹《かか》った者は皆無だった。誰にもうつらない。誰からうつったのかもわからない。ある日突然、天の意志が働いたかのように、吉継だけが病んだ。

前世の業が、身に現れたのだろう。そう噂《うわさ》された。宿命の病だから、業病というのだと。

家臣たちは、こう語り合った。

「殿は、我らの罪業《ざいごう》を背負うて下さっておるのじゃ。心優しき方ゆえ、我らがしでかす殺生《せっしょう》の業を、ただ一身にて、お引き受け下さったのじゃ」

その顔面が変貌してなお、決して忌避《きひ》されず慕われる。それが吉継という男だった。

病んだ身であっても他者のために骨を折ることをやめない。誰かが病めば医者を捜してやった。土地なき者がいれば雇い主を見つけて紹介の労を引き受けた。戦があれば他家の兵の安否まで案じた。

人情にかこつけて、己の印象を良くしようという算段だけでは、とてもやってられないほど、家臣を、親族を、民を、気遣った。

ある意味、途方もなく意固地な男でもあった。病に苦しめられた当初、豊臣秀吉その人が見舞いに訪れたことがある。

このとき吉継は、豪勢きわまる饗応《きょうおう》でもって迎えたのであった。病んだ顔を白い頭《ず》巾《きん》で覆い、「白頭《はくとう》」などと称し、あくまで家の主として、歓待したのである。

そうして、病み、異相となり、目も鼻も手も、使いものにならなくなったとしても、頭脳も魂胆も決して衰えてはいないところを示してやった。

その態度に秀吉も感心したのであろう。そののち、吉継は病のため退いていた豊臣政権の中枢に、何ごともなかったかのように復帰している。

弱々しい姿など見せてたまるか、という意地があった。その一方で、無理なものは無理だと割り切る冷静さもあった。ならば、ちょっと遊んでやろうという陽気な心も失ってはいない。

頭巾で顔を覆い、白頭などと諧謔《かいぎゃく》する心でもって、画餅《がべい》ならぬ画鎧《ががい》を作らせたりもした。白い衣に、甲冑の絵を描かせたものを身にまとうのである。普通は失笑を招く出《い》で立《た》ちも、吉継が着ると異様にさまになった。病んでなお武将として健在であると納得させせられてしまう。

病身で無理に甲冑を着れば、まともに立てず、座れず、ぶざまなことになる。それでは、兵の士気にかかわる。ならば、いっそのこと絵でよい。どうせ目も手も使えぬゆえ、一騎打ちなどできるはずもない。敵兵に囲まれれば、瞬時に殺戮《さつりく》されるまでのことだ。

そのような壮烈な覚悟が見る者に自然と伝わるのである。吉継も、かつては戦でたびたび槍を振るってきた。名のある者を、ひと突きにして仕留めたこともある。その吉継が、武器も防具も持たず、あえて身をさらす。画鎧が、かえって凄味《すごみ》を感じさせ、見る者を圧倒した。

こたびの出陣でも、とっておきの画鎧をまとった。

もちろん、馬にも乗っていない。侍者たちから、背丈と体格が同じ者たちを選び、輿《こし》を担がせ、その上に坐《ざ》した。移動するときなど、むしろ馬上の将より高い位置に、その覆面と画鎧の姿がある。それがまた、ぎょっとするほどの凄味を醸す。

ただし、死を待つ者の、悲愴《ひそう》の態度とは違う。勝つことが、富むことでなければならないと信じる将である。

病身でありながら、主君も驚くほどの大盤振る舞いをしてのける男だ。このときも、無為に己と家臣を滅ぼす気など、さらさらなかった。むしろ、あらん限りの力を尽くして、そこにいた。

それも、尋常ではない行軍速度を保った上で、到着していた。

慶長《けいちょう》五年（一六〇〇）、九月三日。

画鎧を着た吉継は、盟友たる石田《いしだ》三成《みつなり》の要請に応《こた》え、関《せき》ケ原《はら》に到着した。

西南の山中村《やまなかむら》に陣を張ったとき、味方はまだ誰も到着していなかった。

西軍中、最速の着陣である。道の整備こそ戦の肝要と知り尽くし、万全に整えさせた軍道を突き進んできたのだから当然だという思いがあった。

しかも寸前まで、二つばかりの大働きをしてのけていた。

一つは、北の前田《まえだ》家を翻弄《ほんろう》し、あとを丹羽《にわ》長重《ながしげ》に任せたことである。

前田家は関ヶ原に参陣することすらできなくなった。

また一つは、東の徳川《とくがわ》家の兵を足止めすることである。これにより、娘婿の真田《さなだ》信繁《のぶしげ》と共謀していた。家康の嫡子《ちゃくし》・秀忠《ひでただ》の兵を誘い、真田家が守る城に釘付けにさせたのである。

調略も徹底的に行った。前田家を食い止めさせるため丹羽長重を味方につけたのをはじめ、山口宗永《やまぐちむねなが》、上田重安《うえだしげやす》など、諸大名を西軍に引き込んでいた。

目も手も不自由なため、嫡子の吉治《よしはる》や、側近の者たちに、手紙を読ませ、あるいは代筆させての働きである。

「父上は、心のまなこで何もかも見通しておられるわ」

子の吉治などは、そう言って己と家臣の両方を鼓舞したものだった。

吉継は、石田三成が、続々と迫り来る東軍に備え、佐和山《さわやま》城と大垣《おおがき》城を行ったり来たりしている間にも、着々と戦を進めていた。

こたびの合戦の肝要も、すでに見抜いている。

小早川秀秋《こばやかわひであき》。

東軍に調略されていると思《おぼ》しき若者の動静を見張ることが、己の責務と心得ていた。

霧と雨が、一帯を覆い隠すかのような天候であった。

吉継は、己の乾いた肌を、しっとりと湿らせる空気を通して、決戦が近いことを悟った。空気を感じるのは肌だけではない。白濁した眼球の表面でも、鼻を削がれたような鼻孔でも、鋭敏に空気の状態を感じ取ることができる。

戦は、悪天候になるほど人が動く。闇と風雨に隠れて襲ってくる。いつどこで霧に隠れた敵味方が遭遇するかわからない。不意を衝《つ》くも、衝かれるも、予断を許さなかった。

まことに「戦日和《いくさびより》」である。そう思い、吉継は頭巾の裏側で、にやりと笑んだ。

いまだ敵味方が揃わぬ戦場にあって、早くも奮起の念が己を満たすのを感じた。

吉継は、村で借りた粗末な家屋に運ばれた。周囲にいる者たちの気配を、囲炉裏の火よりも強く肌で感じた。

「みな、よう走ったの」吉継は顔を上げ、からりと明るい声で言った。「我が身ばかり楽をしてすまなんだ。みなのおかげで、無事の着陣と相成った」

いつものように慰労と感謝の言葉を告げ、一人一人に声をかけていった。息子や家臣たちが、口々にそれぞれに応えた。

「なんの苦労がありましょうや、父上」

「殿の御身をお運びできて光栄にござる」

ひとしきりやり取りがあってのち、やがて吉継が声に笑いをふくめ、

「なんと勇ましく頼もしき者どもよ」

と、みなを称えた。そうしてから、おもむろに、こう口にした。

「さてさて、みなの衆。勝つとするかね」

たちまち全員の気配が、いっそうの熱気を帯びた。

「応！」

狭い家屋の中に、勇ましい声が起こり、山々に轟《とどろ》くようであった。

吉継は、周囲の者が病身であることを忘れるほどの豪快な呵々《かか》大笑でもって、みなの勝利を約束した。

二

着陣より遡《さかのぼ》ること、僅《わず》かふた月あまり前。

吉継は、同じ口で西軍の敗北必至を説いていた。

相手は、事実上の大将、石田治部少輔《じぶのしょう》三成である。

もともと、このとき吉継はすでに戦支度をしていた。といっても、戦う相手は、東軍でも西軍でもない。徳川家康が求める上洛を拒み続けた、上杉氏である。いわゆる会津《あいづ》征伐に参陣するための支度であった。家康はこの征伐後、吉継に、十二万石の加増を約束していたという。

秀吉没後、吉継は、特に家康やその重臣と親交を重ねていた。

豊臣家と日ノ本のその後を巡って、吉継と家康は、それぞれの理念や思惑はあれど、おおむね意見を同じくするところが多かったのである。

「広く、天下の視野を持ちうる、ゆいいつの御仁」

吉継は、家康をそう見た。

「人望厚く、中庸をなし、国を富み栄えさせること能《あた》う逸材」

といったふうに、家康の方も、吉継を高く評価していた。家康からすれば、吉継は豊臣家中において、まともに話が通じる数少ない人物の一人であった。

二人は、かつて信長が直面した下克上《げこくじょう》の終わりをどう迎えるかという点で、さまざまな共通了解を得ていた。中でも最も深く理解し合えたのは、いずれ自分達がしてきたことを自ら否定し、転換をはからねばならないという考え方であった。国から国へ道をつなげ、多数の兵が移動できるようにした。その結果、かつてない経済圏が各地で形成されていった。豊臣はその富を掌握することで栄えるはずだった。

道路が、城と街の改革を一挙に進めた。武将も民もかつてない都市機能を享受できるようになった。だが一方で、農地改革は手つかずのままにされた。広がるだけ広がった道を支えるには、農地を拓《ひら》くことが必須であり、そのためには、転戦する者達を、それぞれ守るべき土地に住まわせ、下克上や隣国侵略を決して行わないよう、厳しく統制せねばならない。

そんな考えを述べ合うことができる相手は、ごく少数だった。吉継も家康も、互いを貴重な存在とみて、称え合った。

吉継が、最初に家康の器量をはかったのは、秀吉による小田原征伐のときである。吉継は秀吉の命で、北条氏直《うじなお》の岳父であった家康を説得する役目を担った。これは上首尾となり、徳川家が、小田原征伐の障害となることはなかった。思えばその頃から、家康とは話が合った。

それゆえ、秀吉の没後、家康と前田利家が一触即発となったときは、吉継も諸将とともに家康の伏見屋敷に参じ、配下の者を家康の警護につけた。

また逆に、石田三成が武断派とのっぴきならない状況に陥ったとき、吉継は、家康が三成を適切に保護することや、その後の処遇についての厚情を求めている。

一方、石田三成は吉継にとって、苦楽をともにした同僚であり戦友である。二人とも、秀吉の独特の戦術や攻略手法を理解する数少ない人材であった。秀吉の抜擢《ばってき》によって躍進し、互いに足らないところを補い合うようにしながら出世してきた。

数々の戦の場にともに立ち、町々をともに栄えさせた。秀吉が従一位《じゅいちい》関白となったときも、三成と吉継は、他の名だたる面々とともに朝廷工作に奔走した。

互いの性格も、長所も短所も知悉《ちしつ》しており、だからこそ補い合うことができる。何より、秀吉が織田信長から受け継いだ、「天下」の思想のために邁進《まいしん》するという、若者にとってはこの上ない栄誉の中、共闘してきたのであった。

だから、争わせてはならないと思っていた。

家康と三成を仲裁し、天下のためにともに歩ませる。それが吉継の願望だった。

そのために吉継は、佐和山にいる三成のもとに使いを出した。三成の嫡子・重家《しげいえ》を、会津征伐に従軍させるよう勧めたのである。それが和解の契機となるはずだった。

が、三成は強くこれを拒んだ。

仕方なく、吉継は自ら佐和山に赴き、三成の説得にあたった。家康に頼まれたからではない。このままでは、豊臣配下の一部諸将と、徳川方とが、なし崩し的に抗争することが明らかだったからである。そしてそうなれば、三成は死ぬ。そう確信していた。

三成は、居城に吉継を迎え入れ、なんとも不器用に接待した。

視力が衰えた吉継を気遣って、いちいち言葉に出して説明するのである。空がどうだの、庭の花がどうだの、茶碗がどうしただの。

「治部よ」吉継は苦笑し、相手を遮って言った。「おれは、目録を作りにここに来たわけではないぞ。その調子で、おれに見えんものを一つ一つ語って聞かせる気か。邸中のものを挙げ終える頃には、年が暮れているぞ」

「貴様のためを思ってやったまでだ」三成が、ぶすっとした調子で言い返した。「目など患《わずら》うからだぞ。こっちも面倒なのだ。なぜきちんと養生しなかった。貴様が病に伏せって無沙汰《ぶさた》になったとき、こちらがどれほど迷惑したと思うている。そんな頭巾などしおって。恥じることなど何がある。堂々と顔をさらせばよかろう」

ぎこちなく気遣うかと思えば、一転して、言いたい放題である。

「顔を隠すと便利なこともあるぞ」吉継は覆面の奥で笑った。「影武者を作り放題だ」

「貴様のそのようなまなこを持つ者などいるものか」

またあからさまに吉継の顔のことを口にした。だが他の者がどうあれ、吉継が不快になることはなかった。そもそも三成は本気で、吉継の異相をなんとも思っていないのだ。

かつて、吉継の病状があらわになった頃、万一にもうつされてはと恐れる諸将をよそに、三成だけが平然と吉継に接したものだった。その根拠も三成らしいもので、吉継の家中に感染者が一人もいないのだから、うつる病ではないというのである。無味乾燥ですらある正論だが、吉継には痛快だったし、秀吉や諸将も納得せざるを得なかった。

「そもそも影武者など作る気もなかろうが」三成がむきになって言った。「わしとて他の者の命を盾にしようとは思わん」

「坐してそのときを待つ気か？　この城で？」

「打って出る」

三成は声を低めた。

その気配が近づくのを吉継は感じた。火鉢を近づけられたときのような、激しい熱気が伝わってきた。

吉継は深くため息をついた。

「よせ、治部」

「内府《ないふ》を討つ」

「貴様には無理だ」

「太閤《たいこう》殿下が築きし天下を守るのだ。諸将の私利私欲で蝕《むしば》まれてはならんのだ」

「誰が貴様についてくるというのだ」

三成はいかにも有力な諸将の名を挙げた。なぜ彼らが三成に味方するのかも語った。聞いていられなかった。理屈ではそうかもしれない。だが現実は違った。人にはそれぞれ利害が、展望が、歴史がある。高尚な理屈を振りかざすだけでは誰もついてこないということを、この男はいつまで経《た》っても学ぼうとしない。

いや、何とか学んできたつもりなのだろう。だが根本は変わらない。

全ての基準を自分一人に置いてしまう。太閤秀吉が遺した理想をゆいいつの定規にして世を計ってしまう。秀吉自身すら持て余し、老年においては半ば逸脱した、天下太平の理想を。

騒擾《そうじょう》を生み出す地方の下克上を鎮《しず》め、自治を廃し、中央に権力を集約し、物と銭の流れを支配し、天下を富ませる。

一所懸命を掲げて生きてきた者たちの歴史が、それを許さない場合もある。そのことを頭で理解するだけでは駄目だった。肌で知り、衆人と共感し合わねば、足をすくわれることになる。秀吉はそのことをよく知っていた。だから自分をたびたび三成と組ませたのだ。三成の働きが届かぬところを補うために。

かつて堺の改革を担ったときもそうだった。あの町を、京・大坂と連動する物流の拠点とするためには、とにかく道を作り、各地と堺をつなげねばならない。そのためには、堀を埋める必要があった。都市機能を拡張するとともに、町一つに富を溜《た》め込ませるのではなく、周辺一帯を富み栄えさせるためである。

三成は、津田宗及《つだそうぎゅう》といった有力者たちを通して、この改革を推進した。

優れた頭脳を持つ有力商人たちは、この改革がいずれは莫大《ばくだい》な利益をもたらすことを予見し、協力を約束した。だがそれができない町民の多くが、堺という町の没落と受け取った。堀を埋められることは彼らの伝統と誇りを奪われることを意味したからだ。

そうした町人たちの思いを、三成は一顧だにしなかった。いや、多少は気遣おうとはしたのかもしれない。だが有力者が協力しているのに、有象無象《うぞうむぞう》の町民など相手にしていられないというのが、三成の、正直な思いだっただろう。

結局、彼らの相手をしたのは吉継だった。堺衆との間で、根気よく調整を行い続けた。ひたすら仲裁を繰り返しながら、堺衆に、改革の意図と、将来約束される利益を理解してもらうよう努めたのだ。

三成と吉継が組むというのは、そういうことだった。推進と調整。彼ら自身、ぴったり息が合うのがわかっていた。二人の気質を見抜き、一組にして働かせた秀吉の、炯眼《けいがん》のたまものでもあった。

戦場でもそうだ。たとえば、吉継が緻密な計算をもって、必要な行程、糧秣《りようまつ》、船舶の数を割り出し、調整を行う。すると三成が買い占めを行い、道路を作らせ、烽火《のろし》を設置し、情報網を整備する。そうして秀吉が目論む、型破りな戦いを支えてきたのだ。

吉継は、三成を説得しようとすればするほど、そうした当時のことを思い出してしまうことを自覚し、頭巾の奥で苦笑してしまった。五畿七道にわたる道を作り上げていった頃のことを。

「わしにつけ、刑部。頼む。わしと一緒に戦ってくれ」三成が必死に言い募《つの》った。

「ともに太閤殿下の天下を死守せねば、我らのこれまでの働きが無に帰すのだぞ」

「内府どのは、天下の太平がいかなるものか、よくわかっておるよ」

「あれは狐狸《こり》だ。諸将に利をばらまき、天下を切り刻むような真似《まね》を平気でする」

「でなければ誰もついてこんからな」

「やつは、わしを憎む者どもを利用しおった。わしへの憎しみを。そうなっていたのは、もしかすると貴様であったのかもしれんのだぞ。わしが病み、貴様が壮健であったなら、太閤殿下亡き後、貴様が矢面に立っていたかもしれんのだ」

「そうだな」

としか吉継には言えない。もし自分が病んでいなければなどと考えれば、明日を生きようとする気力を奪われかねない。

「そうかもしれん」

だが三成は、その反応に食いついた。いっそう声に熱気を込めて言った。

「貴様は幸いにして病んだから、わしのように矢面に立たずにすんだのだ。貴様が不在の間、わしだけが損をし続けた。その借りを返そうとは思わぬのか」

吉継は盲《めし》いたまなこを大きく見開き、絶句した。

幸い？　借り？　吉継は今の今まで、そのように考えたことなどなかった。これも三成の傲慢《ごうまん》な物言いに過ぎない。必死の思いが三成にそうさせているのだ。

だが、一理ある。

吉継は、唐突にそう納得させられている己を自覚した。実のところ、それは、吉継自身、あえて深く考えないようにしていたことでもあった。

秀吉から諱《いみな》を与えられた者は、みなことごとく、晩年の秀吉に追い詰められた。

秀頼《ひでより》誕生がその契機となった。今思い返しても、ひどいものだった。

秀次《ひでつぐ》が切腹に追い込まれたと聞いたときは、吉継ですら、恐怖を押しのけるのに苦労したほどだ。秀吉は、実子・秀頼と対立する可能性がある者は、親族であろうが皆殺しにしかねなかった。小早川秀秋など、秀吉から冷遇されただけで済んでよかったと思っているふしがある。

吉継もまた、秀吉から一字を賜《たまわ》り、諱とした。

だが、追い詰められることはなかった。

政権に加わりながらも、一歩引いたところから全体を眺めていられた。だからこそ仲裁者として頼られてきた。三成からすれば、吉継だけ得をし、のうのうと過ごしていたように思えるのだろう。

「ふっ」

と吉継の口から笑い声がこぼれた。気づけば大声で笑っていた。

――幸いにして病んだ。

吉継にとって、三成だけが口にすることができる痛快きわまる言葉だった。

――この目の前の男に借りがある。

確かに、そうかもしれん。天下の同胞として働いてきたのだから。そう納得すればするほど、笑いが溢《あふ》れた。

「何がおかしい！　笑うな、刑部！　わしを笑うな！」

三成が、まるで泣きわめくように怒鳴った。その体温が空気を通して容易に吉継の肌に伝わり、目の前の男が顔を真っ赤にしているのが見えずともわかった。それで、吉継はますます笑ってしまった。

——これも太閤殿下の命じる無茶なのだ。

そう思った。三成が粛々《しゅくしゅく》とそれを受ける。吉継がその調整に奔走する。そういう考え方が、自然なものに感じられた。とことん身にしみついているのだ。吉継は笑いながらさらに納得した。

説得に来たはずが、逆に納得させられてしまった。さんざん交渉ごとにあたってきた自分が、そんな風になってしまったのは、もしかするとこれが初めてのことかもしれなかった。

吉継はいったん辞去し、三成から離れた。

だが、三成のもとに何度か遣いを出し、引き続き、決起をやめるよう忠告した。三成の考えを変えさせることはできなかった。正直、できるとはもう思っていなかった。その間、むしろ吉継の考えが固まった。算段を整え、決意を抱いていた。

やがて吉継は再び三成を訪れ、こう告げた。

「貴様が檄《げき》を飛ばしたとて、日頃の横柄さが仇《あだ》となろう。誰もついてこないばかりか豊臣家のために働こうと思う者すら、内府どののもとへ走らせる。貴様は陰働きに徹しろ」

三成が息をのんだ。感激の熱がその呼気を通して伝わってくる。

「では、誰を据えればいい」

声を震わせながら三成が訊《き》いた。

「毛利輝元《てるもと》か宇喜多秀家《うきたひでいえ》」

吉継が答えたとき、長い時を経て、二人の盟友が再び顔を合わせていた。そして若い頃にそうしてきたように、困難な戦に挑もうとしていた。

天下のために。

三

毛利輝元を総大将として参集する西軍が、大垣城を拠点とし、次々に布陣した。

東軍は、大垣城の西北に本陣を構えている。

両軍の間には杭瀬川《くいせがわ》が横たわっており、緒戦がここで起こった。十四日の午後、西軍の島左近《しまさこん》と、その兵五百が、渡河して敵軍を挑発し、東軍の一隊を引きつけ退却した。

引きつけた一隊を、待ち伏せていた宇喜多秀家の将兵が銃撃したが、小規模な戦闘に終始した。

その頃、ようやく小早川秀秋の軍勢、一万五千余が到着し、西南の松尾山《まつおやま》に陣を据えた。

山の麓《ふもと》には、脇坂《わきさか》、朽木《くつき》、小川《おがわ》、赤座《あかざ》の各将が陣取った。

吉継は、まず村の高台に陣を置き、それから東軍を牽制《けんせい》しつつ、兵を平野へと進めた。

本隊は兵六百。その前方に嫡子・吉治と兵二千五百、甥《おい》の木下頼継《きのしたよりつぐ》と兵千、戸田重政《とだしげまさ》と兵三百、平塚為広《ひらつかためひろ》と兵三百、めいめい布陣させた。

敵勢に備えながらも、吉継が最も警戒したのは、小早川秀秋の軍勢であった。

西軍は高台を押さえ、鶴翼《かくよく》の陣を展開し、東軍を関ヶ原に引き込もうとする。

東軍の家康が、みすみす包囲殲滅《せんめつ》される危険を冒し、軍を西進させることに、どんな意図があるのか。

吉継はきわめて明快な答えを出していた。西軍の中に調略された者がいる。鶴翼の翼を担うべき西軍の兵のいずれかが、東軍に呼応するはずだった。

このふた月の各将の動静や、吉継自らはかった調略の手応えを思い出すとともに、東軍の動きを報《しら》されるや、ますます確信が深まった。

十四日の日暮れ、西軍の主力が大垣城を出た。南宮山《なんぐうさん》の南端から、関ヶ原へ続々と移動していった。三成の本隊は小関村《こぜきむら》に置かれ、夜半を過ぎて陣容を整えた。

黎明《れいめい》が訪れる間際、島津《しまづ》隊が到着した。小西行長《こにしゆきなが》の軍勢も到来し、西軍の中央を担った。宇喜多秀家の軍は最後に到着し、小西軍の右手についた。

吉継はとっくに布陣を済ませており、西軍の全戦力が整ったことを報された。このとき、その陣は東軍に相対しているというより、南の松尾山に向けられていた。

そこに陣を張る、同じ西軍であるはずの、小早川秀秋への備えであった。

吉継の母・東殿《ひがしどの》が、侍女として長く仕えてきた、この世で最も信頼すべき北政所《きたのまんどころ》の、甥《おい》たる男。かつては豊臣秀吉の嫡子になるかもしれなかった若者である。

西軍の動きを察知した家康は、軍を進めさせた。その全軍が、黎明の頃、関ヶ原へ到着し、臨戦態勢となった。

東軍の目的は、西軍の主力を城外におびき出して決戦を仕掛けることにあった。

西軍の目的は、東軍を関ヶ原で包囲し、殲滅することにあった。

どちらも、互いの狙いを察知していた。これまで戦国時代を生き抜いてきた者たちが一堂に会したのである。お互い、やるべきこと、やるべきでないことは明白だった。どれほど裏をかこうとし、意表を衝こうとしたところで、将兵の顔ぶれも手の内も相手に知られている。最後は運に身を任せ、死力を尽くすことになる。

そういう戦いであった。

やがて夜が明けた。霧が晴れ、そして開戦となった。

東軍の先陣が発砲し、両軍の陣から烽火が上がった。

真っ向からの衝突。それがこの合戦の主な有様となった。東西両軍が一斉に撃ちまくり、接敵し、そして激戦へと突入した。

吉継が展開した前方の隊が、東軍の藤堂《とうどう》、寺沢《てらざわ》、京極《きょうごく》の諸隊を引き受けた。

このとき吉継は輿に乗り、頭巾と絵の鎧に覆われ、両手には何も持たず、戦の趨勢《すうせい》をその耳で聞き、肌を通して鋭敏に察知していた。吉継にとって肌とは、髪のない頭部、開きっぱなしの眼球、二つの虚《うろ》のような鼻孔もふくまれる。それらを通して戦の空気を感じ取っていた。

特に匂いは、混乱する戦場を俯瞰《ふかん》させてくれる重要な要素だ。どの方角から血と火薬の匂いが漂ってくるか、跳ね上げられた泥の匂いが強いのはどの方角か、といったことが、戦況の推移を教えてくれていた。

激しい戦闘の報せが届き、一兵でも多く前線に出すべきであっても、しっかりと兵を温存させ、そのときが来るのを待ち続けた。

松尾山に陣取りながら動かぬ軍勢が、雪崩《なだ》れ込んでくるときを。

笹尾山《ささおやま》に陣取る、西軍の実質的な総大将、石田三成を守るべきときを。

自ら盾となって、借りを返すときを。

その三成本陣に、東軍が猛攻を仕掛けていった。その勢いは、耳で報せを聞くばかりの吉継ですら目をみはるほどのものであった。迎え撃った諸隊の損耗おびただしく、両軍の兵が次々に倒れ、噴き出す血潮が泥濘《ぬかるみ》を真紅に染めた。

西軍の島隊が、必死の働きで東軍の黒田《くろだ》隊を押さえた。

三成も自ら陣頭に身を置いて指揮を執った。東軍の途方もない攻撃で、じりじりと後退していくかに見えたが、にわかに西軍側から放たれた大砲によって戦線が維持された。

吉継隊もまた、藤堂と京極の隊を押し返している。ほどなくして戦況は、一進一退から、今度は東軍がやや押され気味の展開になりつつあることを、吉継は察した。目は見えず、おびただしい叫喚と銃声で耳も塞《ふさ》がれがちで、馬に乗って移動することもできない。あるのは肌の感覚、鋭い嗅覚《きゅうかく》、そして脳裏に閃《ひらめ》く様々な思考ばかり。ゆえにこそ吉継は己の身のみが森閑《しんかん》とした静けさを保っていることを悟った。頭脳は冴え、報せの一つ一つを瞬時に吟味し、戦の趨勢をつぶさに把握できた。

——幸いにして病んだ。

その言葉がよみがえり、吉継は頭巾の下で獰猛《どうもう》な笑みを浮かべた。この決戦において、まさに幸福を覚えたからだった。それは病身への絶望によるものではなかった。病身ゆえに得ていたことに、今の今まで気づかなかった、我が身の真の幸福であった。

そこへ、宇喜多隊の側面に敵が回り込んでいるとの報せが来た。

どうやら、西軍の小西隊に押された敵が、相手を変え、他の隊に加勢するかたちで、宇喜多隊の側面を攻めようとしているらしい。

吉継は、すぐさま隊に移動を命じ、宇喜多隊の支援をさせた。藤堂、京極、さらには織田の隊が、その吉継隊を食い止めんとして前進した。吉継隊が諸隊と激突し、戦闘が苛烈《かれつ》さを増した。

東軍は勢いを保つべく、本隊が前進してきていた。西軍からすれば包囲の好機である。だが包囲を担うべき西軍の諸隊は、動かぬままであった。

日が中天にさしかかる頃、三成が烽火を上げさせた。南宮山、松尾山に陣取る軍勢へ、総攻撃を仕掛けるよう、合図を送ったのである。

だが、動かない。

南宮山にいる西軍の毛利秀元《ひでもと》は、その動きを、同じく西軍の吉川広家《きっかわひろいえ》によって封じられてしまっていた。毛利輝元を総帥《そうすい》とすることに反対していた広家が、東軍に通じて、不戦を約束したためであった。一方は参戦の意志を抱きながら、他方によって参戦が能わない。

吉継はこの事態を半ば予想していた。半ばというのは、対応の必要がないので慮外《りょがい》に置いたということである。不戦ならば、計算から外すだけで事足りる。秀元も広家も、いないものとみなせばいい。

やはり問題は、松尾山だった。

そこにいる小早川秀秋は、三成の烽火に応じていない。この小早川隊に、吉継、三成、そして小西行長が、次々に使者を放ち、その動静を見極めんとした。

一方で、東軍も、小早川隊の沈黙に焦ったのであろう。なんと、松尾山に向かって家康の一隊が鉄砲を撃ち込んだとの報せが、吉継の耳に入った。

——来るか。

戦場にあって静寂を保つ吉継の心が、ついに、予期した危難の到来を悟った。

四

正午の頃であった。

松尾山から、突如として喊声《かんせい》が湧いた。小早川隊が駆け下りてきた。東軍には向かわず、吉継隊に銃撃を浴びせるや、続いて後続の隊が刀槍を振りかざし、殺到してきたのだった。

報告を受けるより早く、その気配を、匂いを、音を、吉継はしっかりととらえた。

「やはり来たわ！」

吉継が輿の上で鋭く声を放った。

「おのおのがた、進み討つときぞ！」

このときのために温存し続けた兵六百が、迫り来る小早川隊を、真っ向から迎え撃った。

まだまだ勝負はわからない。吉継は今なお静寂を保つ己の心が、このとき、燃え盛るがごとき熱を帯びていることを悟った。あるいは、開戦当初から、そうだったのだろうか。刀を鍛《う》つ炭火のように、あまりに熱く燃えているせいで、かえって静穏であるかのように感じていたのかもしれない。

吉継の隊と共闘していた平塚、戸田の隊が、ただちに呼応し、ともに小早川隊とぶつかってくれた。小早川隊はこの反撃に押し返されるばかりか、たちまち数百人もが倒れ、屍山《しざん》を築くこととなった。

小早川秀秋の監視のためにつけた、家康の家臣たる奥平貞治《おくだいらさだはる》までもが死したほどの激烈きわまる迎撃である。小早川隊は松尾山に押し戻され、東西両軍の勢いはまだどちらにも傾いてはいなかった。

「小早川の童《わっぱ》めが！　引っ込みおったぞ！」

吉継が喚くと、輿を担ぐ者たちが猛々《たけだけ》しい笑い声を上げた。

さらに吉継が追撃を命じた矢先、そもそもの敵がその足を止めにかかった。吉継の隊が相手をしていた、藤堂、京極の隊が、果敢に攻撃を仕掛けてきたのである。

このため、小早川隊にさらなる打撃を与えるには至らなかった。だがここで、吉継の家臣として参戦していた島左近の四男たる清正《きよまさ》が、藤堂玄蕃《げんば》を一騎打ちで仕留めている。

その報せに、吉継が快哉《かいさい》の声を上げた。

「まこと天晴《あっぱ》れ！　さあ、おのおのがた！　いざ進み討たん！」

まるで吉継の熱気が飛び火するように、隊の士気が一挙に燃え上がった。なおも続く激戦に果敢に挑み、山を下りようとする小早川隊を何度となく防ぎ、東軍諸隊を押し返していった。

まさに神がかりの働きである。武将として、病んだ身でありながら、その神がかりは全軍に伝わり、激烈な闘争の念を呼び起こしていた。

そこへ、家康の本隊三万が動いたという報せが来た。ここに来て、いよいよ東軍の総攻撃が開始されたのであった。

勝てる。吉継はそう信じた。この勢いを保てれば、ここを持ちこたえれば、十分に西軍勝利の可能性がある。

かねてから予期していた小早川秀秋の背反も押さえた。動かぬ軍勢もあらかた計算通りだった。自分たちが盾となってここを守り通せば、前進以外にすべのない家康本隊を引き込み、互いに損耗を出しながら、最後の最後で叩くことができる。

吉継は、そう読んだ。

だがそこで、おかしな事態が勃発した。

吉継の隊に、想定されざる者たちが攻め寄せてきたのである。

西軍にあって、ともに小早川隊を押さえるはずの、脇坂安治《やすはる》の隊であった。

脇坂は、これまでずっと吉継とともにあった将である。いったんは吉継ともども東軍に与《くみ》するはずであったが、吉継の翻意に従い、西軍として戦っていたはずだった。

事実、北国において東軍を押さえ、この地でも今の今まで共闘していたのである。

それが、何を血迷ったか、吉継の隊の側面に食いついてくるではないか。

——調略されていた。

それまで戦場の気配を探ることに集中していた吉継の総身に戦慄《せんりつ》が走った。

西軍の中に東軍に通じている者がいるのはわかっていた。だがそれは大名格の、主力を担う隊であると、愚かにも信じてしまった。

——己の役目ではなかったのか。

盟友たる三成の、主力にばかり目を向ける癖を、補うのが自分の仕事だった。そのはずであった。なのに今、自分よりもさらに細かく、的確に人心を読んで、調略をなす者がいたという事実に直面させられていた。

——他にもいる。

冴えに冴えていた分、吉継の頭脳が、この局面における最悪の事態を、ただちに予期した。そしてそれは、悲しいほど正確に的中していった。

脇坂に続き、小川、朽木、赤座の隊が、次々に吉継隊に襲いかかった。

吉継隊のそばにいた六隊のうち、なんと四隊までもが離反し、小早川隊ならびに東軍諸隊と呼応して攻め寄せてきたのである。

気づけば、全隊丸ごと、包囲されているようなものだった。

「内府どのの調略……これほどか」

思わずそんな呟《つぶや》きがこぼれた。そしてここで、吉継はさらに己のうかつさを悟った。

家康の狙いは、西軍による鶴翼の陣を、内通で切り崩すだけではない。

この自分を、大谷吉継とその配下を、何としても瓦解《がかい》させるべく調略を尽くしたのである。

——内府は、ここまで、おれの存在を重く見ていたのか。

だが西軍の実質的な総大将たる三成の、いわば副将が自分なのだ。家康が特に攻略すべき相手とみなして当然ではあった。だが、それにしても、ここまでやるのかという感嘆の思いが湧いた。自分や三成や秀吉が、関東を、紀州《きしゅう》を、四国を、九州を攻めたときのように、ひたすら知略を巡らせ、勝負をかけた成果であろう。いや、それらの戦いをつぶさに学び、研究し、いかにして勝つかという思案を、延々と練り続けた結果であるのだと知れた。

　であれば、勝つことが富むことであり、太平へと通じることも、よく学んでいるのだ。三成やこの自分以上に、新たな世の構想が、より現実的な太平のあり方が、見えているに違いなかった。

「内府どのは、天下のことがよくわかっておられる」

また呟きがこぼれたとき、押し返したはずの小早川隊が猛然と攻め寄せてきていた。周囲の諸隊がこれに呼応し、吉継、戸田、平塚の三隊への総攻撃となった。

「おのおのがた！　退《ひ》くことなかれ！」

吉継は、変わらぬ呵々大笑を放ち、叫喚した。

「これよりは天下のために死するのみぞ！」

　報せを耳にするまでもなく、己の隊が切り崩されてゆくさまを肌で感じ取った。敵勢の勝《か》ち鬨《どき》の声がすぐそこに迫ってくる。

　かと思えば、平塚為広の使者が、吉継のもとに走り込んできた。何か渡す物があるという。

吉継は手が開かぬため両手首で挟んで受け取った。首であった。まだ生きていると錯覚するほどの鮮新な血の匂いを吉継は嗅《か》いだ。吉継とともに最後まで戦った為広が、討ち取った東軍の兵の首に、辞世の句を添えて届けさせたのであった。

――名のために棄《す》つる命は惜しからじ　終《つい》にとまらぬ浮世と思へば
為広はその句をしたためてのち、敵軍に馬を駆け入らせ、討ち死にしたという。吉継はその為広の辞世の句を聞くと、我が身を担いでくれた家臣たちに、こう命じた。

「輿を下ろすべし。首を弔い、我も句をしたためん」

家臣たちはその命に従い、吉継を隊の後方に運び、そこで輿を地面に下ろした。吉継は口頭で、返しの句を告げた。

それから、この決戦の場において、ただ一人、腹を切る準備をした。

見えぬ目を宙に向け、家臣から渡された刀を手探りして抜いた。その切っ先を腹に当て、右手首で柄頭《つかがしら》を押さえた。さらに左手首を重ねた。

「すまんな、治部よ」

ぽつりと呟いた。だが不思議と満足だった。三成も自分も、最後まで一国の領土を得るためになど、戦いはしなかった。あくまで天下太平の義に従い、殉じるのである。

天に、自分たちと徳川のどちらを選ぶのか、問うために戦ったようなものだ。

そして答えは出た。

ふと三成の声が思い出された。だが何を言っているのかわからない。きっと今しがた自分が思ったことと似て非なることだろう。あの男のことだから、天が間違ったのだと言い出しかねない。そう思って苦笑した。

ともに戦ったことで、借りは返した。あの男も、そう思ってくれればいいのだが。

「これよりのちの世を、新たなあゆちに委《ゆだ》ねようぞ」

両腕に渾身《こんしん》の力を込め、刃を腹に押し込んだ。左手首を支えにし、右手首を用いて、梃子《てこ》の要領で真一文字に腹をかき切った。不自由な手であるにもかかわらず、見事な切腹であった。

家臣の湯浅五助《ゆあさごすけ》が、その介錯《かいしやく》を果たした。一刀のもと、吉継の首を落とした。それから五助はきびすを返し、東軍に突撃して討ち取られた。

その後、吉継の首は、別の家臣である三浦喜太夫《みうらきだゆう》が、近辺に埋めた。それから喜太夫も自刃した。

嫡子の吉治らも、同様に果てようとしたが、家臣に止められ、逃げ延びた。

吉治は各地を流浪し、大坂の夏の陣に参戦し、死んだ。

大坂の陣ののち、吉継の孫にあたる大谷重政《しげまさ》が、越前松平家に仕えた。そのことを、幕府老中であった土井利勝《どいとしかつ》らが知った。

「大御所様がもし生きてそれを聞いたなら、さぞお喜びになったに違いない」

彼らは、吉継の子孫の立身を知り、そう話したという。家康が、いかに吉継という人物を重く見ていたかが窺《うかが》える。

──ちぎりあらば六の巷《ちまた》に待てしばし　遅れ先立つことはありとも
吉継の辞世の句とともに、道々を巷間《こうかん》に広げる時代は終わりを告げた。

それは、吉継自身が予見したとおり、下克上の、五畿七道にわたり天下人が駆け抜ける時代の、まことの終わりとなった。

真紅《しんく》の米

一

——烽火《のろし》だ。

今、一人の若者が、山の巌頭《がんとう》に立ち、天に昇る煙を見つめている。

こたびの合戦の中で、特に重要な意味を持つ烽火である。

動け——若者とその軍勢に、戦闘開始を命じる合図であった。

若者の名は、小早川《こばやかわ》〝金吾中納言《きんごちゅうなごん》〟秀秋《ひであき》。十九歳。

関《せき》ヶ原《はら》に展開する武将中、最若輩であった。

烽火を上げさせたのは、西軍の石田三成《いしだみつなり》だ。

雨がやみ、朝から立ちこめていた霧も晴れた頃合いだった。お陰で山の上から、旗《はた》指物《さしもの》が激しく入り乱れる様子が見て取れた。狙うは東軍の側背。今、一気呵成《いっきかせい》に山を下りて攻め込めば、東西両軍が入り乱れる乱戦を様変わりさせてやれるだろう。

秀秋はこのときを待っていた。

とはいえ、行動を起こすためではない。逆だった。行動を起こさない己が、心に何を思うかに、興味があった。

そんなことを言えば、家老や家来たちも、目付として陣内にいる男どもも、今さら何をと目を剝《む》くだろう。だが、世に確かなものなど一つとしてない。己の心の動きですら、そのときになってみないとわからない。そのことを、青年は短い人生で、いやというほど学んできた。

誰もかれもが乾坤一擲《けんこんいってき》の世にいる。広大な天地に、ちっぽけな命を投げ出すようにして生きている。歴戦のつわものたちが、準備に準備を重ねるのは、それだけ未知が怖いからだ。将来のある一点で何が起こるか、なんとしてもあらかじめ定めておきたい。僅《わず》かでもいいから勝算を増やすため、血眼になって約束を取り付けたり、誓紙をばらまいたりする。脅し、なだめ、甘言《かんげん》を弄《ろう》する。それもこれも、不確実の未来に挑まねばならないからだ。

次に何が起こるかわからないという点では、石田三成も、徳川家康《とくがわいえやす》も、今、山の上から戦いを見下ろしている己自身も、一緒なのだ。

秀秋は目を閉じた。激しい乱戦ではなく、己の内側を、強い興味とともに、見た。

——米が欲しい。

そんな思いが湧くのを覚えた。

目を開き、さすがに予想外だった己の思念に、ちょっと驚いた。

まさか、烽火を見て、米を炊く煙を連想したわけでもあるまい。そう心の中で呟《つぶや》き、思わず笑みをこぼした。この若者に特有の、怜悧《れいり》な自嘲《じちょう》の笑みだった。普段は、そういう顔を人に見せてはならぬとずいぶん己を戒めていたものだが、合戦の最中は、どんな戒めも忘れてしまうものだ。

普段は隠している本性が残らず飛び出す。それが合戦であり、若者はそういう場を嫌ってはいなかった。奮迅として戦い、没我するときの狂乱たる恍惚《こうこつ》も知っている。己の全本能が覚醒《かくせい》し、ありとあらゆる感情が噴出する。特に今日のような激烈な決戦の場で、本性を眠らせておける人間などいるはずがない。

秀秋は、噴出する感情の根幹にあるものが見たくて、わざわざ床几《しょうぎ》を立ち、応じる気のない烽火をじっと見つめていたのだったが、

——米か。

今しがた連想したものが、やがて腑《ふ》に落ちた。

己の決断の大前提であると本能が告げていた。

——米が沢山とれる方につく。

また笑みを浮かべた。今回は自嘲の念はなかった。揺るぎない思いが、身体のど真ん中に根付くのを覚えた。普段あまり浮かべることのない、清々《すがすが》しい笑顔だった。

後世、凡愚《ぼんぐ》の代名詞のように語られることになる秀秋は、一世一代の大勝負を目前としたこのとき、握《にぎ》り飯《めし》のことを思っていた。

二

——これはどこから来るのだろう？

秀秋は、子供の頃から、たびたび疑問に思い続けてきた。自分が何もしなくとも、あらゆるものが用意される。服も食い物も屋敷も、気づけば自分のために用意されていた。

物だけではない。人もそうだった。従者や家臣、娶《めと》るべき妻、義理の父兄。全ていつの間にか用意されていた。

ほどなくして疑問は別の形に変わった。

——おれはどこへ行くのだろう？

沢山の物が自分の前に運ばれてくるように、自分もまたどこかへ運ばれてゆくのだ。ただ運ばれるだけでなく、落ち着いた場所によって自分が何者か決まる。

国々をつなぐ数多《あまた》の道が——かつて軍道として整えられ、やがて街道として機能するようになった道が——自分をほうぼうへ運んでいくようだった。たまらない心細さが常にまとわりついた。

運ばれるとき、名前も次々に変わった。最初、自分は木下辰之助《きのしたたつのすけ》だった。

それから義理の叔父の養子になった。四歳のときのことだ。叔父の名は、羽柴秀吉《はしばひでよし》。天下人・豊臣《とよとみ》秀吉である。

秀吉は、底抜けに陽気な顔を見せながら、突如としてぞっとするほど陰気な心を爆発させ、沢山の人間をむごたらしく死なせた男だった。のちに、秀秋は、あの男の手で育てられなくてよかったと心から思ったものだった。秀吉に育てられることは、一つ間違えば死を意味した。

秀吉にとって一族は所有物だったのだろう。身近にあって意に反する物は、片っ端から打ち壊すのが、晩年の秀吉の本性だった。いや、意に反する物だけではない。大事にしようとするあまり、結果的に壊してしまうこともしばしばだった。

幼い秀秋を育てたのは、秀吉の正室・北政所《きたのまんどころ》である。

北政所は、実子がいないせいか、多くの子女に愛情を注いだ。一族のみならず、家康から人質に送られた秀忠《ひでただ》なども、実子のごとく慈しんだという。

その北政所が、特に、兄の木下家定《いえさだ》の五男である秀秋を、わざわざ秀吉に頼んで養

子に迎え、寵愛《ちょうあい》した。理由は、秀秋の肉体の丈夫さと、頭の良さにあったらしい。秀秋は、読み書きの習得の早さなどは群を抜き、

「まあ、本当に賢い子だこと」

と北政所から、ことあるごとに誉《ほ》められた。

とはいえ、北政所は愛情の人であると同時に、実益の人だった。彼女が好んだのは、現実に役立つ賢明さである。だから、秀秋が理屈走って現実にそぐわぬようなことを言うと、逆に厳しくたしなめられ、時には遠ざけられた。

己の理を通そうとして現実を無視すれば嫌われる――それが秀秋に深く影響を与えた。

その北政所のもとで、秀秋は元服し、辰之助から秀俊《ひでとし》になった。八歳で丹波《たんば》亀山《かめやま》城十万石を与えられ、十歳で豊臣姓を賜《たまわ》り、十一歳で従三位《じゅさんみ》たる権《ごんの》中納言兼左衛門督《さえもんのかみ》に叙任され、〝丹波中納言〟となった。

当時、秀秋は、関白・秀次《ひでつぐ》についで、豊臣家の継承者とみなされていた。だが十二歳のとき、秀頼《ひでより》が生まれた。秀吉にとって悲願の長子誕生である。一族の空気が大きく変わり、もとから進んでいた養子の整理が早まった。秀秋も例外ではなかった。秀頼が生まれてすぐ、秀秋は別の家へ養子に出された。

「秀秋をしかるべき大名の跡継ぎに」

と北政所は、黒田《くろだ》〝官兵衛《かんべえ》〟如水《じょすい》などと相談したという。そして如水が、中国の毛《も》利《り》家に跡継ぎがいないことから、秀秋を養子にさせることを考え、その件が毛利家の重臣・小早川隆景《たかかげ》に伝わった。

だがこのとき隆景は、毛利輝元の後継者として穂井田元清《ほいだもときよ》の長男を養子に迎えさせることを内々に進めていた。そのため豊臣家が正式に動き出す前に、自分が秀秋を養子に迎えたいと秀吉に請願したのだった。

隆景は筑前《ちくぜん》三十万石の大名である。秀吉はこの申し出を喜び、秀秋を養子にさせた。そののち、隆景はよき頃合いに、改めて毛利家の養子の件を願い出て秀吉に認めさせたのだった。

隆景もまた、賢明の人だった。主君たる毛利家の血筋を守り、かつ豊臣家への恭順を示すため、筑前三十万石を差し出したのである。その賢明さは、隆景の遺言にもあらわれている。

「毛利が天下を取ることはない。領土を守って失わぬことに努めよ」

主家の力量を見抜き、野心を戒めたのである。また、毛利家の外交を取り仕切っていた安国寺恵瓊《あんこくじえけい》には従うな、さもなくば領国を失うとも忠告していた。没後、隆景の遺言は予言となり、毛利家は領土の多くを喪失することになる。

かくして、あるいは毛利家の跡継ぎになっていたかもしれなかった秀秋は、小早川家の養子として迎えられ、名も秀俊から秀秋に変わった。十三歳のときのことだった。これに伴い、小早川家の家格も上がり、隆景はのちのち権中納言になり、五大老の一角にまで登り詰めている。

豊臣家を継承するはずだった秀次が切腹させられたのは、その翌年のことだった。

義兄・秀次の死ほど、秀秋に衝撃を与えた事件は他にない。

それは秀秋に、現実を見る賢明さをこの上なく重要視させることとなった。と同時に、現実に起こることは全て人智を超え、混沌《こんとん》として摩訶《まか》不思議で、決して先が読めるなどと思ってはいけないことを秀秋に教えた。

――なぜ義兄は死なねばならなかったのだろう。

秀吉の側室だった女を自分のものにしたことが原因だったとか、秀吉が秀頼可愛さに継承者である秀次を抹殺したからだとか、謀反《むほん》の動きがあったからだとか、秀秋はとても信じられない理由をいろいろと聞いた。

だが、要は、秀吉の本性の犠牲になったのだ。そう理解するしかなかった。しかもそれは秀次一人ではなかった。秀次の一族郎党を処刑し、交友があった者を咎めた。

のみならず連座すべき者として、秀秋もまた、領地没収を言い渡された。

目茶苦茶だとわめいたところで始まらないし、下手をすれば自分も殺される。

十四歳の秀秋は、己の死を克明に想像した。切腹させられたり、捨てられてのたれ死にする自分の姿を思い浮かべては、恐怖に震えた。どうすれば死なずに済むか必死に考えた。だが北政所でさえ秀次の死を止められなかったのである。

――自分にはどうしようもない。

秀秋は、途方もない絶望感を味わった。

結局、その秀秋を、義父の隆景が救った。

主君の血筋を守るため、秀秋を引き受けた隆景であったが、秀秋を後継者とみなすことに偽りはなかったのである。

病を患っていた隆景は、この機に隠居した。結果、秀秋は筑前三十万石を受け継いだ。

ただし、隆景個人の意図でそうなったというより、これも秀吉の意に従いつつも家を守るためだった。秀吉はのちのち筑前を太閤《たいこう》蔵入地とし、豊臣家の直轄領として手中に収める心づもりだったのである。秀秋への継承は、そのための中継ぎに過ぎなかった。

だがなんであれ、秀秋は秀次連座を免れ、大名としての立場を無事に手に入れた。小早川家の家臣の多くが隆景につき、秀秋には外様《とざま》衆ばかり仕官したが、そんなことを恨む気はこれっぽっちもなかった。

ただただ自分の首が無事に残ったことに安堵した。

三

秀次の死ののち、秀秋は、十四歳で筑前一国と筑後《ちくご》四郡、さらに肥前《ひぜん》二郡の領国を相続した。

以来、己を隠すことを習性とするようになった。利発さを秘し、興味や好奇心がおもてに出ないよう努めた。知ろうとする気持ちをおもてに出せば、何に出くわし、どんな恐ろしい目に遭《あ》うかわからないからだ。

もっぱら、付家老《つけがろう》として秀吉が遣わした山口宗永《やまぐちむねなが》の前で、そう振る舞った。宗永が秀吉に何を報告するかわからないからである。宗永の前で、秀秋は何ごとにも無関心で、凡庸な存在となるよう努めた。凡愚であれば叱られたり侮られたりするだけで済む。利発さが仇《あだ》となって二心あるとみなされれば殺される。どう考えても前者の方が生きられる可能性は高い。

そうしながら、ひそかに宗永の行いを観察した。

宗永が秀吉から命じられたことの一つに、検地があった。領内の石高《こくだか》を定めるのである。これが、ただ単に年貢を決めるためだけのものではないことを、秀秋は悟った。

豊臣秀吉とその政権にとって、太閤検地こそ天下統一の重要な柱であった。検地の全国施行によって、農村の状態を把握し、年貢収納の原理を定める。それによって全ての領主階級の給与体系が築かれ、豊臣政権がこれを統括する。

そうすることで全国の軍役賦課の原理が定められ、ひいては国内の合戦のみならず、朝鮮出兵という巨大事業においても勘定の根本原理を得ることができる。

広大な軍道建設と諸国平定の先にある、強固な統治の原理。

これこそ、〝織田《おだ》がつき、豊臣がこね、徳川が食う〟ことになるもの、国家形成の大基盤たる、〝石高制〟であった。その徹底浸透こそ豊臣政権の最大の課題であり、宗永はまさに豊臣時代の国作りたる検地を、秀秋の目の前で行ったのである。

門前の小僧なんとやらで、秀秋はその事業を、大坂にいるときもしっかり学んだ。

――米はここから来るのか。

秀秋は、長年の疑問が氷解するのを覚えた。米の収穫によって石高が決まる。石高が国の力を示す。と同時に、米以外のものが収穫されたときも、米という価値単位によって、その価値が定められる。

やっと、米の意味がわかった。田畑の意味もわかった。米をもとに決められる、給与の体系も理解できた。それまで漠然と眺めていた田畑が、にわかに違う意味を持つようになった。

何が何に支配され、その結果、どのような生活が生み出されるか、つぶさに見た。

――国はここから生まれるのか。

付家老が、少年期の秀秋を監督していたように、秀秋もまた付家老の働きを見ていた。

この時期、秀秋はまだ秀俊の名を称することがほとんどだった。称するというのは、給与決定など、文書発行の際の署名のことである。知行方目録《ちぎようかたもくろく》など、この時期は秀俊の名ばかりみられ、いずれも秀吉の朱印が添えられている。

要は、宗永の監督のもと、実質的に筑前を統治していたのは天下人・豊臣秀吉であり、秀秋は小早川家当主としてではなく、豊臣一族の秀俊として扱われていたのである。

その秀秋が、単独で文書を発行するようになったのは、十六歳になってからのことだ。

慶長《けいちょう》二年（一五九七）、秀吉は、西国の諸大名へ二度目の渡海を指示した。

朝鮮出兵である。

先の文禄《ぶんろく》の役《えき》については、なんとか和議交渉の運びとなっていたものの、日明《にちみん》の和議推進者たちによる工作が破綻《はたん》したせいだった。

そもそも、戦闘再開を恐れた和議推進者たちが双方の主君を偽り、それぞれ相手国が降伏したことにしていたのである。そのため和議の条件を部分的に、あるいは歪曲して主君に伝えることになった。追い詰められた者たちによる苦し紛れの偽装であったが、そんな小細工がいつまでも通用するわけがない。

結局、明使節が来日して秀吉に謁見《えっけん》した際、明には秀吉が示した和議の条件をまったく呑む気がないことが露見した。

「兵を発し、かの国人を皆殺しにして朝鮮を空地とせよ」

秀吉は憤激し、凄《すさ》まじいまでに現実を無視した、狂乱の命を発した。

かくして慶長の役が開始されたが、なんとこの総大将に選ばれたのが、秀秋だった。

本当なら隆景辺りを総大将にしたかったのかもしれない。だがこのとき隆景は病身で、すでに隠退していた。石田三成らは、徳川家や前田家を総大将に推薦したが、秀吉が認めなかったし、家康も利家《としいえ》も、百難あって一利なしの兵役をのらりくらりとかわした。

紆《う》余《よ》曲折あって慶長二年二月、十六歳かつ初陣の秀秋に、総大将としての渡海命令が下されたのであった。

隆景が没する僅か四ヵ月前のことである。朝鮮半島での兵役が、一時的とはいえ、名実ともに秀秋を筑前国主にしたのだともいえた。

太閤検地をつぶさに観察していた秀秋にとって、出兵命令自体は意外ではなかった。

九州における秀吉の目標は、明と戦うための強固な兵站《へいたん》を築くことである。そのために検地による石高制を浸透させ、石高をもとに軍役を定め、前線に兵を送り込んだ。

筑前はまさにその前線基地となるべき土地であり、いずれ己も出兵させられるかもしれないとは考えていた。

——まさか、総大将とは。

喜びなどかけらもない。あるのは驚愕《きょうがく》と、背を這《は》う冷たい恐怖である。すでに兵役に就いている諸将に比べれば、自分などお飾りの総大将に過ぎない。だがそれだけならまだしも、

――おれに詰め腹を切れとでもいうのか。

という慄然《りつぜん》とした思いに襲われた。

義兄の秀次が切腹に追いやられたように、自分も訳の分からない責任を押しつけられた挙げ句、身に覚えのない罪状を並べ立てられ、始末されるのではないか。

そう疑念を抱きつつも、秀吉の命令に逆らえるわけがない。秀秋は言葉にも顔にも出さず、大坂で命令を恭《うやうや》しく承ると、筑前へ帰り、慌《あわ》ただしく準備をした。

秀吉からは遅滞を叱責《しっせき》されたが、誰がどう見ても即出兵など無茶だった。秀秋は必死になって、兵の編制や文書の発給を、全て自分の名で行った。そうすることで予想もせぬ感情に出くわした。

激しい喜びである。

――軍勢はこうして生まれるのか。

米が国を作り、国が軍勢を生み出す。その仕組みを理解すればするほど面白くなった。

初陣で、いきなりの総大将。天下泰平を成し遂げた豊臣政権下では、またとない合戦の機会であるのは確かだった。秀秋もまがりなりにも武家の子である。血が沸騰した。

六月、秀秋は総大将として出陣した。短い準備期間ではあったが、秀秋なりに納得の行く出発だった。

まず釜山《プサン》沖から上陸し、釜山に陣取った。倭城《わ》を普請して守備を固め、宇喜多《うきた》勢や毛利勢の北上を見守るとともに、朝鮮半島の風物や地形、気候について見聞を広めた。城作りを学び、合戦における様々な陣容など、合戦のいろはを可能な限り吸収した。

生まれて初めて自分が何者かになった気持ちであった。事実、この時期に初めて秀秋の名を称するようになっている。秀吉のいる日本を離れ、異国の戦場で、秀秋は己を知った。

知ったからには発揮したくて仕方なくなった。

十二月、交通の要衝たる蔚山《ウルサン》に築いた倭城が、朝・明の大軍に包囲された。城にいるのは加藤清正《かとうきよまさ》、浅野幸長《あさのよしなが》らである。中でも加藤清正は、築城の名手として、また勇猛の士として朝鮮でも名が知られていた。この清正を、なんとしても討ち取るべく、朝・明の軍勢が大挙して城に群がったのである。その数、四万五千。これが最終的には七万にまで膨れあがったという。

城兵はたちまち孤立し、飢えと寒さで疲弊した。朝・明は一挙に陥落させず、この攻城戦を和議の機会とするため、徹底して包囲を続けた。

秀秋は、この救援に向かうこととなった。

と同時に、朝鮮側に与《くみ》する〝降倭《こうわ》〟の日本人武将や、和議に尽力する僧侶や商人ら、さらには明側の人間から、幾通りもの停戦交渉を持ちかけられている。

日本にいる秀吉が不退転の侵攻を厳命している上、すでにひとたび和議が破れているとあって、すぐさま停戦できるわけがない。

だが互いに追撃しないこと、撤退を見逃すことなど、現地における暗黙の諒解《りようかい》を双方とも得ることができた。

その上での倭城救援であった。秀秋はこの交渉をはじめ、援軍の召集、出撃の命令、さらには敵陣への突撃まで、全て、総大将として参加した。

突撃参加に関しては、秀秋の傅役《もりやく》として秀吉が派遣した山口宗永《むねなが》や、目付の太田《おおた》一吉《かずよし》、また一吉が同行させた僧の慶念《きようねん》などから止められたし、後日、石田三成らによって、

「総大将としてあるまじき軽率」

と秀吉に報告されることになる。

委細、知ったことではなかった。血気に逸《はや》ったといえばそうだろう。だが機を逸する方が重大だった。誰がどう見ても、城が敵の手に落ちて清正らが殲滅《せんめつ》されるのを防ぐべきだった。

援軍大将として蜂須賀家政《はちすかいえまさ》、黒田長政《ながまさ》らが据えられた。秀秋も自ら槍を手に、朝鮮半島の厳しい冬の寒さの中、馬を疾駆させた。

蔚山の倭城包囲の様子は、死骸にたかる蟻《あり》の群のごときであった。その包囲へ救援の軍勢が鬨《とき》の声を上げながら突進した。激戦となった。戦いは長く続き、秀秋も他の武将たちを真似《まね》て声を限りに吶喊《とっかん》し、血気昂《たか》ぶるままに奮戦した。

越後で生まれ、全国に広まり、各家が工夫に工夫を重ねた、兵種別編成隊形である。これは矛《ほこ》となるとき最大の力を発揮する。秀秋はその先陣を自ら率いて我武者羅《がむしゃら》な攻めに没頭した。

苛烈《かれつ》な突進によって包囲に穴があき、やつれきった城兵たちが続々と撤退を始めた。

ここで、双方の暗黙の諒解が効いた。朝・明の軍は包囲を解いてくれた。日本側の将も追撃せず、互いの被害を最小限に防ぐ動きを見せた。

秀秋は生まれて初めてといっていいほどの満足を覚えた。敵陣に乗り込むことなど怖くも何ともなかった。秀吉の不興を恐れ、明日どこへ行くかもわからず、寄る辺ないまま何者にもなれずに過ごしていた日々を、遠く背後に置き捨て、生まれて初めて自分の力で思う存分、走り抜けることができたのである。

何よりこの地では、日本人は誰もが異邦人だった。小早川家で自分がそうだったように。ここでは日本人であるというだけで、強い結びつきを互いに感じられた。養子に出されて以来、誰がそんな風に自分のことを思ってくれるのか。そう思い続けてきた。

実は、この救援の前後、秀吉から秀秋に帰国の命令が出されていた。総大将として赴任してまだ一年足らずである。背景には、石田三成らによる報告があった。秀秋が総大将の務めを十分に果たしていないという報告である。

当時、石田三成ら文官によって讒言《ざんげん》めいた報告がされていることは、出兵させられた者たちの間に知れ渡っている。現地にいる者からすれば、どれも馬鹿馬鹿しい非現実的な叱責やら報告やらばかりで、

「だったらお前がやってみせろ」

誰もがそういう思いを募らせていた。

秀秋も同じだった。帰国命令が出されてから、ふた月近くも秀秋は当地にとどまった。即刻の帰国など現実的に不可能だったし、怪しい噂《うわさ》や歪曲《わいきょく》された情報に満ちた異国の戦地においては、秀吉の名による命令書ですら存在が薄くなっていた。

とはいえ、帰りたくなかったわけではない。釜山に陣取って以来、秀秋は南原《ナムウォン》から全州《チョンジュ》、清州《チョンジュ》、慶州《キョンジュ》、蔚山と巡っており、この合戦の矛盾をいやというほど知ったし、金輪際《こんりんざい》、見たくも知りたくもなかった光景を毎日のように目にしていた。

目付の太田が同行させた僧の慶念などは、その惨状を全て日記にしたためている。

首の代わりに鼻を削いで送れという秀吉の命に従った兵士たちが、鼻の数をかさ上げするため、討ち取った兵士だけでなく老若男女の鼻を生きながらに切り落とした。日本人の人買いが軍勢の後をついてきては、荒廃した村々の者たちを捕らえて奴隷にし、日本国内をはじめ、長崎で南蛮人に売り飛ばしている。

倭城はほうぼうで孤立し、兵站が十分に築かれず、みな飢えた。

この世の地獄であり、人が畜生道にもありえぬ行いをしていると慶念は記している。

秀秋もたびたび寒さと空腹に喘《あえ》ぎ、

――米が欲しい。

日々、その念が強まった。

単に糧米が欲しいというだけではなかった。戦いで荒廃するばかりの光景に空《むな》しさを覚えた。戦って得た土地を耕すこともできず、現地の人々とはろくに言葉も通じない。これでは領土拡大など、五畿七道を八道、九道にするなど、夢まぼろしである。

いったい何のための合戦かまったくわからない。しかも明相手に戦いを挑んでいるはずなのに、実際には朝鮮半島から先に進むことすらできずにいる。

和解工作が講じられている噂を聞いたが、ちっともそういう風には思えなかった。秀吉の一方的な思い込みで、馬鹿馬鹿しいほど無駄に兵が死んでいった。石田三成ら文官の勝手な報告が、武将たちや兵たちの殺気を増大させ、人心荒廃すること甚《はなは》だしかった。

――豊臣はこの地で米を作れなかった。

やがて秀秋は何ともいえない諦念《ていねん》とともに結論した。

石高制すらまだ全国規模では浸透しきっていない。朝鮮半島を領土化したいなら、まずは当地の人々を懐柔し、自軍につかせるべきだった。日本人に好意を抱き、ともに豊かな国作りができると思わせるべきだった。間違っても、女子供の鼻など削ぐべきではないといった、誰でもわかるような過《あやま》ちを次々に犯した。

村を破壊された朝鮮の人々は、怨恨《えんこん》に満ちて死兵と化している。これを殲滅すること も、明と戦って勝つことも、夢のまた夢だ。もうじき決定的な敗北にまみれる。

もはや誰にも利発さを隠す必要がない異国の地で、秀秋は、秀吉と豊臣家に対する深い失望を抱いた。このときの幻滅が、のちの秀秋の決断を作ったといっていい。

翌年三月末、秀秋は帰国した。残留の守備兵を残し、交代で城の在番をさせている。総大将としての役目をそつなくこなし、大坂に戻ったつもりだった。

だが待っていたのは秀吉の叱責だった。

秀秋は、淡々とこれを受け入れた。数多くの武将が、朝鮮半島で奮戦し、財力を使い果たし、兵を損耗させられた上、文官どもの報告一つでこうして叱責されてきたのである。自分の番が来たとしか思わなかったし、

――おれも義兄のように罪に問われるのか。

一年前であれば血も凍る恐怖に襲われたであろうことも、平然と受け入れることができた。かつてなく怜悧で涼しい風が頭の中を吹いているようだった。

とはいえそれは秀秋の主観である。戦場帰りの若者の身体からは、おのずと血なまぐさい殺気が漂い出し、そのおもては非人間的な無表情に覆われている。総大将の務

めをねぎらう諸官への受け答えも、ときに吠えるような鋭い語気を伴った。

「中納言殿のご気性は、苛烈で危うい」

などという風評が立ったが、十代で異国の地に渡り地獄を見てきたのである。国内の合戦とも本質的に違う。言葉が通じない者同士の殺戮《さつりく》は、同国人のそれと比べ、格段に人心を荒廃させる。穏やかで繊細な若者のままでいろという方が無茶だった。

石田三成が、帰国した加藤清正をねぎらうため茶席を設けようと伝えたのに対し、

「勝手になされよ。われらは辛酸をなめ尽くして生き長らえて七年余、財も根も気力も尽き果てた。茶席を設ける余力すらなく、できるのは稗粥《ひえがゆ》を炊いて進ぜることのみ」

というのが清正の返答である。まさに唾棄《だき》であった。

これが出兵した者たちの当然の態度なのである。秀秋もそうだったというに過ぎない。

秀吉は、秀秋を叱責はしたが、おおやけに咎めず、

「越前を任せる」

と転封《てんぽう》を命じただけだった。

小早川領はかねて秀吉が考えていた通り、太閤領となり、石田三成や浅野長政が代

官となる。いよいよ九州に朝鮮出兵のための一大前線基地を作る気だった。小早川家の出兵は、その下準備に過ぎなかったのかも知れない。

筑前から一転して越前への転封であり、三十万石から十五万石への大幅な減封だったが、

——首がつながったか。

秀秋はむしろ不敵に安堵《あんど》し、命《めい》に従った。

これで自分の初陣は終わった。単純に生き延びたことを喜びたかったし、減封で多くの家臣に暇を出すことになるのも仕方ないとしか思わなかった。そもそもが自分の家臣ではないのである。他の大名たちに改めて士官できるようはからってやればよかった。

むしろ戦場で学んだことを、しっかり身につけるには、三十万石は大きすぎる。十五万石を万全に経営できるようになるべきだった。日本国内で安心して国作りに挑めるならそれ以上の願いはない。その上、付家老として自分を監視する存在はもういなかった。

総大将を下ろされ、減封されたにもかかわらず、秀秋の心中は伸びやかになっていた。

だが翌年、秀秋は再び三十万石を領することとなる。

秀吉が世を去ったからだった。

四

慶長三年八月、天下人・豊臣秀吉が薨去《こうきょ》した。

秀秋は、きわめて虚無的といえる気分で、五大老連署による筑前名島《なじま》三十万石の旧領復帰の知行宛行状《ちぎょうあてがいじょう》を受け取った。

――義兄は何のために死んだのだ。

秀吉の死後、秀頼が豊臣家のあるじとなったので、そのためといえばそうかもしれない。

だが、老境の秀吉という凶君が消えた今、秀秋は豊臣家の現状を改めて見て、薄ら寒い思いを味わった。養子に出されて豊臣家を外側から見るようになっていたせいで、兄弟姉妹たちよりずっとよく一族の異様さがわかった。

みな若い。若すぎる。

病で亡くなった者もいるが、ほぼ秀吉のせいだった。秀次一家を殺戮したことで、一族を支えるべき連枝《れんし》が、まさに族長たる秀吉によってバサバサに刈り取られたのだ。

――いったいなぜ一族の力を半減させるような真似をしたのですか。

死人の仲間入りをした秀吉に問うても詮無《せんな》いとはいえ、胸中で問わずにはいられなかった。

それともそれは必ずしも秀吉の意思ではなかったのだろうか。そんな風にも思った。

秀吉に、なかなか跡継ぎができなかったのも、天意だったとしたら。貴種でない血族が統治者として地に殖《ふ》えてはならぬと目に見えぬ何かが命じたのなら。京都・大坂といった地にはそのような恐ろしい意思が働いているのなら――。

この自分をふくめ、豊臣一族郎党、いずれ滅びの道を進まされるのではないか。

そんな嫌な気分を振り払うように、秀秋は旧領の国作りに努めた。とはいえ、この当時はまず作る前に元に戻すことに尽力せねばならなかった。

朝鮮出兵で厳しい賦課を強いられた村々を復興させねばならなかったのである。そのために秀秋は、年貢の減免策を打ち出した。ただ年貢を減らすのではなく、石高制をもとに厳密に勘案させ、免率を低く押さえさせたのだった。

そうすることで、かえって秀吉が目指した統治体制への疑念が深まった。

石高制は、朝鮮出兵という巨大事業があったからこそ光彩を放っていた。出兵が水泡に帰した今、この統治体制は何を目指すべきなのか。

本来、豊臣家は天下に平安をもたらしたという点に全国統治の大義名分がある。だがいきなり合戦がなくなったことで、別の問題が生まれつつあった。恩賞によって成り立っていた主従関係の固定化と、戦争による大量消費の停止である。

要は、合戦で生計を立てていた者たちが軒並み失職することになるのだ。

武家は商家にはなれない。多数の家来がいても、彼らが商家の奉公人のように稼いでくれるわけではなかった。むしろ武家の財産が逼迫《ひっぱく》する要因になる。

――このままでは幾ら村々から搾り取っても足らなくなる。

朝鮮出兵は口減らしだったのではないか。ついそう思ってしまうほど、泰平の世における武家のありようが見えてこなかった。見えない限り、再び海を渡って兵を送り込むほかない。だが無謀な派兵が生むのは疲弊であって正常な消費ではない。

この後、何を原理として統治を行えばいいのか。幾ら考えても答えは得られなかった。秀吉という巨大な存在が消えた後、新たな世の原理を導き出せる者はいるのだろうか。いるとしたら、その者が次の天下人になるのかもしれない。

秀吉がいる頃はそんなことは考えもしなかったし、考えたとしてもおもてには出さなかった。秀吉亡き後も、内心を隠す癖がすっかり身についていたし、統治の原理について話せる相手など限られていた。

その限られた相手の一人が、内府《ないふ》殿こと徳川家康であった。

家康は五大老の一員である。秀秋の旧領復帰にも関わっているし、何かと豊臣一族と顔を合わせている。秀次の一族郎党が刑死した一件ののち、家康は連座を免れた大名に接近しており、秀秋もその一人だった。

とはいえ、このときはまだ秀秋も、家康に対し、さして恩義を抱いてはいない。旧領に復したことにもさして感謝していなかった。五大老連署による領地決定は、ひとえに朝鮮出兵の緊急停止と、外様大名の不満を宥《なだ》めるための、現実的な判断によった。

太閤検地も太閤領の設定も、外様大名からすれば内政干渉である。秀吉亡き後、これを推進すれば激しい対立を招きかねなかった。その緩和の一環として、太閤領として召し上げられた領地が戻されただけのことである。

秀秋は五大老に対し、それぞれ型通りの御礼をしただけで済ませている。

だがそんな中で家康と特に親しくなっていったのは、太閤領の解除を推進したのがもっぱら家康であったこともあるが、秀秋の方でも深く共感するところがあったからだろう。

その一つが学問だった。家康という男が求めた学問は、実学と蓄財が中心である。公家社会に同化しようとして、あるいは対抗しようとして雅《みやび》なものを学ぼうとする諸将と違い、家康は新たな社会を創造するための学問を欲した。そしてその成果は、もっぱら江戸という巨大な開拓都市で着々と活かされつつあった。

秀秋も、北政所や義父の隆景の影響できわめて現実志向が強い。豊臣家をはじめ、木下家の実の兄弟や、毛利家の一族とも違った性向を有するようになっていた。

そういう秀秋にとって、家康は単純に話すと面白い人物だった。家康が幼い頃に人質生活を送っていたことも、養子に出された秀秋と通ずるものがあった。

家康の実子・秀忠も、人質として秀吉に預けられ、北政所のもとで他の子らと分け隔てなく育てられている。秀秋はこの秀忠とも面識があるし、互いの性格もなんとなくわかっていた。

はからずも大谷吉継が感じたことを、秀秋もまた、家康から感じ取っていた。次の時代へ移行するとき、なさねばならない価値の転換を、この男ならやってのけるだろうという直感である。

豊臣恩顧の武将たちが、日に日に石田三成らとの対立を深めていく中、家康が適切な距離を保っていることにも秀秋は感心した。虎視《こし》眈々《たんたん》と天下を狙っているのだろうが、そんなことはおくびにも出さない。

──怖い男だ。

秀秋はそう直感した。秀秋が知る老境の秀吉が、無差別にいつ炸裂《さくれつ》するかわからぬ爆裂弾だったとすれば、家康は目的のために研ぎ澄まされた刃だった。その思想や信念を垣間見るたび、その強靱《きょうじん》さと鋭さに惹《ひ》かれていった。

他方、秀吉の死によって豊臣の長となった幼い秀頼を見るにつけ、憐れみすら覚えた。

──あの場所にいなくてよかった。

つくづくそう思うほど、秀頼は四方を壁に塞《ふさ》がれたような生活を送っている。秀頼本人も周囲の者もそう思っていないところが、また哀れだし、ぞっとした。

秀頼は利発だった。利発さを隠さぬ無邪気さとともに育ったのだ。誉められることが嬉しくて自分の考えを何でも口にする。相手の心を覗《のぞ》き込んで利用しようとする者たちに対し、最もしてはならぬことだというのに。

やがて秀秋は、秀頼の顔を見るたび、胸を衝《つ》かれる思いがするようになった。

——この心はどこからきているのか？

自問するでもなく自問したが、答えはわかりきっていた。豊臣家に対する失望と幻滅が、悲痛となって胸中を騒がせるのである。

その悲痛は、秀秋が漠然と予想していたよりも遥かに早く、しかも怒濤《どとう》の勢いで現実のものとなっていった。秀吉の死後、戦功によって名をなした武断派と、秀吉の政権運営によって取り立てられた文治派の対立が、にわかに深刻化し、激しく顕在化したのだ。

起こった争いごとを数え上げればきりがないが、そのことごとくを有利に運んだのは、家康だった。

五奉行の一人・石田三成は、武断派に襲撃されかかり、佐和山《さわやま》に蟄居《ちっきょ》。

五奉行の筆頭・浅野長政は、家康暗殺の疑いで隠居。

首謀者とされた前田利長《としなが》征伐の号令が下され、利長は母を人質に差し出し、弁明に努めた。

秀吉が死の前に整えた五大老と五奉行は有名無実化した。

家康は、北政所こと高台院《こうだいいん》が退去してのちの大坂城西の丸に居座り、立て続けに諸大名の加増や転封を実行した。来るべき決戦で、一人でも多く自軍に参加させるための工作だと知れた。

敢然と異を唱えたのは上杉家で、家康の上洛要請を拒み、事態は合戦へと雪崩《なだ》れた。

そして上杉討伐のため江戸へ下った家康の背後を突くべく、石田三成が起《た》った。家康が不在の大坂城西の丸に入って檄文《げきぶん》を発したのである。

何もかも目まぐるしく動き、しかも何一つ豊臣家による制御が利かぬ有様であった。

何もしなければこの激流に呑まれるばかりである。秀秋もまた、復興半ばの領地を抱えたまま動かざるを得なかった。

毛利輝元が三成側の西軍総大将として担ぎ上げられ、各地で家康側の東軍につこうとする者たちの足止め工作が行われた。大谷吉継、長宗我部《ちょうそかべ》盛親《もりちか》、鍋島《なべしま》勝茂《かつしげ》などが西軍につかざるを得なくなり、秀秋もこの工作を受けた。そもそも小早川家は毛利家の家臣の立場である。輝元が総大将にされた時点で少なからず動きを封じられた。

この間、秀秋は、実の父兄と進退を議論したが、埒《らち》が明かなかった。

実父の木下家定は大坂城の留守居役で西軍、姫路《ひめじ》城には三男の延俊《のぶとし》がいて傍観、次男の利房《としふさ》は若狭高浜《たかはま》城にいて傍観気味の西軍、伏見《ふしみ》城には長男の勝俊《かつとし》がいて東軍——

一族分断もいいところで、意見もてんでんばらばら、一族結束にはほど遠かった。時流はどちらか。西軍か東軍か。こうまで二分されてはどちらつかずが最も怖い。決着がついたときに勝者から何をされるかわからない。

――家康。

秀秋の心は東軍に傾いている。これまでの家康の動きとその評価からして当然である。西軍に与せざるをえなかった大谷や長宗我部や鍋島といった者たちも、本当なら東軍につきたいはずだった。

石田三成も馬鹿ではない。そうした空気を察している。特に秀秋に対しては、誓書を作って届けさせることまでしていた。

いわく、秀頼が十五歳になるまで秀秋を関白にする。いわく、筑前に加え播磨《はりま》一国を領地とする。いわく、黄金三百枚を贈る。

話にならなかった。関白だった秀次が、どんな無惨な目にあったか忘れたとでも思っているのか。他ならぬ豊臣家が、関白職を地に落としたではないか。

だが秀秋の現実感覚が、今は西軍につくしかないことを告げていた。

ならば、やるべきことは一つである。今から家康に対する和議の工作を行わねばならない。家老の稲葉《いなば》〝佐渡守《さどのかみ》〟正成《まさなり》や、平岡《ひらおか》〝石見守《いわみのかみ》〟頼勝《よりかつ》からも、同じ提案をされている。

平岡の正室の従兄弟に黒田長政《ながまさ》がいた。秀秋の養子縁組を思案した黒田〝官兵衛〟如水の子である。黒田長政は東軍側におり、稲葉と平岡は黒田家と通じ、家康側との工作に尽力した。

そうする間にも喫緊《きっきん》の事態が出来《しゅったい》した。石田三成らが、秀秋を東北面攻撃総大将に据えたのである。その上で、家康の背後の守りである伏見城を攻めさせようというのだった。

城を守るのは鳥居元忠《とりいもとただ》。同じ城に秀秋の兄の勝俊がいる。家康の臣下もろとも実の兄を討つなど意に反すること甚だしい。

秀秋はとにかくこの攻城戦を回避しようとした。さもなくば自分も伏見城に籠もって戦おうとまで考えた。

三成方の評定でも、城の堅牢《けんろう》さから、まずは説得して城を明け渡させるべしとなった。

即座の総攻撃にはならない。秀秋はほっとなった。そしてこの間、兄の勝俊は素早く城を脱出してくれていた。どう考えても戦えば落城するしかない情勢である。無血開城が実現するのではと希望を抱いた。

だが鳥居元忠は死ぬつもりだった。家康のための捨て城とされたことに誇りすら抱いていた。当然、あらゆる説得が突っぱねられた。

このままでは開戦になる。秀秋は家老たちと相談した。改めて城に人質を送るのはどうかと提案したのは稲葉だった。

「北政所様とお父君の木下家定様に、本丸にお入りいただき、殿も城の守備につかれるのです。その上で、こたびの和議を工作するのはいかがか。このまま三成方の良いように扱われては、どのみち進退窮まりましょう」

理屈と現実がめちゃくちゃに入り交じったような提案だったが、秀秋はその通りの書状を鳥居元忠に送った。

そうしながら、もし秀次が生きていたらという空しい思いに襲われた。こういう家臣同士の内紛を未然に防ぐため、秀吉は秀次に関白職を譲ったのではなかったのか。なのになぜ殺したのか。今さらながら亡き秀吉を恨む思いでいっぱいになった。

鳥居からは、即お断りのむねが使者を通して伝えられた。その伝言がまたふるっている。

「幾ら考えても、そちらの提案の意味が分からない。お断りするとしか言いようがない」

とのことであった。

——意味が分からないのはこの事態そのものだ。

そう叫びたかったが、叫んだところでどうしようもなかった。

慶長五年七月、伏見城への攻撃が開始された。大坂方すなわち三成方は、毛利、宇喜多、島津、長束《なつか》、小早川などで、四万を超える兵力であったという。

伏見城は何日か持ちこたえた。だがそれだけだった。城は落ち、鳥居元忠は切腹した。

この最中、秀秋は平岡を通して、黒田長政と書状をやり取りしている。

秀秋からは家康宛ての詫《わ》び状を送り、こたびの城攻めは本意にあらず、仕方なくやったことであり、いずれかの戦いでは必ず東軍につく——と約束した。

黒田長政からは北政所こと高台院への忠節をだしに、内応の言質《げんち》を取る書状が来ている。また、秀秋の兵一万五千が味方をしてくれるなら、上方二国を与えるとのことだった。これまた出来すぎた恩賞だったが、三成の約束に比べればずっと現実感がある。

秀秋は家康を信じた。

またこのとき黒田長政とは、互いに人を遣わして状況を知らせ合い、秀秋側の家臣の縁者を人質として送ることにも合意している。この後の決戦で、双方の陣に人を送る算段を整えたのである。

伏見攻略ののち、大坂方は伊勢路《いせじ》と美濃路《みのじ》にわかれ、尾張路《おわりじ》で合流することになった。

秀秋はこれに応じず、ひたすら仮病を使った。鈴鹿《すずか》に行き、近江に戻って高宮《たかみや》に行き、病気養生と主張してひたすら時間を稼いだ。

そうするうちに東軍が西進を始め、先鋒が清洲《きよす》城に集結した。家康は東北を警戒して江戸を動かず、東軍諸将が先に美濃を攻略した。

西軍では軍議に顔を出さない者たちへの不信感が募っていた。特に秀秋はその動向が怪しまれ、宇喜多と大谷から佐和山城に出頭するよう要請された。これは、そのまま佐和山城に秀秋を幽閉せんとする策だったという。だが秀秋は敏感に察し、応じなかった。

宇喜多はさらに手込めにしてでも秀秋を連れてくるよう命じ、いざとなれば秀秋刺殺もよしとした。これも秀秋は病を盾にしてかわした。

秀秋は家老たちと相談し、さすがにこのままでは逆心を疑われて滅ぼされるだけだと判断した。数日後、兵を率いて出立《しゆつたつ》し、西軍の本拠地である大垣《おおがき》城に使者を送った。

「長患《ながわずら》いのためあらぬ疑いがかけられているようだ。病については深くお詫びするが、二心あると思われるのは納得がいかない。御不審が解けないのであれば、大垣城の外に陣取り、東軍と一戦交えた上で宇喜多殿、石田殿にお目にかからせていただく」

というのが秀秋の言い分である。

石田も宇喜多もひとまずこれを信じて秀秋の軍を陣容に加えた。

秀秋は、関ヶ原に集結した諸軍に合流すると、松尾山《まつおやま》に登った。そこにいたのが伊《い》藤盛正《とうもりまさ》とその兵だった。

伊藤盛正は大垣城の城主である。だが石田三成に要請され、渋々城を明け渡し、美濃の今村城《いまむら》に退去させられていた。決戦に際し松尾山に陣取ったが、秀秋は家老たちとともにあれこれ言い分を述べ立て、彼らをどかし、自分たちが山を独占した。

それから改めて諸将へ挨拶し、三成からは具体的な手はずを告げられた。天満山《てんまやま》からの烽火を合図として、一気呵成に東軍を攻めてくれというのである。

秀秋は快諾した。

この秀秋をはなから信じていなかったのは大谷吉継である。秀秋は直感的にそれを悟った。

もともと大谷も家康と戦うことには反対だった。だが三成は聞き入れず、大谷も三成に恩義があり、結局、死地に身を投じることを覚悟して西軍方についていた。秀秋とは逆の立場である。

病で目も見えず立てもせず、鎧《よろい》もなく覆面をし、白衣をまとい、板の輿《こし》に座って担がせている。そのような状態だが頭脳は今も明晰《めいせき》で、西軍方の中でも指揮手腕は随一だった。

その大谷が、秀秋の裏切りに備えて伏兵を配し、西軍方の側背を守りながら戦う構えを見せたとき、秀秋の方も、はっきりと戦うべき相手を悟った。大谷の指揮下には六人の小大名がおり、総勢でも秀秋の軍勢の半数ほどだが、十分な盾となる。彼らを突破して大谷の首を取り、さらに三成の陣地に攻め込むことを考えた。

秀秋は着陣すると、松尾山のてっぺんから関ヶ原を何度も見た。

西進してくる東軍にとっては不利な地形である。だがそれすら家康の策であることはわかっていた。優位と思わねば三成は出てこない。必勝の思いでいる三成を迅速に叩く。短期決戦でことを終える。さもなくば東北勢から攻め込まれる。その覚悟で進軍してきているのである。

あえて敵に挟まれながら、天下へ向かってまっしぐらに進んでくる。

——さすがだ。

秀秋は感心し、また安心もした。どこまで人事を尽くしても所詮は天命を待つのが人間である。身を投じてみねば結果は分からない。秀秋もそうだし、家康もそうだった。

——おれはどこへ行くのだろう？

幼少のときに抱いた疑問が、ふいに湧き起こった。だが昔に抱いたときとは違い、心細さも不安もなかった。超然とした気分で、そのとき自分が抱くであろう心を待った。

五

——やっぱり、おれは米が欲しいな。

眼下に激烈な乱戦を見ながら、やはり家康だと思った。家康は米がどこからくるか知っている。沢山の米がとれる国を作ることができる。作った国を疲弊させず、戦乱のない泰平を創造することができる。天下を広げ、五畿七道を、八道、九道にしたところで、米一つ穫れない無間《むげん》地獄に続いているなら、そんな道は無意味だった。どこへ運ばれていくかわからない道に放り出されるより、平和な国に住まい、田畑の開墾に知恵を働かせるべきだった。

家康の世でなら、自分も新しい国が作れる。そう期待しているのは自分だけではない。上方の学者たちの多くが家康を応援していた。武将たちからすれば学者どもの動向などどうでもいいことだろう。だが秀秋にとっては、それこそ世の変わり目を告げる一大事だった。学者たちは家康に新たな世を見ていた。田畑に新たな意味を与える徳川の世を。

「殿――」

家老の平岡が急ぎ足で近づいてきた。目がぎらぎらしている。決断すべきときが刻々と迫っていることを全身で訴えていた。

「いずれが勝っておる」

秀秋は振り返って訊《き》いた。内心では、とっくに決断している。だがあえて心定まらぬふりをした。この期に及んで内心をひた隠すことが己の本能であることを改めて知った。

「むろん、お味方にござる」

平岡が真顔で言った。朝から伝令が東軍劣勢を報《しら》せているが、いささかも表情には出さない。秀秋はまたあえて訊いた。

「いずれが、我が味方ぞ」

平岡の目が見開かれた。本当は大声で怒鳴りたいのだろうが、声を抑え、鋭く答えた。

「今このときに何をおおせある。お味方は、内府の御陣営でござろう」

そう答えるしかない。

「確かに勝つか」

「勝ちます」

「ならば今少し様子を見よ。おれは腹が減った」

秀秋はそう言って仮屋へ向かい、実際に弁当を持ってくるよう近習《きんじゅ》に言いつけた。

平岡はその主君の背を見送り、それから戦場を見た。

旗色が悪い。

東軍劣勢である。だが家康は自ら陣を進め、死地のさらに死地へと身を置き、兵を鼓舞している。さすが歴戦のつわものだった。東軍の戦意を、身一つで燃え上がらせている。

　一方、西軍の一部は明らかに動いていない。島津や毛利をはじめ、ほうぼうに動かぬ者たちがいた。あれらが兵の温存ならば東軍の負け、内通しているなら東軍の勝ちだろう。

　内通しているに決まっている。そうは思うが不安だった。他家のことなど知るよしもない。ましてや島津がなぜ動かないか、わかりようがなかった。秀秋が本陣で聞いてきたところでは、三成の失言で島津が機嫌を損ねたらしいという。だがそんなことで、この決戦の場にあって傍観を決め込めるものなのか。

　他にも考えればきりがなかった。考えるほどに不安が芽生える。

（西軍につくこともあるか？）

己自身の変心の兆しに平岡は内心うろたえた。よもや秀秋は家康を討つ気なのか。急に関白の座が欲しくなったか。

　こういうとき、臣下を安心させてやらないというのは、秀秋自身もよくわかっている欠点だった。次々に顔も名も知らぬ臣を与えられてきたこと、義父に忠誠を尽くす者ばかりで自分にだけ仕える者が少なかったことが原因かもしれない。

　戸惑う平岡のもとへ、焦った様子で走り寄る者がいた。

家康が目付として寄越した奥平《おくだいら》〝藤兵衛《とうべえ》〟貞治《さだはる》である。旗本であり、歴戦の古兵《ふるつわもの》だった。

「中納言殿は、まだ裏切りをなされぬのか」

「機を見計らっているところだ」

平岡は咄嗟《とっさ》に内心を隠して言った。そもそも、中納言殿はいずこへ？」

「機は今じゃとお伝え下され。藤兵衛の鋭い視線が突き刺さるようだった。

「仮屋で腹ごしらえをされておる」

藤兵衛が呆気《あっけ》に取られた様子で目をまん丸にした。

「かような火急のときに飯を？」

それを剛胆と評すべきか、愚昧《ぐまい》とみなすべきか、この老兵にもわからなかったらしい。

「内府殿とのお約束は必ずや果たしましょう」

平岡はそう言って、藤兵衛がぽかんとなっている隙《すき》にさっさと立ち去った。

そこへ今度は別の者が平岡の歩みを止めさせた。呼び掛けたのではなく、いきなり現れて平岡の鎧の草摺《くさずり》をつかんだ。

黒田方の目付・大久保猪之助《おおくぼいのすけ》である。空いた方の手を脇差にかけて平岡に迫った。

「戦《いくさ》が始まってからこれほど刻《とき》が経《た》ったにもかかわらず、まだ裏切りせぬとは不審千万。もし我が主人との約束が偽りであったならば必ずや刺し違え申さん」

「ご懸念もっとも。なれど先鋒を進める潮時は我らにお任せあれ」

平岡は平然と返し、猪之助の手をやんわり払って陣幕に戻り、秀秋の下知《げち》を待った。戦況を見ればかえって惑乱する。今はじっと待つべきだと己に言い聞かせた。

「鉄砲！」

その声が陣内で起こったとき、秀秋はちょうど飯をかき込み終えたところだった。兵から仔細《しさい》を聞き、駆け足で陣幕へ戻った。床几へは目も向けない。もう座る気はなかった。目を爛々《らんらん》と輝かせて平岡ら家臣へ訊いた。

「誰か鉄砲の音を聞いたか？」

平岡をはじめみな首を傾《かし》げた。山麓《さんろく》は乱戦の様相である。銃声も叫喚も一緒くたになって判別できない。

「兵どもが言うには、内府殿が、我が陣営に向けて、撃ちかけさせたらしいぞ」

平岡たちが唖然《あぜん》となるのをよそに、この若殿は興奮していた。家康じきじきに、ここが機だと告げているのだ。

西軍の中には、東軍が松尾山の兵とも戦いを始めたと見る者もいるだろう。こちらの尻に火を付け、眼前の敵に陽動を仕掛ける。あの混沌とした戦場で、よくそういうことを咄嗟に思いつくものだと感心した。

「なぜ内府が――」

完全に一拍遅れて誰かが訊こうとした。

「知るか！」

秀秋はそれを遮《さえぎ》り、家臣を驚かせつつさらに吠えた。強烈な戦意による武者震いに襲われた。

「みな、早うせい！　我らが立つときぞ！」

平岡が、先ほどとは逆に、あえてこの主君に訊いた。

「裏切りでござるか？」

「知れたことぞ！　覚悟せよ！　全軍に知らせよ！」

ただちに平岡が伝令を集め、全軍に秀秋の言葉を伝えさせた。

「仔細あって裏切る！　今より山を駆け下り、大谷刑部吉継の陣を攻める！」

詳しく理由が述べられることはない。兵の方も聞きたいとは言わない。彼らは戦場において一つの単位でしかない。誰を攻めれば褒美《ほうび》がもらえるかが伝わればいい。

秀秋と平岡ら側近が馬に乗り、藤兵衛や猪之助も大急ぎで続いた。

間もなく、一万五千の軍勢が旗指物をはためかせて一挙に下山した。裏切りをよしとせず参加しなかった旧臣もいたが一部に過ぎない。兵はほぼ全てが雪崩のごとく大谷の陣へ攻め寄せた。

これあるを予期していた大谷の伏兵が、ただちに迎え撃った。銃撃を浴びせて小早川勢の先鋒を退かせるも、全軍を押しとどめるには至らず、たちまち激戦となった。

大谷指揮下の兵は大いに奮戦し、本陣の盾となるかに見えたが、ここでさらなる裏切りが起こった。大谷の配下にあった六名の小大名のうち四名までもが小早川勢の裏切りに呼応し、大谷の陣を攻め始めたのである。

さらには東軍からも援軍が駆け寄せた。家康の指示である。ここが勝機と見て、藤《とう》堂《どう》、京極《きょうごく》らの兵力を殺到させた。

秀秋は自らも山を下りて突撃を命じながら、大谷の陣が激流に呑まれるがごとく崩れゆくのを見た。戦国の世に名を成した者を討つ。若者にとってはこたえられぬ歓喜である。攻めに攻めさせた。さすがに朝鮮出兵のときのように大将自ら先駆けることはなかったが、側近が慌てるほど前へ前へ進んでいった。

大谷勢は最後まで死に物狂いで戦ったが、怖いとは思わなかった。渡海で経験した戦闘の方がよっぽど怖かった。朝鮮兵のように子々孫々にわたり、どろどろとした怨恨を誓うような兵たちではない。もっと、からっとした戦意でしかなかった。

西軍が押していたはずの戦いが、小早川勢の裏切りで一瞬にして東軍優位に変貌した。そしてその優位は覆ることなく、西軍は総崩れとなって潰走《かいそう》を始めた。

小早川勢は、呼応した西軍兵とともに大谷隊を撃破するやそのまま小西勢へ攻め寄せた。あっという間に小西勢が崩れ、その隣の宇喜多勢までもが総崩れとなった。

小西行長も宇喜多秀家も、当然、この秀秋の裏切りに憤激したが、なすすべとてなく伊吹山《いぶきやま》山中へ逃げるしかなかった。

石田勢は必死に応戦したが、最後は孤立無援となり、西軍の中核たる三成もまた、やがて数名の臣とともに伊吹山へと落ち延びていった。

ここに来てようやく動いたのが島津勢であり、敵陣突破による脱出という途方もないことをしでかした。三成らが逃げた方角とは逆で、おびただしい死者を出しながら、家康の本陣をかすめるようにして逃げ去ったという。

秀秋が見ることができたのは、潰走する西軍とは逆の方へ進撃し始めた島津勢で、ちょうど目の前を左から右へ移動していくさまだった。

秀秋には、島津勢の動きの意味は皆目わからなかったが、なぜか、ひどく痛快な気分になった。古い世のしがらみが破れ、新たな何かが脱皮し、血を噴きながら躍り出るように思われた。

木下家も豊臣家も毛利家も、今や秀秋の心の中で抜け殻と化した。

今こそあらゆる殻を打ち捨て、真に飛び立つときだった。

六

かくして東軍の勝利で戦は決した。

いったん晴れた空が再び曇り、地の血泥《ちどろ》を洗い落とそうというように雨が降り始めた。

秀秋は側近に、家康の様子を見て、自分に伝えるよう命じた。ここが正念場だとわかっていた。戦いが終わった直後だからこそ、裏切りの武功を大いに主張することができる。逆にここでしくじれば、自分の身が危うくなりかねない。

報告では、家康は雨を避けるため兜《かぶと》をかぶって移動し、大谷の陣にあった狭苦しい小屋を改めて己の陣所としたという。そこへ、ほうぼうから戦勝を祝う諸将が家康のもとへ集まってきた。みな口々に祝賀を述べ、家康はその一人一人に応じ、参戦に感謝した。

秀秋は待った。家康と武将全員に、自分の存在を印象づけるためである。これまで自分を隠していた処世のすべと、逆のことをしなければならなかった。

こたびの勝利はひとえに秀秋の裏切りのお陰なのである。その場にいる全員がそれを知っている。なのに秀秋が来ない。家康もさすがに放置するわけにもいかなかった。

やがて秀秋のもとに、家康側から迎えが来た。東軍でわざわざ家康が迎えを出したのは秀秋一人である。その事実が今後の自分の評判を高めてくれるのがわかっていた。

秀秋はすっかり汚れを落とした甲冑《かっちゅう》をまとい、東軍諸将が集う場へ向かった。

到着すると、黒田長政が幔幕《まんまく》をあげて道まで出迎えてくれた。

秀秋は堂々と陣所に入り、家康の前に出た。かと思うと、家康の方が率先して床几から降りた。作法からいっても従三位中納言たる秀秋に対し、そうせざるをえない。

また、家康の方から兜をとり、率先して相手を敬する態度を示し、丁重に礼を述べた。

――さすがだ。

芝居がかっているほどの律儀さである。律儀と思われねば、自分のために死んでくれる将兵を得ることはかなわない。この人なら必ず褒美《ほうび》を用意し、遺族を守ってくれると思えねば、誰もついてこないからだ。

秀秋からすれば、家康が諸将の前でそれだけのことをしてくれただけで十分である。いわば家康への貸しを周囲に見せつけることができたわけだ。

秀秋もまた、自分が勝利の立役者だ、などとは主張せず、真摯《しんし》に詫びを述べてみせた。

「不肖《ふしょう》、先の伏見の一件あり、こたびあり、内府殿に背くこと多く、ひらにご容赦願いたてまつります」

当然、家康もこの秀秋の殊勝な言葉に付き合ってくれた。

「許すどころか、大いに感謝いたす。中納言殿の戦功、まことに甚大にござった」

この僅かな会話だけで、小早川家は西軍にあって戦後ほとんどゆいいつ無条件に許され、かつ破格の恩賞を受けることになった。この秀秋を軽侮する者は、それこそ憎し悔しの念で嘲《あざけ》っているに過ぎない。決戦を左右したのが結局のところ豊臣一族の、しかも十九の若者だったのである。まともな武将なら腹立たしくなって当然だった。

それでもこの若者を称えないわけにはいかない。のちに秀秋に対する陰口が噴出することになる理由がそれだった。

だがさらに秀秋には取るべき言質《げんち》があった。

「過分のお言葉ありがたきことにござりまする。ついては佐和山攻めにつきましても、ぜひそれがし、大将を仰《おお》せつかまつりたく存じます」

一瞬、家康が即答をしかねた。さすがにここで秀秋の方から要求するとは思っていなかったのだろう。

勝敗を決した軍功に加え、さらなる功績を求めるというのである。しかも三成が落ちていったため、幾ら堅牢な佐和山城とはいえ、もはや敵勢は瀕死《ひんし》の体《てい》に決まっている。無血開城の可能性すらあった。

――この若造、どこまで貪欲か。

諸将の中にそんな驚きと嫌悪が渦巻いた。だが秀秋は平然としたもので、あくまで家康に詫びる体で先鋒を頂戴《ちょうだい》しようとしている。

このとき秀秋にとって佐和山城に籠もる連中などどうでもよかった。重要なのは、和議の場に参加できるようにすることで、もしかなうならば和議そのものを担いたかった。なんといっても、親族ことごとく西軍にいるのである。木下家も、毛利家も、豊臣家も、家としては抜け殻の感があったが、北政所をはじめとする親族の存在はまた別だった。彼らの処遇を可能な限り有利にしてやらねばならず、何より自分が手にするであろう新たな世に導いてやりたかった。

家康は、秀秋の先鋒願いもまた受けざるを得なかった。だがさすがに和議を担わせるわけにはいかない。

秀秋はともに寝返った者たちとともに、その夜のうちに出発し、佐和山城へ向かった。

目付として同行したのは井伊直政《いいなおまさ》である。二万を超える軍勢が、兵数三千にも満たない佐和山城を包囲した。城兵は奮戦し、いったんは秀秋らの攻めを退けた。とはいえ秀秋らにしても全力で殲滅するのが目的ではない。ほどよく格好を付けるだけでよかった。

果たして井伊直政の説得により、三成の兄、石田正澄《まさずみ》の方から降伏の交渉が持ちかけられた。結果、正澄の自刃と開城を条件に、城兵と婦女子を助命することとなった。

だが降伏がまとまったはずのその日、城を守っていたはずの長谷川守知《はせがわもりとも》が東軍に寝返って兵を城内に入れ、さらに地理に詳しい東軍の田中吉政《たなかよしまさ》が天守に攻め込んでしまった。

正澄らは自刃。一族ことごとく滅んだ。

正澄側の使者であった家康の旧臣・津田清幽《せいゆう》は、降伏した直後の全滅について家康を責めただした。家康も反論できぬ事態である。

これが結果的に三成の子孫を助命させることにつながった。

だが秀秋は、佐和山城の無惨な陥落に、苦汁《くじゅう》を飲む思いでいる。

西軍諸将は生き残りに必死になり、東軍諸将は功に逸る。長谷川のように東軍への寝返りを示すため、降伏を反古《ほご》にさせてまで味方を殺したがる者たちが出るだろう。あるいは籠城《ろうじょう》を主張する一派を殺戮し、開城しようとする者たちが出るだろう。

こんなざまで、いったいどれほどの命を救えるのか。そう考え、暗澹《あんたん》たる気持ちになった。

一方、家康は関ヶ原の合戦に勝利したことで、よほど安堵したのだろう。

佐和山城の降伏が決まったその日に、秀秋の家老・稲葉正成に宛てて手紙をしたためている。〝中納言殿忠節の儀〟と、その裏切りを助言した稲葉の〝才覚〟を誉め、感謝を述べるものであった。

七

戦が終わってのち、秀秋は岡山《おかやま》にいた。関ヶ原の恩賞によって、五畿七道のうち山陰道の要所、すなわち宇喜多秀家の領地であった備前《びぜん》・美作《みまさか》五十五万石へ移封されていた。大加増である。なお秀家は、辛くも捕縛を避け、薩摩《さつま》へ逃亡している。

――米が欲しい。

その思いが日に日に強まっていった。関ヶ原の戦いののち、助命できなかったおびただしい者たち、あるいは西軍参加の咎を受けた者たちの存在が、秀秋を国作りへ邁《まい》進《しん》させた。

裏切りの汚名は、むしろ遥か後世の問題で、このときは勝ち戦に乗った者こそ正義である。秀秋は関ヶ原の決戦を戦った者として称えられた。

大坂方も、今後、大いに秀秋を頼ることになる。家康は引き続き大坂方の勢力削減に苦慮することになるはずだった。大坂城に秀頼らとともにいた毛利輝元を即座に攻めることができず、懐柔策を弄したのがその証拠である。豊臣恩顧の諸将はなお健在で、彼らを制する上でも、秀秋は家康にとって決して無視できない存在となる。

ことに岡山は秀秋にとって良い土地だった。東に京・坂、南に四国、西に慣れ親しんだ筑前。九州も四国も家康にとっては不安を抱く情勢にある。家康の島津攻めやその後の交渉もしっかり見届けることができた。

まだまだ世は不穏だった。だからこそ自分の国作りが世に映えるであろうことも予感していた。

秀秋は思いのままに藩政を行った。城を普請するだけでなく、本来の外堀のさらに外側に、倍の幅の堀を築かせた。城の領域が倍増したのだが、これを僅か二十日間で完成させたことから、「二十日堀」と呼ばれることとなった。

また、領内で総検地を実施し、寺社領を整備するなど、たちまち治績を重ねていった。

これらの事業を、秀秋は新たな名で行った。小早川秀詮《ひであき》である。養子時代の自分と決別し、新たな己になった証《あか》したる名だった。

秀秋の邁進ぶりに、家老の稲葉と平岡の二人は面白いほど正反対の態度を示した。

稲葉正成は、秀秋の急進な変革についていけなかった。また西軍への裏切りを示唆したのは自分であるという自負もあって秀秋とぶつかるようになった。結果、稲葉は出奔《しゅつぽん》し、美濃に蟄居。このとき同じ家老の杉原重政《すぎはらしげまさ》が秀秋と衝突し、村山越中《むらやまえっちゅう》の手で上意討ちにされている。

平岡は、備前に二万石の領地を得て、最後まで秀秋に忠実に仕えた。家臣の中では最も秀秋に近しく、引き続き黒田家とのつながりを保ち、秀秋が次々に打ち出す統治策の実現を助けた。

そして慶長七年（一六〇二）、冬——秀秋は寒日にもかかわらず己の春を迎えた気持ちで、脳髄から溢《あふ》れ出る新たな統治策を、真新しい紙に次々に記していった。

その紙が、突如、深紅に染まった。

己の口から飛び出した血であることに遅れて気づいた。筆を落とし、服の上から胃の辺りをつかんだ。

どっと背から倒れて初めて、近習たちが異変を察し、騒然となった。

急激に朦朧《もうろう》となる意識で、秀秋は己の異変の原因を探り出そうとした。

——毒か？

確証はない。だが咄嗟にそうとしか考えられなかった。何か毒味もせず食ったものがあったか。ほうぼうから贈られてくる祝いの品を一つ一つ思い出そうとした。

——米。

ふとそれがよぎった。疑いなく自分が口にするもの。限られた者としか話せない国作りのこと。米への思いを知る数少ない相手。

──毒米か。

秀秋は必死に吐こうとしたが早くも息が途切れ、胸にも腹にも力が入らなくなっている。

薄れゆく意識の中、兜を脱いで感謝する男の笑顔が思い浮かんだ。怖い男だった。これから邪魔になるであろう者全てを制圧し、排除する意思に満ちた男だ。

──このおれを、そう見たというのか。

秀秋は、はからずしも戦場で散った大谷吉継と同様の思いで、己の死を悟った。まさか家康がこの自分を危機とみなすとは考えもしなかった。いずれ家康の前に立ちはだかると思われたことになる。天下人が恐れて殺させた。そう考えると気分が良かった。誰とも分かち合えなかった思いも、家康なら理解してくれた。

──あんたが作る米を見たかった。あんたの作る国を。

死の間際にあって、秀秋はさらさらと風に揺れる稲穂を見ていた。それはこののちの泰平の世を象徴するように豊かに実り、笑うように揺れていた。

八

秀秋の死後、岡山藩は徳川政権において初の無嗣《むし》改易《かいえき》となった。

稲葉や平岡など秀秋の家老たちは、浪人となった。関ヶ原での裏切りゆえに仕官先などないに違いないなどと陰口が叩かれたが、それもまた得られざる者たちの痛憤《つうふん》ゆえに過ぎない。実際は、二人とも家康によって改めて召し上げられ、大名となっている。

なお関ヶ原の戦いののち、小早川の旧領は黒田家が受け継ぐこととなった。

黒田長政は筑前に入り、秀秋時代に行われた石高制の実情を詳しく調べており、そのときの記録を、代々にわたって大切に守らせている。

時代の変化とともに意味が失《う》せていったはずのその記録が、末永く保持され続けた理由は、ひとえに、歴史的な価値があったからだ。

秀秋の統治が、その後の筑前における国作りの礎《いしずえ》となったのである。

それはまた、五畿七道に吹き荒れた戦乱の時代が終わったこと、下克上からの転換が果たされたこと、そして、長い泰平の世がこれから訪れるということを、告げているのだった。

黄金児《おうごんじ》

一

——騒がしきことかな。

少年はそう感じ取り、この御城では珍しいことだ、と考えた。

珍しい、と考えたのは、はっきりと異変を察知していたからに他ならなかった。

慶長《けいちょう》五年（一六〇〇）。少年が数えで八歳になった年の、七月の末のことである。

このとき、御城の一角は騒然とし、まさに事態は風雲急を告げていた。

だが、少年が居たのは、巨大な城の最奥である。

大坂城の本丸・奥御殿。広大かつ豪奢《ごうしゃ》のきわみたる御殿だった。表御殿との間には、番所が二つあり、さらに中の口にある鉄《くろがね》御門によって御城の表からは隔絶されている。

どれほど表が騒がしかろうと、奥御殿にその喧噪《けんそう》が届くことはないはずであった。

大坂は五畿七道の中心たる京につぐ都市であり、大坂城は御所に次ぐ聖地であった。

さらにまた、この年の正月、城中法度《はっと》により、奥御殿に入れる者が厳しく制限されていた。

男は、中次《もうしつぎ》の五人を除き、入ることができない。男子禁制が原則とされた。

よって、表の騒ぎが、不用意に奥に持ち込まれることはまずない。

ただし、賑《にぎ》やかさは頻繁に訪れた。毎月三日、少年の誕生の日が祝われるし、正誕生日である八月三日には、祝賀の客がひっきりなしに登城する。彼らが御城の表に集まれば、奥の侍女たちも大忙しとなるし、表御殿だけでなく、奥御殿内も華やぎに満ちあふれる。

少年が感じた騒がしさは、それとは違った。

まず、奥に入ってくる男たちのまとう空気が違う。男子禁制とはいっても、それは主に日暮れ後のことで、日中は、御殿の修繕や掃除などを行う坊主たちや、下男たちが働いている。彼らの表情や、挙動の一つ一つに、何かざわめくものを少年は感じた。

少年のもとに伺候する男たちの様子も、いつもと違った。むしろ、努めて平静を装っている観があった。彼らの心のざわめきを、少年は持ち前の、澄んだ眼で見通していた。生まれついての聡明さだった。

男たちが異様な空気をまとう一方で、母をはじめ、奥の者たちは平然としていた。

少年にはそれが不思議だった。少年の側近たる男たちが、何か報告に来るたび、母

は、

「斯様《かよう》な時は、とにかく安んじて待つがいいでしょう。どう優劣が決しようとも、御城は揺るぎません」

と、穏やかに言うばかりであった。

少年は、この〝優劣〟のことを、自分の義理の祖父の戦いについてであると考えた。

義理の祖父とは、内府《ないふ》殿こと、徳川家康である。家康の世子・秀忠《ひでただ》は、舅《しゅうと》とされた。父・秀吉《ひでよし》の遺言で、そのように定められたという。

ひと月ほど前に、少年は、家康に黄金と米などを餞別《せんべつ》として贈っていた。と言っても、そうすると決めたのは母様《かか》こと、少年の生母・茶々《ちゃちゃ》である。具体的にどれほどの量の黄金と米を贈ったかは知らない。単に、「沢山」の黄金と米を与えた、と聞かされていた。何年かのち、少年が知ったところ、黄金二万と米二万石であったとのことで、

（沢山とは言えないな）

というのが、少年の感想だった。八歳であったこのときに知っても、同じように思ったであろう。諸大名からすれば大盤振る舞いでも、少年からすれば高が知れた量だ

った。

彼が住まう大坂城は、いわば日本全土の黄金の貯蔵所である。父とその家臣達が築いた多数の陸路・海路から金銀財宝が運ばれ、集積されていた。少年が成人するまでの間に、貯蔵量は激減するのだが、それでもかなりの量の金銀が最後まで残った。

家康は、その巨大な黄金の山からほんの一握りを与えられ、戦いに赴いた。

相手は、奇妙なことに、上杉景勝《うえすぎかげかつ》だという。景勝もまた、父・秀吉の遺言により、少年の「取り立て」とされていた。少年を支え、守ってゆくという点では、家康と同じである。

他に、前田利家《まえだとしいえ》、宇喜多秀家《うきたひでいえ》、毛利輝元《もうりてるもと》が、家康や景勝とともに少年の守り役とされ、五大老と呼ばれていた。このうち利家は、先年の閏《うるう》三月に、世を去っており、世子の利長が代わりに五大老の一員となっている。

この五人の間に、どのような確執があるか、少年は知らない。

ただ、こたびの家康の戦いでは、景勝の方が咎《とが》められているようだと感じていた。

実のところ振る舞いを咎められていたのは家康の方だったのだが、政局を操る点で、家康に勝る者はいなかった。世の人々も、少年の周囲の人々も、家康の主張を受け入れるほかなく、家康はあくまで「秀頼のために景勝を討つ」という建前で出陣した。

少年は、家康と景勝の戦いについてたびたび尋ねたが、満足する答えは得られなかった。

「些事《さじ》にございます。秀頼様が、お心を煩《わずら》わされることは何もありません」

と側近の男たちに言われるか、母様から、

「どのような次第か、わたくしがしかと聞いておきます」

そう言われるばかりである。

しばらく前まで、少年は「拾様《ひろい》」と呼ばれていた。その頃は、質問すればなんでも答えが返ってきたものである。だが、四歳で元服し、「秀頼様」と呼ばれるようになってからは、このように「知る必要がない」という答えが多くなった。これが少年には不満だった。だが大人たちの返答の大前提にあるのが、咎めを恐れる心であることを、子供心に察していたから、強くは訊《き》けずにいた。訊けば、誰かが咎められるかもしれないからである。

「御城も御法度も、全ては、御前様のためにあるのです」

少年は幼少より、そう言われて育ってきた。五大老といった大名達の枠組みも全て、少年一人のために整えられていた。ゆくゆくはその全てを少年が継承するのである。その過程で、瑕疵《かし》が生ずれば、誰かがその問題を背負わねばならなくなる。であれば、問題がまさに発生している最中ではなく、無事に決着するのを待って尋ね直す方が、大人たちも安心する。それまでは人々の雰囲気や言動の端々を汲《く》んで、推察していくしかない。

決着は、思いのほか早くついた。

が、その過程がきわめて複雑で、少年が理解するのに数年を要した。

家康は、上杉景勝を討つために東北へ向かったはずだった。だが転進して西へ戻ってきたかと思えば、関《せき》ヶ原《はら》とかいう場所で大戦をすることになったという。

その間、咎めを受けてどこぞの城に閉じこもっていたはずの石田《いしだ》三成《みつなり》が伏見城を攻めたと聞いた。さらには広島にいるはずの毛利輝元が大坂城に現れ、西の丸に居座った。しばらく前は、少年のもう一人の母である政母様《まんかか》こと、北《きたの》政所《まんどころ》様の居た場所で、つい先年、政母様と入れ代わりに、家康が居住していた場所である。

輝元は、家康に代わり、少年の保護のために現れたという。

かと思えば、家康の戦勝が伝えられ、石田三成が処刑されたという報《しら》せが入ってのち、ほどなくして輝元は大坂城から退去することになった。

少年の身の回りで最も大きく変化したのは、側近の四人のうち三人までもがいなくなったことである。石田正澄《まさずみ》、石川光吉《いしかわみつよし》、石川一宗《かずむね》で、三人が三人とも、石田三成の親族だった。残ったのは片桐且元《かたぎりかつもと》という近江《おうみ》の出の、父・秀吉に仕えて「七本槍」の一人とされた、武勇ある生真面目《きまじめ》な男だけである。

これだけの変化が、僅《わず》か数ヵ月のうちに全て起こった。

――騒がしい。

少年はそう思ったが、不思議と疎《うと》む気にはなれなかった。むしろ、自分の中に、ざわつくものを感じた。ほどなくして、それがある種の願望であることに気づいた。

――騒がしさに触れたい。

子供心に、そう思った。大坂城の本丸・奥御殿にいては、直接触れることが叶《かな》わない、騒がしさの渦に興味をそそられた。その渦がどのように生まれるのかが知りたかった。その渦に飛び込むことを考えると、気持ちが昂《たか》ぶって仕方なかった。

――早く、大きくなりたい。

そうすれば、自ら渦の中に立つこともできる。騒がしい渦を自ら平定してみたい、とも思った。

それが、黄金の城の幼君たる豊臣秀頼《とよとみひでより》が、戦《いくさ》というものを初めて意識した瞬間であったろう。

騒がしさが、はっきりとした形で接近したのは、それから五年後の、慶長十年のことである。

二

秀頼、十三歳。早くも少年とは呼べないほど成長していた。大きくなりたいという願いを、その身が叶えたか、とにかく長軀《ちょうく》であった。ひょろひょろと縦に長いのではない。分厚く、頑健《がんけん》そのものの肉体をしていた。

父・秀吉は小柄な人であったが、秀頼は見上げるほどの長身に育った。しかもこのときすでに、母《かか》様が選別した、槍や泳ぎや馬術の師たちが、揃って唸《うな》るほどの素質を開花させている。

肉体ばかりではなかった。文事においても、並々ならぬものがあり、書も詩歌《しいか》も水を吸う紙のように吸収していった。ただ聡明であるだけでなく、健やかで屈託を知らなかった。天性といっていい明るさと率直さが、何を修めるにしても、強い推進力となった。

黄金の城が与えるものを、ことごとく我がものにしていった彼を、もはや幼名で呼ぶ者は皆無だった。どころか、母様などは、彼にも幼名があったのだと感慨を抱くほどである。

天下人・秀吉の子として、豊臣藤吉郎《とうきちろう》秀頼という名に、これ以上ないというほどふさわしい成長を遂げている。秀頼を見る者は誰でも、感銘を受けた。

その、大坂城の若き君主たる秀頼に対し、

「上洛の打診」

があった。この年の四月から五月のことである。打診といっても内々のことであったが、この一件こそ、秀頼が「騒ぎ」に直接触れた、最初の経験となった。

四月に、秀頼が右大臣に昇ったのと前後して、家康の子である秀忠が将軍宣下《せんげ》を受け、伏見城で新将軍祝儀のための能会が催された。

そして家康は、この祝儀に、秀頼が加わること、そのために伏見に上り、また京へ上ることが「尤《もっと》も」だという考えを、内々に大坂城へ伝えたのである。

伝えることを頼まれたのは、落飾して高台院《こうだいいん》と呼ばれるようになった政母様《まんかか》であった。秀吉の正室であった高台院は、子供の養育に関しては、誰の子であろうと惜しみなく愛情を注ぐ女性である。秀頼のときも、生母・茶々とともに、その養育に腐心してくれた。秀頼はこの女性の慈愛に対し、自分にはもう一人の母がいる、という態度でもって感謝の念を示した。

その高台院がもたらした家康の内意を、生母である茶々が、強硬に拒絶した。

「秀頼は本来、君主である。それが、家康・秀忠父子に臣従するかのような上洛など、決して出来るものではない」

というのが反対の理由であろう。徳川方の記録である『当代記』は、茶々の反応を、

「秀頼公を令生害、其身も可有自害の由《よし》」

と伝えている。どうしても上洛の打診に従えというのなら、秀頼を殺さしめ、我が身も自害あるべし、と憤激した。高台院も、しいて茶々や秀頼を説得しなかったところを見ると、茶々ほど激してはいないものの、同様の気分であったのかも知れない。

それが決してこの母たちの傲岸《ごうがん》ではない証拠に、いわゆる豊臣恩顧の大名たち、福《ふく》島正則《しままさのり》や加藤清正《かとうきよまさ》らも、同意見であった。秀頼を伏見に上らせるべきではないという意見が、これまた内々に大坂城へもたらされ、上洛の引き延ばしがなされたのである。

そして、内々の打診であったはずの家康の考えは、早々に大坂の庶民に伝わり、秀頼と家康の間で争乱となるのではと騒ぎになった。

秀頼は、この一件がどうなっているか、事の次第はどのようなものであるか、母をはじめ側近たちに熱心に尋ねた。今回のことを使って、それまで皆から「些事」であるとされ、耳に入れさせてもらえなかった情報を、とくと味わった。

母も側近たちも、秀頼の体格が並外れて大きく、態度も受け答えも堂々としているため、ついつい訊かれるがまま答えるようになっていた。

結果、秀頼は初めて、家康が騒ぎの中心にいることを知った。この一件ばかりか、関ヶ原の大戦も、そののちの大名たちの国替えも、家康が巻き起こした渦は全国に及び、その渦の中心は大坂城に据えられているといってよかった。

家康はあくまで秀頼を補佐する立場にある。豊臣が主で、徳川が従。それが大坂城での常識だった。その関係が今、大いに変化しようとしている。いや、関ヶ原の大戦の直後から変化させられていた。家康という男の巨大化を、誰も止められずにいるようだった。

この時期、家康が打った手の一つ一つを数え上げればきりがないが、そのほとんどが、秀頼の存在を大前提としたものだった。秀頼という幼君から、いかに独立するか。豊臣家に対し、いかに徳川家が対抗するか。豊臣家の権力を、いかに骨抜きにするか。

秀頼が昇進すれば、家康は自分やその子・秀忠を昇進させる。自分を束縛する「秀吉の遺命」をとことん自分にのみ有利に解釈し、それを他者に押しつける。

将軍宣下を受け、その座をただちに秀忠に譲ったのも、ひたすらに権力のために過ぎず、晩年の家康が繰り広げた政治活動は、なんであれ人を仰天させるか、眉をひそめさせるかするような、鋭くぎらぎらとした権謀術数に満ちている。

だがこのとき秀頼は、家康に対し、嫌な思いは抱かなかった。

(内府が、騒ぎの中心か)

そういう立場がある、ということを知って感心した。それまで騒ぎというものは天候のように自然発生するものだと思っていたのである。一人の言動が、世を動揺せしめ、大勢の人々を憤激させることもあるのだ。まるで天候を司《つかさど》る神のようではないか。そんな新鮮な驚きに打たれた。

父・秀吉が存命なら、まさにそのお手本を目《ま》の当たりにしただろうし、ついでに畏《い》怖《ふ》や重圧も味わったことだろう。だが秀頼にあるのは、ただの透明な感心だった。家康に対する恐れでも憧憬でもない。貴人としての礼遇を受けることが幼い頃から普通であった者に特有の、屈託のない眼差しで、全てを見ていた。

(騒ぎというのはそうやって起こせるものなのか)

かつて家康が上杉景勝の討伐に赴いたときのことが思い出された。その後の関ヶ原の大戦もふくめ、あの全てが、家康や多くの人々の意図によって引き起こされたのだ。

神がかりとは、そういうことなのか。名将は信心によって神仏の化身のごとき働きをするという。

自分もそのような力を身につけたい。そう考え、胸が高鳴るのを覚えた。かつて抱いた、騒がしさに触れてみたい、という思いが微妙に変化していることにはまだ気づかなかった。

己一身において、渦を巻き起こす。その願望が、秀頼の中の奥深いところに刻まれた。

さらにまた一つ、刻まれたものがある。

渦をなす家康の上洛打診を、断固として拒絶した母様の態度である。

誇りとはこういうものである――と、秀頼は素直に納得した。これこそ貴人として守らねばならない、第一の義務でもあった。誇りは自然と継承はされない。継承されるものごとを背負うために誇りがある。そういう君主であるからこそ、下々の者は安心して崇敬の念を抱ける。民衆が望む、高みにある存在となれる。

騒擾《そうじよう》への念と、烈々たる貴族の誇り。この二つが、やがて家康や、茶々でさえも想像を絶するほど、秀頼の中で大きく育っていった。

三

物心ついてからの秀頼は、話を聞き、物を知り、発見して得心することに何より快さを覚えるようになっていった。

この屈託を知らない貴公子は、一家の暗い秘事さえ、澄明な眼差《まなざ》しで見通そうとした。

十代前半までに、秀頼が興味を持ったことの一つに、秀次《ひでつぐ》の件があった。

父・秀吉の甥《おい》で、いったんは関白職を譲られたものの、謀反《むほん》を疑われて切腹し、その親族など三十数名が皆殺しとされたのである。さすがに側近の男たちも茶々も「些事」として片付けられるような件ではない。

強く知りたがる秀頼に、茶々も大いに困ったのだろう。ことの仔細《しさい》を第三者に書かせ、それを茶々が読んで聞かせる、という体裁がとられた。

『大かうさまくんきのうち』

という書で、秀次成敗の次第が記されている。茶々が読むためか仮名がやたらと多い。一族が被った悲劇についての、いわば「共通見解」を定めることとなった書で、実際の出来事とかなり食い違う記述であっても、今このとき、豊臣家においては、これが真実であるという体裁である。

だがその食い違いも、不都合な点を覆い隠そうとする意図も、秀頼は難なく見抜いた。

虚偽を見抜く目は抜群だった。父譲りの能力であろう。しかも見抜いただけでなく、裏を取り、確証を得る、ということまでやった。

父・秀吉の親族のうち、一人だけ生き残った伯母《おば》の智《とも》こと瑞龍《ずいりゅう》院日秀《いんにっしゅう》と、交流を持ち、彼女が知ることがらの一つ一つを聞き知った。

秀次は、この智の長男であった。息子の死について話させるのは酷なことだが、秀頼は根気よく、智にとっても供養になるような形で質問を重ねていった。

そうして得た知識を、古参の臣や、豊臣恩顧の大名たちと接した際に、それとなく確かめた。その繰り返しによって、きわめて正確な記録を、頭脳の中に構築していった。

いちいち紙に書くということを、秀頼はしなかった。聞けば覚えるのである。日付の一つ一つまで記憶できる。まさに父譲りの頭脳の持ち主だった。頭の中で矛盾点を比較検討するだけで、大まかな事実が浮かんでくる。

しばらくして秀頼は、父・秀吉に、秀次とその一族を殺戮《さつりく》する意図はなかった、と結論した。あくまで秀次を高野山に追放するだけでよかった。その追放において帯刀は許されなかった。秀吉が、秀次に切腹させまいとしてのことであろう。自害を強要するといった様子は見られない。

だが秀次は、刀を没収される前に、己の潔白を証明するため、腹を切った。大名の切腹とはわけが違った。秀吉に剝奪《はくだつ》されたとはいえ関白職にあった人物である。

当然、朝廷や大名たちや世人への説明が必要となる。それで、秀次一族による謀反の企《たくら》みが取り沙汰《ざた》された。切腹したのではなく、させたということになった。秀次の謀反のせいであるというが、そんな兆しがあったという話は聞けなかった。ただ、あの一族を処刑するしかなかったのだ。何のためにそうせねばならなかったのか。秀頼はその解答を、おのずから得た。

きっかけは、秀次の一族が子どもをふくめ、京の三条河原でことごとく首を刎《は》ねられた日付を知ったことにある。

八月二日。当時、数えで三歳であった秀頼の、正誕生日の前日であった。

このとき、秀吉は幼い秀頼の叙爵《じょしゃく》を願い、その勅許を得ている。秀頼が初めて位階を与えられる前に、あるいは初めて上洛し参内《さんだい》する前に、一族の内紛を迅速かつ徹底して完結させてしまわねばならない、という秀吉の必死の思いが見えるような日付だった。

実際に秀頼が初めて参内したのは翌年の四歳のときで、叙爵はさらに翌年の五歳のときである。その間、父・秀吉は自らが流させた血の臭いを拭《ぬぐ》うこと、秀次とその一族の存在を葬ることに躍起になっていたに違いない。

つまるところ、秀次が腹を切ったのは、秀吉に対して潔白を示したかったからだが、そのおおもとは秀吉への反逆ではない。

――わたしが生まれたからか。

秀次に関白を譲ったとき秀吉には世子がいなかった。秀頼は、遅れて現れた待望の子だった。そしてその遅れが、全ての悲劇のもととなった。父は将来、秀次が秀頼の地位を脅かすことを恐れたのであろう。

このことを秀頼は全て得心した。善悪で判断するのでもなければ、好悪の念に翻弄《ほんろう》されることもない。この悲劇に胸を衝かれる思いを味わったし、伯母の智への同情もある。だが、伯母の一族の殲滅《せんめつ》の上に、自分がいる、という事実にも、嫌悪や罪悪の念を抱くことはなかった。

この心の働きは、貴族ではない一般の人々に理解できるものではないだろう。冷酷であるとか、無関心であるというのとは、まったく違う。ただ知り、学び、知識として吸収し、感情を排したというのとも異なる。

(なんと惨い、悲しい顚末《てんまつ》だ)

悲愁を抱くが、抱いている自分を、高みから見下ろしている。

(このような騒ぎ、このような渦もあるか)

人の世のありようを深く知れば知るほど、むしろ秀頼の意識は遥か高みへとのぼり、澄明な眼差しで何もかもをとらえてゆくのであった。

神がかりによって兵を動かしてきた武将達が、やがては自らを神格化することに力を尽くした。秀頼はその神格化の道を生まれながらにして歩まされてきた。その生活が、彼に超越の視点を与えた。加えて、ずば抜けた聡明さが、特異な開花の仕方を促したのである。

一族の血なまぐさい歴史を知る一方、秀頼は十四歳のとき、『帝鑑図説』を出版させている。

中国の歴代の王たちによる善行と悪行についての書で、帝王学の基本である。家康も伏見版を出版させており、秀頼は、それに触発されるかたちで自家版を作らせている。

その跋文《ばつぶん》を、西笑 承兌《さいしょうじょうたい》という男が書いた。豊臣家ならびに徳川家の宗教顧問である。後世、秀頼の名を消すため削除されることになる跋文だが、西笑承兌は、秀頼による出版であることを明記するとともに、秀頼を「老成人の風規」と称えた。この頃の秀頼の透徹した眼差しと態度が、西笑承兌をしてそう書かしめたのであろう。

この書が示す王たちの姿が、秀頼に超越の視点をさらに育てさせた。ただ学ぶのではなく、あたかも今は亡き王達が城の至るところを行き交い、ともに暮らすような感覚を味わった。英霊達はいつでもそばにいた。秀頼にとって英霊も神仏も、祈るのではなく心をもって迎え入れるものだった。

そういう心が育《はぐく》まれる一方で、肉体はますます大きく成長し、生命力を強めた。武芸では、いつしか師たちを負かすことが多くなった。もう誰も秀頼を子供とは思わなかった。今すぐ合戦に出ても不思議はないほどの体格を有していた。

文事においても、自ら筆を執り、身内びいきの母様たちばかりか、公家《くげ》や大名諸侯たちを感嘆させるようになっている。

ただの文武両道ではなかった。武家と公家の合体として、これほど輝かしい若者はいなかった。天下人たる秀吉の血、母から継ぐ織田の血、将来の関白とみなされる摂関家のあるじとして、

「いずれその血は、朝廷とも合体するだろう」

ということが、推測や期待などではなく、既定路線として目されているのである。秀頼自身がそうなるか、その子孫が果たすのかはわからないが、いつか、武家と公家の両家を代表する存在として、帝の外戚《がいせき》となる日が来る。朝廷も、そのことを視野に入れている。世人も、そう信じている。

加えて、大坂城には金銀財宝が腐るほど貯蓄されていた。皇家にとって、あるいはその側近たちにとって、まことに共存共栄をはかるべき相手であった。

この、公武の結晶のごとき若者をこの世に生み出したことこそ、あるいは秀吉がなしたことの中でも、最高傑作であったといえるだろう。

そしてその傑作たる若者が歩む花道を、何としても無に帰させねばならないのが家康だった。家康が、秀頼を補佐する「天下の大老」から、自ら立つ「天下人」へ、そして後世「東照大権現」として知られる神への道を歩むためには、あらん限りの知恵を尽くして秀頼から輝きを奪い去るほかなかった。

　そのことを、母様こと茶々はとっくに知っていたし、秀頼にもようやくわかってきた。

　この頃、何よりの防波堤として秀頼を守っていたのは、豊臣恩顧の大名たちではなく、女たちである。生母・茶々、養母・高台院、そして徳川秀忠の妻にして茶々の妹・江《ごう》。この三人をはじめ、大名の妻たち、あるいは侍女たちの活躍がほうぼうで見られる。当時、国内政治や外交の半分は、女性が動かしていた。

　そして茶々と江が目指したのが、豊臣家と徳川家の関係円満であり、ひいては家康の野心の封じ込めであった。その成果は、秀忠の長女である千《せん》が、秀頼のもとに嫁するという婚儀として結実した。

　この婚儀を、家康は決して喜んではいない。婚儀の祝いのため諸大名が使者を上洛させようとするのに対し、「上洛無用」と断っている。女たちにしてやられたという苛立《いらだ》ちが透けて見える。

　茶々にしても本当なら公卿《くぎょう》の娘を秀頼の妻とし、娘が生まれれば朝廷に送り込み、后とすることが望ましかったであろう。家康も、それがわかっているからあえて秀頼と千姫の婚儀を認めるほかなかった。

　家康としては、「徳川将軍家」となった後でもなお、秀吉の遺命と遺児に翻弄され、もがくような思いであったろう。家康が将軍宣下を受け、迅速に秀忠へと継がせ、将軍職を世襲にすることに成功しても、豊臣恩顧の大名ばかりか、上杉や前田ら外様《とざま》大名までもが、祝賀のたび秀頼に伺候した。そうした秀頼の地位安定に最も腐心し続けたのはむろん茶々であり、茶々が持つ女同士の交流は、家康をもってしても止めることはできなかった。

この、女性同士の外交が実ってのち、十六歳となった秀頼を、ある危機が襲った。疱瘡《とうそう》、すなわち天然痘《てんねんとう》である。

言うまでもなく死病であり、秀頼の病状快復を祈願させるため、茶々が寺社へ支払った額は途方もないものであった。豊臣恩顧の将の中でもまっ先に福島正則が駆けつけ、日夜、看病にあたったという。

だが茶々の出費よりも、むしろ秀頼の生命力こそ、桁外れであった。

なんと疱瘡を患ったものの瞬く間に快癒し、かつその年のうちに、長男をもうけたのである。

千姫との間にではなく、側妾《そくしょう》に産ませた子だが、健康な男子で、国松丸《くにまつまる》と名付けられた。豊臣家の大奥らしく、千姫もその養育に参加することになる。

さらにそれから間を置かずして、また別の側妾との間に長女が生まれた。のち天秀《てんしゅう》尼《に》として知られることになる女子である。

普通、疱瘡を患ってから快復するのに、数ヵ月のときを要する。中には一年以上も、体力が戻らぬ者もいる。生き存《なが》らえても削がれた体力を取り戻すことで精一杯となるはずが、立て続けに長男・長女をもうけたのである。生命力、あるいは生殖能力という点でも、尋常ではなかった。病に対する途方もない治癒力を、生まれながらに有しているとしか言いようがない。

またこの頃、その体軀はついに六尺を超え、堂々という言葉ですら収まらぬほどの、見上げるばかりの大兵《たいひょう》となっている。

諸将からしても、信じがたい、超人的な若者である。

齢《よわい》七十にさしかかろうとする家康にとって、秀頼の輝かしい生命こそ、脅威であった。

四

家康は、茶々と江、両家の女性たちの絆《きずな》をどうにかして逆用しようとした。ただし両家の諍《いさか》いとなって制御不能となっては困る。平穏も争乱も家康の意のままにできる状態で、徳川家に対する批判が出ず、ごく自然と、大坂城を疲弊させられる――そういう手はないかと探り続けた。

この頃、家康は大坂城の財力をじりじりと衰退させるための手を打っている。城内の出費を公儀とせず、豊臣家の財政に影響の出る形に変えていったのもその一つである。だがそれだけでは大坂城の金銀を消耗させることはできず、もっと大がかりな出費を促さねばならなかった。

そこで目をつけたのが、公儀普請のやり取りである。家康も、あるいは茶々や諸大名たちも、たびたび公儀普請を行った。ただ城や寺社の普請を行うのではなく、それをある種の公共事業とし、大名や小名を参加させる権限を獲得するのである。

家康の許諾が必要なとき、茶々と江が連絡し合って、家康につなげることがあった。

この連絡に、家康は少しずつ自分の意見を紛れ込ませた。茶々に、これこれの寺社の再興や普請をしてはどうか、と促すのである。

もともと、秀吉の時代から社寺の再興や普請は、重要な事業であった。これを秀頼が継承する形となり、もっぱら茶々が司った。

再建が多く、壮麗な社殿であったり、橋であったりと、対象は多岐にわたる。宗教

勢力にとって豊臣家は再興をもたらしてくれる文化事業者の筆頭であった。また秀吉にとって、

「日本は明《みん》より優れている」

という証拠作りの側面もあったという。

果たして、茶々は疑うことなく、家康の意図に乗った。あるいは茶々も家康の意図を見透かしていたのかも知れない。少なくとも、家康が大坂城の経済力を衰退させようとしていることは分かっていただろう。

だがそれでも乗って見せた。唸るほどの黄金があるからこそで、経済難に陥るなどということはなかった。この点で家康は大坂城の巨大な財産を見誤っていたことになる。

当然、寺社は、秀頼と茶々を称えた。豊臣家の名が誇示されるばかりで、衰えとは無縁の様子に、家康はまた別の手を考えねばならないことを悟ったことだろう。

そうして秀頼が十七歳の折、方広寺《ほうこうじ》の大仏殿を再興することを茶々が決め、秀頼も同意した。天台宗の寺院である。東大寺《とうだいじ》の大仏が焼亡したことから、秀吉がそれに代わる大仏を安置する目的で、創建された。

それに先立ち、秀頼はまた別の「騒ぎ」に遭遇している。しかも今回は向こうから

到来するのではなく、秀頼の方から接触することとなった。

慶長十六年（一六一一）の三月。秀頼が数えで十九となった年、上洛した家康が、織田長益《ながます》を遣わし、秀頼に上洛を促したのである。

今度ばかりは、母様《かか》が何と言おうと応じるべきであろう——秀頼自身が、そう判断した。

（避けては通れない）

家康の野心は隠しようがない。本人が幾ら律儀と謙虚の皮をかぶろうと、五畿七道に君臨する「天下人」たらんとしていることは明白である。秀頼からすれば家康の意図は、逆算するだけで十分に読めた。秀頼にあり、家康にないもの、あるいはそれまでなかったものを考えればよい。それらが家康の狙いとなる。諸大名に領地を宛《あて》がう権限など、その最たるものだった。家康はこの権限を獲得するために涙ぐましいまでに権謀を繰り返している。

今、家康が押しつけてくるのは、まずもって大坂衆の臣従であろう。秀頼は、正確に家康の狙いを読んでいた。

すでに徳川家は、駿府《すんぷ》や江戸へ参勤する者たちのために邸宅を用意し、そこに大名たちの子女を住まわせることで、強大な支配力を発揮していた。だが秀頼の側近たる大名・小名の大坂衆は、この参勤をしていない。よって大坂衆に起請文《きしょうもん》を提出させ、家康配下に組み込み、参勤を受け入れさせる必要があった。

そのためには秀頼を臣従させることが一番である。あるいは朝廷や諸大名が、「秀頼公は将軍家康の臣となった」と受け取るような状況を作らねばならない。だが、茶々が、そしてこの頃とみに人心を見通すようになっていた秀頼自身が、世人から「家康に臣従した」と見られるような隙《すき》を、一切見せなかったのである。

このたびの上洛要請は、家康にとって、きわめて重要な一手であった。

この年、後陽成《ごようぜい》天皇が譲位し、政仁《ことひと》親王が後水尾《ごみずのお》天皇として即位することとなったのである。天皇の代替わりについて朝廷と徳川幕府の間で何度もやり取りがなされ、大坂の秀頼は完全に蚊帳《かや》の外に置かれた。首尾良く譲位が実現することとなり、家康は、自己の朝廷に対する影響力を誇示する最大の機会を得るため、上洛したのである。

さらに家康は、この機を逃さず、自分の息子たちをはじめ、一族郎党を昇進させた。

むろん秀頼を差し置いてである。

この年、関ヶ原の大戦から早くも十一年目に入っている。その間、家康は徹底して、秀頼が関白職となることを妨げ続けてきた。秀頼以外の者を次々に推挙し、関白就任時の年齢をかさ上げし、秀頼を朝廷から遠ざけんとしてきた。目的はただ一つ。豊臣家を摂関家ではなく、一大名に過ぎぬ存在にしてしまうことだ。

だがそれでも「摂家豊臣家」は朝廷においていつでも関白になりうる存在だった。たとえ家康が天下人として振る舞おうとしても、である。

何より重要なのは、年齢だった。この年、家康は七十歳。驚くべき長命であるが、そうであるからこそ、「家康死後の徳川家」を誰もが考える。特に朝廷の面々は家康が欠けたときの徳川家の力を推し量る。と同時に、大坂城に君臨する十九歳の秀頼の輝きを、無視できぬものとみなす。

(必死であろう)

秀頼は、巨大な城の中に居ながらにして、家康の心理を見抜いていた。

家康の辛《つら》さも想像できた。息子に託して隠居することができない。七十になってまで老骨に鞭《むち》打ち、少しでも徳川家を盤石《ばんじゃく》にせねばならない。それに何より「天下人」となって死にたい。

そのような人物は、どのような手を打つか分からない。呆気《あっけ》にとられるような権謀術数を執拗《しつよう》に繰り返すはずで、老境において鬼気迫る状態になれば、ますますその手が読めなくなる。

（推し量るには、直接会うべきであろう）

秀頼は、そう判断した。稀代《きたい》の政治家であり軍略家たる当時の家康のもとへ、これほど尊大な態度で赴こうという人物は、全国でも秀頼ただ一人であっただろう。

名目は、「妻の千姫の祖父である家康に会いに行く」ということになった。いかなる祝儀への参加も約束してはいない。

三月二十七日、春めく大坂城を出発し、淀川《よどがわ》から船で上った。

陸路も海路も、父とその家臣達が拓《ひら》いたものである。

――父が作った道か。

ありとあらゆる道が、父の偉大さを示しているようで、まるで父の手に抱かれる気分であった。

特に陸路は、秀頼が来るというので、村々に触れが出され、村人達が大急ぎで草刈りをし、入念に掃除がなされていた。秀頼が知る道とは、庭のように美しい道がほとんどだ。むしろそれ以外の道があるということを珍しく思うほどであった。

秀頼は優雅に道を進んだ。鷹《たか》の師を連れてきており、道中で鷹狩りを楽しんだ。ゆるゆると京に入り、片桐且元の屋敷に到着すると、そこで着衣を整え、二条城にある家康の屋敷を訪れた。

供は小勢であった。且元が家康に配慮してのことであろう。

途中、家康の子供らが迎えに来た。右兵衛督義利《うひようえのかみよしとし》ならびに常陸介頼将《ひたちのすけよりのぶ》——のちの尾張藩主たる義直《よしなお》・十二歳と、のちの紀伊《きい》藩主たる頼宣《よりのぶ》・十歳である。

義直には浅野幸長が、頼宣には加藤清正が従っており、さらに藤堂高虎《たかとら》と池田輝政が、それぞれ秀頼に慇懃《いんぎん》に挨拶を述べ、同行した。

姿を見せたのはそれだけで、家康はその他の者たちによる秀頼の出迎えを禁じるべく、法度を出していた。

(徹底しているな)

秀頼はその処置に感心した。怒りや屈辱はなかった。この若者に特有の、遥か高みからの眼差しで、全てを見ていた。

朝方、二条城に到着すると、「律儀者」の家康ならではの芸を早速見ることができた。家康自ら庭まで出向いたのである。秀頼は正面からこの芸に付き合った。

「これは恐れ入ります」

と微笑《ほほえ》み、丁寧に礼を述べた。生粋《きっすい》の貴人が身につけた礼儀作法であり、口上である。それを、頑健かつ巨大な体軀でもって優雅にやってのける。清正ら供の者たち皆が感銘を受け、義直や頼宣などは、きらきらとした憧れの目で秀頼を見ている。

家康もにこにこしていたが、内心では警戒の念を新たにしているのが、秀頼には見て取れた。

「この腕で抱かせて頂いたこともありました秀吉様の御子が、なんとご立派になられたことか。さ、どうぞこちらへ」

家康も慇懃に言って屋敷へ先導した。家康はこの頃ひどく肥っていたが、老齢とは思えぬほど頭脳も足腰もしっかりしており、

(健在で、剛腹《ごうふく》だ)

秀頼はそう判断した。家康の低頭をよそに、途方もない剛腹さを感じていた。このような男が全身全霊を振り絞って、我が身から多くを奪おうとしている。そのことを、秀頼はいつもの透徹した心で、改めて理解した。

御成《おなり》の間には、今度は秀頼が先に入り、着座した。そののち家康が入り、

「お互いに礼を等しくいたしましょう」

と対等の礼での会話を提案してきた。

これも家康一流の芸だが、秀頼からしてみれば、礼儀作法において敵《かな》わないと悟った者の言い訳に過ぎない。

「まことに有り難くも、家康様は我が祖父にありますれば」

秀頼はむしろ家康への礼を守った。とにかく隙がない。この程度の礼をもって臣従とみなしたいのであれば、それはそれでよかった。格という点で、秀頼の礼に、はしゃぐ家康、という構図になるだけである。家康からすれば、何とも小癪《こしやく》な態度であろう。

ほどなくして饗応《きようおう》がなされたが、ここに、政母様《まんかか》こと高台院が座を共にしてくれた。

秀頼の一分の隙もない態度に、高台院も安心したのだろう。歓談を楽しむと、高台院はそれほど時を過ごさず席を立ち、義直と頼宣に見送られて去っていった。

秀頼も、暗黙のうちに、政母様へ何の心配もいらないと示すことができて嬉《うれ》しかった。

やたらと美麗な膳が調っていたにもかかわらず、かえって場がお堅くなるというので、吸い物のみが出された。

どれほど豪勢華美な膳が並べられようと、秀頼からすれば苦でも何でもなかった。相応の礼儀作法に従うまでである。

むしろ、家康の方が苦痛だったのだろうし、若者と食欲を比べられては堪《たま》らない。

成り上がりの頃の徳川家は、饗応において馬鹿げた量の食事を出しがちだったという。本当か嘘《うそ》かわからないが、確かに三河《みかわ》武士らしい話だった。その筆頭たる家康が、高台院とともに老いて吸い物をすすっている。身の衰えはいかんともし難いものがあることを、秀頼はしっかりと見て取った。

高台院が席を外してのちも歓談は続き、最初に挨拶をしてから一刻ほど経《た》ったところで、ようやく、家康の方から本題を切り出してきた。

「太閤秀吉様が仰《おつしや》ったように、秀頼様が十五歳の時、我が手でお守りしている天下を渡すべき儀にございました。ですが青野《あおの》（関ヶ原）において、我が身を退治せんとして起請をお破りになったのは秀頼様の方なのですよ」

もってまわった言い方だった。秀頼は静かに相手の言葉に耳を傾けた。

「さりながら太閤《たいこう》様の御恩は忘れることができませんゆえ、いかなる御用も承りましょう。ただ今後は、大坂に相詰める諸士のうち、一万石以上の者は、駿府に詰めるようにして頂きたいのです。いたずらに日が過ぎれば、他の諸侯の手前、作法悪しきものとなるでしょうし」

天下を秀頼に、という秀吉の遺言は守るつもりであった、だが肝心の秀頼の陣営がその約束を破り、関ヶ原の大戦で命を狙ったのだから、今となっては仕方がない――

というのが、家康にとって最大の束縛たる「秀吉の遺命」から逃れるための、最終的な方便であるらしい。

かといって秀頼と敵対する気はなく、かねてからそうしてきたように、秀頼のために構築されたものは引き続き利用し、共存共栄でゆきたい。だが、大坂衆の参勤だけはこの機会に実現しておかねば、諸侯支配の差し障りになってしまう。

本音では、秀頼から摂関家としての立場も、大坂城という城も、そしてその城が蓄える黄金も、何もかも奪いたかったであろう。つまるところ家康ほどの男をもってしても、関ヶ原から十年以上を経てなお、このように秀頼に言い聞かせることが限界だった。

秀吉という呪縛《じゆばく》から逃れたい。紛れもない家康の本心に対し、秀頼の返答は振るっていた。後世に伝わる限り、

「尤も」

という言葉しか、残されていないのである。

家康のような男と長々と歓談したのだから、大いに言質《げんち》を取られていてもおかしくないはずである。だが、家康が語ることがらについて、秀頼はいちいち慇懃に応じつつも見事にかわし、いかなる言質も与えることはなかった。

家康としては何としてでも、ここで秀頼から言質を取ったことにせねばならない。その結果、秀頼がこのとき発した言葉の中で、「尤も」という、きわめてどうでもいいような言葉に、了承の意味を無理矢理付け加えるしかなかったのであろう。

家康はこのときの秀頼について、

「賢き人なり」

と側近の本多正純《ほんだまさずみ》に言っている。聡明さで知られた子供は今、家康という老獪《ろうかい》きわまる策略家の存在によって、賢明の人となろうとしていた。

のち、この二条城の会見をもって、秀頼が家康に臣従した、と目されることになるが、秀頼からすれば、それこそ、「些事」だった。

確かに、政治手腕において家康には敵わない。秀頼と諸大名の連携は封じられ、朝廷とのつながりにおいても割り込まれ、天下は家康のものとなろうとしている。

だが実際のところ秀頼はまったく屈服していない。

家康との会見を終えて屋敷を出てのち、後水尾天皇の即位を祝うため参内するということもせず、大坂に帰った。

この会見に際し、秀頼は家康に太刀や黄金などの進物を贈っており、ほどなくして家康から返礼として高価な鷹や馬などが贈られた。ついで、同じく上洛の返礼のため、義直と頼宣が、家康名代として大坂城を訪れ、ここでまた秀頼ならびに茶々や千姫は、徳川家からの種々の贈り物を受け取っている。

秀頼は義直と頼宣に、二人の好みに合わせた品々を贈り、手厚くもてなした。

そして家康に対しては、披露状を送った。贈り物に対する礼状である。

内容は、鷹を贈られたことに対する感謝であり、

「またお会いしたときに、御礼をいたしましょう」

と告げているのだが、この書状の特徴は、ひどく丁寧なように見えて、僅《わず》か五十字ほどの文言のどこにも、家康に対する敬意がないことにあった。あくまで秀頼の方が格として上であることを示している。しかも、そのことをもし咎められた場合、幾らでも言い訳できるような文に整えてあるしろものだった。

また、義直と頼宣という名代への返礼はあるが、家康への返礼はこの書状のみである。

礼は、「お会いしたときに」すると告げていた。二条城での会見に関する、最終的な秀頼の返答がこれだった。言質を取らせず、曖昧《あいまい》のうちにかわした上で、

――また相見《あいまみ》えましょう。

と告げていた。決して一筋縄ではいかぬぞ、と文書でやり返したのである。何度で

も言い分をでっち上げ、策を弄《ろう》すればいい。幾らでも相手をして差し上げよう、と。

　これを読んだ家康は、

　――賢き人。

　という秀頼の人物評価が、峻烈《しゅんれつ》なかたちで裏付けられたことを悟っただろう。そう悟らせることを目的とした書状でもあった。

　秀頼と家康のこうした文事における対抗は、関ヶ原に先立ち、上杉家と家康が行った激しい書状のやり取りとは違った。武家同士のせめぎ合いよりむしろ、後年の後水尾天皇が幕府との対立において取った態度に通じるものだった。朝廷も徳川家も、この時期の豊臣家を武家ではなく公家《くげ》として扱っている。武家として始まった豊臣家であるが、秀頼の養育過程で大いに朝廷文化の影響を受けたことで、いまや公家や皇家が取るような態度が醸成されていた。

　いずれにせよ、関ヶ原から十年が過ぎ、新たな時代に入ろうとしていたこのとき、家康がそれまで数え切れないほど手を打ってきたにもかかわらず、秀頼は健在だった。

　健在であるばかりか、老齢の家康が、全力で戦わねばならないほどの男に育とうとしていた。

五

二条城の会見から三年が経った。

慶長年間は、家康が権力奪取に心血を注いだことを除き、おおむね泰平の世となり、庶民をはじめ大名たちの多くも、平穏無事の世の中を有り難く享受した。

一方で、世にくすぶっていたのが、浪人問題である。

関ヶ原の大戦ののち、家康主導で進められた国替えの結果、何万規模での浪人が発生し、その多くが戦後十五年が経とうとしている今も、行き場がないままであった。

そしてこの頃の秀頼は、その浪人問題について、たびたび人に問うようになっていた。

浪人になるとは具体的にどういう境遇になるのか。彼らが再び仕官するにはどのような道があるのか。特に名の知れた浪人たちは誰なのか。

浪人、と呼ばれる者たちの生態をつぶさに知ろうとし、また小規模ながら、浪人を支援するようなことまでしている。

二十二歳となった秀頼は、町人や農民など、城下の人々に興味を抱くことしばしばであった。浪人についての知識を集めるのも、大坂城城主として仁政を目指すための一環であるに過ぎない――一部の者を除き、そう思っていた。秀頼も、今すぐ世の浪人たちをどうにかしよう、という態度を見せることはなかった。

この三年で、秀頼はその賢明ぶりに磨きをかけていた。家康が、ことあるごとに大坂方へ仕掛けた権謀に対し、実に三年もの間、臣従を避け、かといって対立せず、言質も取らせず、巧妙にかわしてきたのである。

参内すれば家康の下に坐すことになるため、あえて上洛しないのもそのためだった。

といって、朝廷との交流を欠かすことはない。徳川家が朝廷に進物を贈る際は、彼らの面子《メンツ》も立ててやる。その上で、しっかりと徳川家の出方を見定めた。母様こと茶々による外交上手に加え、秀頼自身、そうした機微を見通すことに長《た》けていったのである。

年齢を考えれば、尋常ではない才能の開花である。皮肉にも、家康が仕掛ける策略と緊張が、秀頼を育て、その才能を開花させたに等しかった。

家康からしてみればそれこそ盲点であり意外な失敗であったろう。この年、家康は七十三歳になっている。まだまだ寿命が続くと思うのは、よほどの楽天家だけだろう。家康は決して徳川幕府の体制作りにおいて楽観しなかった。盤石に盤石を重ねねば、死んでも死にきれないという執念を見せ続けた。

このとき家康が抱いていた懸念は、やはり子のことであろう。

秀吉と家康の関係において、秀吉存命のうちは家康とてついに家老のままに過ぎなかった。では秀頼と秀忠の関係ではどうか。家康亡き後、秀忠は果たして秀頼を押さえ続けていられるのか。

秀頼を追い詰めるにあたって、家康はまったくといっていいほど、秀忠の力を頼まなかった。秀忠を使うことはあっても、万事を託して事に当たらせたことは何一つない。その事実が、先の問いに対する家康の答えを雄弁に告げていた。すなわち、秀忠では、今の秀頼を御せない。何としてでも、秀頼の力を削がねばならなかった。

秀頼もそうした家康の心を見抜いている。家康はあらん限りの力を尽くして秀頼を追い詰めんとするだろう。では逆に家康を追い詰めるには、どうすればよいか。ただ生きていればよかった。健やかに、屈託なく、今ある家の地位や財力を保ち、その存在のままに輝いているだけで、秀頼は家康という男に、窮鼠《きゅうそ》の思いを抱かしめるのである。

そんな、ある種の拮抗《きっこう》が破れたのは、家康の執念ゆえであったろうか。

二条城での会見ののち、次々と、秀頼に忠義を抱く大名たちが没していった。まず真田昌幸《さなだまさゆき》が、そして堀尾吉晴《ほりおよしはる》が、加藤清正が、浅野幸長が、世を去った。これらの中には、家康による毒殺ではないかと言われるものもあった。真相は不明である。不明であるということは、もし事実そうであったとしても、ついに露見することがなく、すなわちそれは家康の側の、凄《すさ》まじいまでの狡猾《こうかつ》さと慎重さを物語っていることになる。

いずれにせよ、秀頼の周囲から忠臣が消えていった。西国大名たちが世代交代を迎え、かつての結束力が衰えた今、再び結束させぬためにも、老齢の家康が最後の手を打つなら、このときしかなかった。

そして家康が打った手は、これまで秀頼がかわしてきた儀礼や外交における策略に比べ、いかにも粗雑なものといえた。

後世、あまりにも有名な事件となる、方広寺大仏殿の「鐘銘事件《しょうめいじけん》」である。

方広寺大仏殿は、秀吉の発願《ほつがん》たる大仏殿である。かつて地震で損壊し、再建中に火災があって中止となったのを、秀頼が引き継いで再建させていたものだった。

豊臣家が行う文化事業の一環として、それまで何の問題もなく進められてきた再建である。二年前に大仏殿が完成し、慶長十九年（一六一四）の今年、ようやく鋳鐘《ちゅうしょう》がなった。

本尊開眼の執行と、秀吉の十七回忌が準備されていたこのとき、突如として、徳川方から京都所司代と片桐且元へ、執行延期が言い渡された。

大仏とともに造られた梵鐘《ぼんしょう》の銘と棟札《むなふだ》に、不敬の文が刻まれているためだという。「国家安康」と「君臣豊楽」、これらは、家康の諱《いみな》を分断して亡き者とし、また豊臣が今の世を転覆して君主となることを意味し、家康を甚《はなは》だしく憤激させたとのことであった。

途方もない言いがかりである。且元はただちに、銘文の作者である南禅寺《なんぜんじ》の長老を伴って駿府に赴き、釈明したが、家康は本多正純と金地院崇伝《こんちいんすうでん》を遣わすだけで、頑として聞き入れなかった。且元だけでは不安とみた茶々が、外交に慣れた女たちを派遣したが、逆に家康はこれを手厚くもてなし、安心させて大坂へ帰らせてしまった。

やがて且元も何の成果もないまま大坂に戻ったが、そこへ家康が放ったのが、和解のための三箇条であった。

一つ、茶々を人質として江戸に出す。

一つ、秀頼は諸大名に倣《なら》い、江戸に参勤する。

一つ、秀頼は大坂城を出て伊勢《いせ》か大和《やまと》へ移る。

いずれも秀頼が決して受け入れることのない条件である。家康も、承知しているはずだった。家康の狙いは、豊臣家とその臣を激昂《げっこう》させることにあり、且元にそのための導火線の役目を負わせたのだった。

当然、大坂衆はどういう次第かと且元を問い詰めた。単に問うのではなく、家康と且元との間にどのような共謀があったか暴こうとした。且元はただでさえ徳川派とみなされ、豊臣と徳川の両家の融和策を推進することを旨としていた。茶々も他の大坂衆の面々も、且元が三箇条を考え、家康にすり寄り、秀頼と茶々を売ろうとしたのではないか、という疑心を爆発させた。

その爆発に加わらなかったのは、秀頼ただ一人と言ってよかった。

皆も、うすうすこれが家康の策であると分かってはいるのである。しかし、長年、且元は、豊臣と徳川の間を卑怯《ひきょう》にも泳ぎ回ってきたという見方をされてきた。意図的にそうさせたのは家康である。そのために、且元へことあるごとに便宜を図ってやった。その事実を突かれると且元は言い訳ができない。大坂衆にとって、且元はもはや大坂方の使者ではなく、家康の使者だった。

厳しく追及された且元は、ついに弁明にしくじり、切腹させられそうになったため、病気を理由に屋敷に籠《こ》もってしまった。

秀頼は、こたびの件は、且元の態度次第であると伝え、出仕を促したが、出てこない。

(火種となる)

このとき秀頼の脳裏にあったのは、且元の処置をどうするかという以上に、家康が異様なほど強引な手に出た、ということである。

関ヶ原の大戦から十数年、家康がここまですることはなかった。なぜ今なのか。家康の老齢ゆえであろう。寿命が尽きる前に、全身全霊で秀頼の追い落としに出た。つまりそれだけ、後継者である秀忠を頼りなく思っているということであろう。

(あの御仁は手加減をせぬ)

ただ大坂衆に内紛をもたらすことだけが目的ではないはずだった。この後、もっとんでもないことになる。家康はそのための準備を、すでに終えている。そうでなければ、こんな手を打ちはしない。何年にもわたる家康とのやり取りから、そう判断できた。

(まずは且元か)

長らく仕えてくれたが、家康に取り込まれるばかりか、易々《やすやす》と利用されてしまう男であるのは事実だった。秀頼の呼びかけにも応じないのでは、大坂城内の秩序を動揺させるもとになる。

「且元は申し開きをするか、大坂城から退去せよ。さもなくば逆心とみなす」

というのが、且元に対する秀頼の決断であり、最後通告であった。

腹を切る覚悟で出てくる男ではない。果たして、且元は妻子と家人を連れて領地である摂津《せっつ》茨木《いばらき》へと逃げ出していった。その上で、完全に、徳川方に流れた。

「何度も秀頼と茶々に詫《わ》び言を述べましたが納得しては頂けず、以後は、家康様の御命令に従いたい」

と徳川家に泣きついたのである。

「やはり裏切りであった」

大坂衆からすれば、そのようになる。秀頼が且元を追放しただけでは収まらなくなっていた。且元を討つべし、という意見が噴出した。

この紛糾を見た秀頼は、ふと胸中に何かを覚えた。ややあって、懐かしさだと悟った。

(騒がしいな)

幼い頃、大人たちの様子から感じ取ったものが、目の前にあった。今では誰もそれを秀頼から隠そうとはしなかった。秀頼がそれに触れようとしても、茶々ですら止めなかった。

（ようやく触れた）

この内紛状態にあって、ひそかに微笑みをこぼした。

（だが、わたしのものではない）

自分が起こした騒ぎではなかった。幼い頃と同じく、やはり家康から発されたものだった。そのことに悔しさを抱いていることを、突然、この若者は自覚した。これまで誰かに対してそんな気持ちを抱くことなどなかった。生まれながらにして何もかもを備え、自己の神格化を日常とする黄金の城の君主が、そんな感情を持つはずがなかった。

だが今はっきりと抱いた。そして常にそうであるように、心は世人の思考を超越した高みにのぼり、己と世を見下ろしている。心は大坂城から出て、どんどん広がっていった。家康や朝廷や大名諸侯、果ては大地に住まう無数の庶民の存在をも、同時に見渡すようであった。

そうしながら、秀頼は、家康が起こした騒ぎの行く末を察していた。もしかするとそれを、自分のものにできるかもしれないと。

「――戦か」

秀頼がぽつんと呟《つぶや》くと、座の面々がぴたりと黙った。秀頼の言葉はしばしば、周囲の人々の思考を超えた。このときも、秀頼が察知した「騒ぎの行く末」を正しく理解する者はいなかった。ただ目前の状況に照らし合わせ、

「秀頼様は、且元を討てと命じられた」

とみなが解釈し、討伐が決定事項となった。

秀頼は止めなかった。正しく理解させようとしても、彼らにはできないことは、これまでの生活ですでに悟っていた。信長や秀吉が常に直面してきた無理解の理解である。家康などは自分の息子達とすら一心同体になれなかった。

このとき大坂城にいる誰も、秀頼の観念の巨大さ、視野の広さ、思考の速さについていけていない。母・茶々でさえ、もし秀頼がその考えを全て口にすれば、どれもこれも突拍子もない飛躍としか受け取ってくれないだろう。むしろ同じように思考できるのは、

（家康）

あの小肥りの老人くらいだろう、と思った。あるいは家康の周囲にいる老獪な側近たちも、家康と同等に思考を巡らせることができるのかもしれない。だが秀頼という公武の申し子を理解しうるほどではないだろうという直感があった。秀頼の心にはこ

のとき家康しかいなかった。

(会いたいな)

二条城の会見のときのように、一対一でやり合いたかった。家康が、且元などという愚人を間に入れて使役したのが不満だった。家康こそ誰よりも秀頼を理解しうる男だった。

だがだからこそ、

(不倶戴天《ふぐたいてん》であるのだ)

という下克上《げこくじょう》のありようを、秀頼はこのときやっと納得していた。

六

戦が起こった。ただし、大坂衆が想定していたような戦ではまるでなかった。

大坂衆は、茨木城に籠城《ろうじょう》する且元一族を討伐せんとしたが、家康にとっては計算通りに訪れた好機である。大坂衆と且元の対立については逐一、家康に報がもたらされていた。家康は早くも出陣を命じ、諸将に動員命令を発するとともに、浪人および女子供が大坂へ向かうことを禁じ、自らも駿府を発《た》った。

徳川方の言い分は、あくまで「豊臣方が家康抹殺を願って鐘銘を作製させた」ことが騒動の原因であり、和解交渉役であった且元を大坂衆が討伐せんとするのを捨て置けない、ということになろう。これに対し、秀頼は披露状をしたため、「且元に不届きがあったこと」を世に証明しようとしたが、家康は難なくこれを握り潰した。

その潰し方が、また巧妙だった。

「秀頼様はいまだ若輩であるので、側近が巡らす策謀に乗せられている。この書状も、秀頼様の意志であるかのように見せかけた、偽書である」

秀頼を一人前の城主とみなさないことで、家康としては本来の主君である豊臣家を討つのではなくその奸臣《かんしん》を討つのだと言い張ったわけである。また、秀頼を「奸臣に踊らされる若輩」として喧伝《けんでん》することで、その求心力を弱体化させることにもなる。情報戦と広報戦術において、家康は決して手を抜いていない。

またちょうどこの頃、豊臣恩顧の大名たちは江戸城の普請のため江戸にいた。たまたまであるわけがない。これもまた家康の計算のうちである。家康はこの大名たちのうち、特に福島正則に圧力をかけ、秀頼に対する工作に用いた。かつて前田家がしたように、秀頼も茶々を江戸に下向させ、人質とすることが豊臣家のためになる、という説得である。

そうなれば豊臣家は、徳川家に臣従したことになる。秀頼も茶々も、長年、それだけは避けてきた。すなわち開戦前から、家康は単に秀頼支持派を封じ込めるだけでなく、降伏工作のため使役したのである。

また秀頼側は、島津《しまづ》や鍋島《なべしま》など西国大名に援軍を要請したが、すでに家康の手が及んでいた。島津は徳川方につき、鍋島は秀頼の書状を「謀書」として開封もせず家康に渡した。

秀頼のことを「若輩」と断じながら打てる限りの手を打つ。家康は最晩年と言っていい年齢で、己に残された心気の全てを燃やし、秀頼に、そして豊臣家に挑んでいた。

秀頼陣営は着々と孤立させられつつあることを悟り、狼狽《ろうばい》した。とにかく将兵が集まらない。茶々はそのことを秀頼に教えないよう努めた。だが秀頼はもう幼い頃の彼ではない。とっくに事態を察していた。いや、読んでいた。そして茶々の予想を超えた対処法を発見していた。

秀頼は将兵への呼びかけは自分一人に任せるよう命じるとともに、

「浪人たちを呼べ」

そう告げ、茶々と側近達を瞠目《どうもく》せしめた。

しかもこの決断を、秀頼は、家康への披露状をしたためた直後にしてのけている。家康を文事で押しとどめることはもうかなわないと見ての即断といえた。

「関ヶ原以来、主家を失い、仕官の道を閉ざされ、徳川家の天下に不満を抱く者たちがいる。日ノ本六十六ヵ国に散らばる、まつろわぬ勇士達を、この大坂城へ呼び集めよ」

秀頼の言葉に、側近達は成果を疑いながらも従った。せいぜい集まったとしても数百程度であろう。誰もがそう思った。家康も、この招集策を察知し、ただちに浪人の移動を諸国に禁じさせたが、それだけで特に何の手も打ってはいない。つまりそれだけ無為の策と見たのである。

だが結果は、家康の想像を超えた。家康が禁じさせたにもかかわらず、呼びかけに応じた浪人衆が続々と大坂へ集まり、その数はあっという間に膨れ上がった。数百などというものではない。家康が駿府を発った十月十一日には、早くも三万を超える浪人衆が結集していた。

かねてから準備をしていたのでなければ、到底実現しえないことである。呼びかけを実行したのは、大野《おおの》治長《はるなが》や織田有楽《うらく》など大坂衆だが、その背後には明らかに秀頼がいた。

大坂方は、外交戦術で家康に苦汁を飲まされている。秀頼は、家康による諸大名への工作を目《ま》の当たりにしてきた。どれだけの西国大名が動きを封じられ、徳川方につくか知れない。全く別の兵力が必要だと悟っていた。そして、その招集の用意をひそかに整えさせていたのである。

浪人といっても、中には、真田や長宗我部《ちょうそかべ》といった元大名家・小名家もいる。ときの政権が構築した世の仕組みから弾き出される者たち——まつろわぬ者たちを頼むというのも、朝廷の発想にきわめて近い。ただ不満分子を集めるのではない。その中心には、おびただしい民が無条件に敬服の念を抱く存在がなければならない。そして秀頼は、自らがそのような神格的存在としてふさわしいことを、まったく疑わなかった。

神がかろうと努めずとも、すでに神格化された自己を育てるだけでよかった。そしてまた数万の人間が続々と移動してくる道を用意せずとも、すでに五畿七道にわたり陸路・海路が整備し尽くされている。城には金銀財宝が山と積まれており、兵力維持に困ることはない。朝廷は家康と秀頼の対立を見届けるべく、両者に味方している。

かつて上杉が四宝とみなしたもの——兵、財、大義、信仰——その全てを持ち合わせていた。しかも秀頼には、しばしば家康に対し文事や儀礼で抵抗したように、武家ではなく、公卿や朝廷の発想が多い。それが家康の誤算を招いたといっていい。

そしてその家康は、大坂城における浪人結集の報を得るや、俄然《がぜん》、生気に充ち満ちたという。

側近の本多正純などは、江戸の藤堂高虎《とうどうたかとら》に宛てた書に、

「大御所様（家康）は、このところなかったほどお若やぎ、ご満足そうです」

と書いて本多自身の喜びを伝えている。

戦になれば勝てる。それが家康の確信であろう。浪人どもが何万か集ったところで烏合《うごう》の衆に過ぎない。複雑怪奇な儀礼や、朝廷の政略において秀頼を追い詰めることはできない。十年の歳月を費やしながら、臣従の関係から逃れることも、豊臣家を一大名に落とすことも不可能だった。

やっと戦に持ち込めた。ここからは武家の発想が物を言う。いよいよ豊臣家の呪縛《じゆばく》を完全に断ち切る時が来た。そういう奮起が、老齢の家康の身に心気充実をもたらしているであろうことを、秀頼は透徹した心で察した。

——わたしもです、内府。

秀頼は、むしろ己の充実を家康に伝えたいと思った。きっと驚かれることでしょう。心の中で遠く離れた宿敵に語りかけた。かつて下克上の世の武将達が、数えきれ

ぬほど、そうしたように。

十一月十八日、上洛した家康と秀忠の父子が合流した。

翌日、木津川口《きづがわぐち》の砦《とりで》で戦いが始まり、戦火はたちまち周囲に広がった。鴫野《しぎの》、今《いま》福《ふく》、博労淵《ばくろうぶち》、野田《のだ》、福島――ほうぼうで徳川方により砦が陥《お》とされ、豊臣方の兵は大坂城へと撤収した。

家康が動員させた二十万の軍勢が、ただちに大坂城を包囲した。秀頼が頼むべき大名たちは完全に家康の手で封じ込まれている。援軍は間違っても来ない。かつて秀吉が小田原城を攻めた時のように、一方的な攻囲において落城させる。家康陣営には、容易《たやす》い戦いと考える者が大勢いた。家康・秀忠の父子からしてそうみなしていたのだから当然だった。

だが結果はまったく違った。

大坂城に集結した兵力はおよそ九万六千余。そして城には、彼らの力を途方もなく増幅させるものが幾つも備わっていた。

一つは城の構えであった。城の周囲に広がる巨大な惣構《そうがま》えは、言ってみればただの堀と土塁に過ぎない。だが壮麗な石垣以上に、これが途方もない防衛力を発揮し、二十万もの大軍の侵攻を食い止めてしまったのである。

また一つは、大坂城に蓄積された金銀の山がある。かねてから家康は大坂城の経済力を衰えさせるだけでなく、浪費を促すよう、多数の寺社再興を勧めてきた。だがそれでもなお、十万近い兵力を維持する潤沢な軍資金を有していた。家康をして驚嘆せしめる財力であったのである。

そして何よりも浪人たちを鼓舞したのは、秀頼の存在である。彼らからすれば本来の君主であると同時に、自分たち以上に家康から苦汁を飲まされ続けた存在である。どのような大義名分も彼らの中に成り立ち得た。

秀頼は、集った人々の想像を遥かに超えて聡明であり、神気に満ちていた。秀頼と挨拶を交わした者たちはみな、その場で強烈な忠義を抱いた。

また、直接言葉をかけてやれない者のために、秀頼は城内巡視などで率先して姿を見せてやった。誰に言われるまでもなく、そうすべきであることがわかっていた。大兵たる秀頼が、仕立て直させた秀吉遺品の衣服や品々を身につけ、その神々《こうごう》しい姿をあらわすだけで、兵の士気は天にも届かんばかりに燃え盛った。

大義名分をもって世への憤懣《ふんまん》を盛大に発し得るばかりか、城は難攻不落、恩賞たる金銀は雨のように降ってくる。もはや戦士にとって楽土である。これで士気が維持できない方がおかしい。

秀頼は、城外の激戦を見るため、しばしば鎧《よろい》を身につけ、供を連れて本丸を出た。これは兵の士気を上げるためというより、秀頼の興味ゆえである。周囲で巻き起こる「騒ぎ」をこの目で見て、学べる限り学びたいという強い欲求と使命感があった。

「これが合戦」

厳寒のさなか、矢と銃弾が飛び交い、家が焼かれ、人が死ぬ。武者たちの働きによってほうぼうで血の海が作られる。そこここで防衛の工夫があり、また攻城の創意がある。

荒れ狂う熱気と無惨の様相を、秀頼はいつもの超越的な眼差しで見た。いや、いつも以上に、自分の心が天空の高みにのぼるのを感じた。

「民の熱気で、天に押し上げられるようだ」

自分にとって、庶民も武士も浪人も大名も、等しく民であったのだ。この合戦の光景において秀頼はそう悟った。自分はついに天子の視座を得た、と思った。中国歴代の王のように。この国の帝のように。彼らに等しい心理をやどすに至ったのであると。

——わたしは天子であった。

生きながら神格化を目指す者が、やがて至る境地の果てがそれであった。過去の天子たちの霊魂が、下克上の道作りに生きた武将達の英霊が、天地を司る八百万《やおよろず》の神々が、今こそ秀頼を称えていた。秀頼は全ての霊、全ての神を迎え入れ、限りなく透明な思いに満たされた。浪人たちの参集は、秀頼にただ抵抗のすべを与えたのではなかった。常人には計り知れない、天子の恍惚《こうこつ》をもたらしたのだった。

側近たちに、こんな秀頼の思いを理解できるわけがない。家康ですら無理だろう。秀頼はその後も、総大将として頻繁に陣中に姿を現した。兵を鼓舞するだけで、危機に直面することなく「観戦」で済んだことが、大坂城の堅固さを雄弁に物語っている。

家康は、この難攻のきわみたる城の正面突破を早々に諦《あきら》めた。厳寒の中で包囲を維持するのも難しい。浪人どもの激しい抵抗に直面し、むしろ徳川方の疲弊が濃くなってゆく。かくなれば心理工作に突破口を見いだすしかない。ひたすら遠距離から砲弾を放ち、四方八方から穴を掘って侵入をはかる様子をあえて見せつけ、心理的な圧迫を仕掛けた。そうして大坂城内の、特に本丸にいる者たちに、厭戦《えんせん》気分を植え付けることに注力しつつ、和睦工作を仕掛ける。

ここで活躍したのも、女性たちである。大坂城内の意思決定に茶々が関わっていたこともあり、茶々の妹である常高院《じょうこういん》（初《はつ》）ら、女性たちが両陣営の間を行き来した。

家康側は、茶々を人質として送ることはない、秀頼の身の安全を約束する、籠城する浪人たちは寛大に処置する、と譲歩をみせるとともに、秀頼が大坂城を明け渡すならば、どの国でも進上する、と「国替え」に焦点を絞っている。

大坂城という強大な殻に閉じ籠もられる限り、どうにもならないという家康の苦々しい思いが伝わってくるような内容であった。

この交渉は、茶々が江戸に下ること、大坂城を放棄すること、浪人たちの処遇の是非を巡り、幾度かやり取りがなされた。

城内では、茶々と大坂衆が、和睦を巡り齟齬《そご》をきたし、秀頼はその様子も、透徹とした心で見ている。早くも、この先起こるであろうことに思いを巡らせていた。といってもこの若者は、あれこれと可能性をもてあそぶということをしない。最も起こる可能性の高いことを、具体的に考え、受け入れるのである。

(今度はもっと騒がしくなる)

秀頼は、そう悟った。そして、茶々や大坂衆ばかりか、家康の想像すら超えることを思った。

(家康ではなく、わたしが起こす騒ぎであって欲しい)

なんと和議のさなか、秀頼は、自ら次の戦いに挑み、出陣することしか考えていなかった。

七

年の暮れも迫る頃、和睦の条件が出そろった。

秀頼に対する条件は、三つである。

一つ、家康と秀忠に敵対しない。

一つ、城の惣堀《そうぼり》を埋める。

一つ、浪人たちを解散させる。

家康に対する条件も三つ。

一つ、浪人たちを咎めない。

一つ、秀頼の城と領地を保障する。

一つ、人質の件は適切な時期に秀頼と茶々の母子のどちらかが江戸に下るだけでよしとする。

秀頼の国替えや、茶々が人質として江戸に下ることなど、「いずれ受け入れてくれればよい」といった寛容さを見せつつも、その実、家康は狡猾に秀頼の力を奪いにかかった。

家康の城攻めは終わっていなかったのである。むしろこの和睦こそ大坂城を攻める突破口だった。徳川方はただちに大坂城の惣堀を埋めにかかった。しかも「惣堀」すなわち城外の惣構えだけでなく堀という堀を残らず埋め立てた。

秀頼側は、この堀の工事を巡り、使者を通して徳川側に抗議している。徳川側の返答は、

「奉行らが惣堀のことを『総堀』と聞き誤ったようなので、昔のように普請してよい」

という白々しいものであったという。徳川側が伏見に引き上げたときには、三の丸も二の丸も破壊され尽くし、本丸のみの裸城と化していた。

この間、秀頼も秀頼で、和睦に反する行動を起こしている。徳川義直の婚儀を祝う書状を送るなど和睦受け入れの態度を見せつつ、結集した浪人たちを解散させず、それどころか彼らを説得するという名目で、立て続けに軍事の相談を行った。

秀頼はすでに、大坂城の破壊を、避けがたいこととして受け入れていた。そもそも今回の和睦自体、茶々や城内の者が音《ね》を上げなければ、まだまだ引き延ばせたのである。徳川側の疲弊を促し、豊臣恩顧の諸大名を再び自軍に引き入れる機会を窺《うかが》うべき

だった。

だがそうはできなかった。そのことが秀頼にある種の決断を促した。

――城は差し出すが、兵は棄《す》てぬ。

徳川側が躍起になって城の防御機能を潰しにかかっている隙に、秀頼は浪人諸侯との結束を深めていた。城を盾にして兵力維持をはかり、さらに諸国から人を結集させる。

それが秀頼の決断であった。家康の思うつぼであったとしても、逆手に取るつもりでいた。

――この次の合戦では、本丸を出る。

秀頼は徳川軍の再来を確信している。家康は攻城戦の総仕上げのつもりで来るだろう。それに対し、激しく打って出ることで勝機をつかむ。

それは決して無謀な戦ではない。過去にそのような例が多数あることを秀頼は学んでいた。桶狭間《おけはざま》の戦いがそうだ。関ヶ原の戦いこそ、そうではなかったか。かつて上杉は万策を弄する武田を相手に、自らを激烈な矛《ほこ》に変えて迎え撃った。逆に知らぬうちに取り囲まれてしまえば本能寺《ほんのうじ》の変のように一方的な殺戮の憂き目を見る。

自ら馬を駆り、戦って勝つ。

そのために秀頼は供を連れ、大坂城周辺を見て回った。戦場となるであろう場所をつぶさに調べさせ、戦慣れした浪人諸侯に、総大将たる自分が居るべき場所を定めさせた。

しばしば、変わり果てた御城を振り返ったが、哀愁は覚えなかった。

ある種の親離れを迎えたというべきであろうか。秀頼は、父が築き、母がいてくれた、巨大な揺りかごたる黄金の城を棄てることに、何のためらいもなかった。

――ようやく、騒ぎに触れることができる。

幼少の頃に抱いた思いと、育まれた高潔な誇りが、ついに一体となった。家康が、浪人たちが、戦場が、そうさせた。それはまさに、豊臣秀頼という一個の人格が完成を迎えた瞬間であっただろう。戦いに敗れたときの己の結末をも、秀頼は透明な心で受け入れた。それらが彼に、冬の陣で感じた以上の恍惚を与えた。

――天の道がある。

春めく地を見渡し、青空を仰ぎ見た。幸福だった。誰にも理解のかなわない地平に立ち、その身をもってこの上ない争乱を受け入れようとしていた。

大坂城の堀の再生工事に加え、秀頼の戦争準備の様子は、すぐに家康の知るところとなった。織田有楽など大坂方の穏健派が離脱し、家康は彼らから詳細を聞くと、ただちに諸大名に再度の出陣を命じた。

家康、七十四歳。執念の出陣である。息子に全軍を任せず、ただただ己に鞭打って、一族安泰の礎《いしずえ》となるべく、豊臣討伐に生命を振り絞っていた。

もし家康が秀頼の立場なら、相手が死ぬのをひたすら待って粘ろうとしたに違いない。権謀術数に長けていないことを悟り、何としてでも相手を上回ろうとしただろう。そしてそうする間に、家康は天命という最も逆らいがたい力に屈し、世を去ることになる。

だからこそ家康は秀頼にそうさせなかった。時間こそ家康が最も恐れた敵だった。秀頼もまた雌伏《しふく》を選ばなかった。そうしようとしたところで、家康はさらに強引な手を打ち、大坂方を戦いに引きずり出すだろう。豊臣と徳川の戦いは、下克上の世が真に転換するための、避けては通れぬ戦いであった。

誰も、家康と秀頼を止められず、茶々ですらもはや秀頼を束縛しうる存在ではなくなっていた。その秀頼が、家康に最後まで生気を与えたであろうし、ゆえに家康の最後の生命を大いに奪うことにもなった。

四月、上洛した家康へ、茶々が妹の常高院と二人の女性たちを使者として遣わした。家康はうち常高院ともう一人に三箇条の書き付けを渡して帰坂させ、一人を留め置かせた。

早くも母が交渉に入るのをよそに、秀頼は大坂衆の出陣を許可した。大坂衆はたちまち大和郡山《こおりやま》城を攻略、和泉岸和田《いずみきしわだ》城を攻め、日和見《ひよりみ》的であった堺《さかい》を焼き払い、和歌山《わかやま》城を攻めようとした。

籠城から一転しての出撃であった。すぐに徳川方も出馬し、和歌山城へ向かう大坂衆を、樫井《かしい》で迎え撃った。大坂衆は敗勢となり、将を幾人も失った。

五月五日、家康と秀忠が出陣した。それぞれ大坂城周辺に陣を張り、先の戦いと同じく、豊臣方の孤立をはかった。各地で激戦が行われ、秀頼側はさらに将を失っている。

この間、茶々の命令を聞く将は激減していた。秀頼の出陣の意志、そしてまた彼ら自身の戦意と覚悟に従って戦っていた。

多くの大坂衆や浪人諸侯にとって、名を遺す機会はここしかなかった。それは熱烈な達成感となって、彼らを死に赴かしめた。秀頼は正しく彼らの願望を理解していた。彼らの誰一人として、自分のようにはなれない。秀頼という「名」は、もはや生まれたときから歴史に残ることが決まっているのである。その名は、秀頼自身が実際どのような人物であったかということすら「些事」としてしまうものだ。

かつて、神がかりにおいて人々の死を受け入れ、殺戮の罪に耐えようとした武将達とは、画然と違う人格がそこにあった。秀頼は、罪の苦悶《くもん》と無縁であった。現世と神々の世界とを等しく感ずる者にとって、死は人々が別の存在に転じるだけのことに過ぎない。

父、母達、豊臣一族、過去の名だたる武将達、そして家康――その全てが、秀頼をそのような高みにのぼらせた。秀頼は英霊に追随するばかりか、とっくに追い越し、生ける神となっていた。

そうさせてくれたのは兵の流血であった。途方もない争乱を巻き起こす兵の血と熱が、今、彼とともにある。この戦いがあったことで、多くの名が歴史に残る。その中心で、秀頼の名は恒久のときを生き、輝き続けることになる。

「いざ、行かん」

そのような至高の精神を感得しながら、秀頼は望み通りに出陣を果たした。主君とともにその身を猛《たけ》らせる側近を従え、多くの者が討ち死にしてゆく戦場へ馬を駆けさせ、突っ込んでいったのである。それも、大坂方だけでなく徳川方にも戦死者が続出する、激戦の地であった。

梨子地緋威《なしじひおどし》の甲冑《かっちゅう》に、父の遺品である金の幟《のぼり》を押し立て、太平楽《たいへいらく》と名付けた黒毛の大馬に乗っていた。長身に絢爛《けんらん》たる甲冑をまとう秀頼の姿は、敵も味方も思わず息を吞むような勇壮さであった。馬術、武技、腕力のいずれも諸将に後れを取らず、生存者がのちに伝える通り、秀頼の武者ぶりは「十人力の荒々しさ」であった。

秀頼の奮戦は、とても家康本陣に迫るほどではなかったが、大坂方諸将の奮起を呼び、圧倒的な攻囲を仕掛ける徳川方を大いに戦慄《せんりつ》せしめた。

無事に城に戻った秀頼は、さらなる出陣を望んだ。大坂方の将はみな、この総大将の存在を最大限に活用したがった。秀頼が自分の隊に参加してさえくれれば、士気は燃え上がり、高い戦果を上げられる。皆がそう言い募った。

特に、決戦を覚悟して天王寺《てんのうじ》に陣を敷いた真田隊は、秀頼の出陣と下知《げち》を強く請い、そうすれば「前代未聞の一戦」を遂げられる、すなわち家康本陣に攻めかかれると強硬に訴えた。

だが秀頼の身は一つである。諸将が求めれば求めるほど、平等を期すならば、どうしても後方に位置せざるを得ない。また、本当に家康の首を獲りに行くならば、城外に陣を張り、ぎりぎりまで近づいた上で、相手の虚を衝いて攻め込む必要がある。だが家康もそうはさせず、徳川方の大軍が、城外に陣を張ることを許さなかった。あくまで大坂城を中心に戦うほかない。

さらには、家康から和睦の使者が来たことで要らぬ議論がまたぞろ沸き、城内の意見分裂を招いた。この和睦交渉もまた、大坂方の決死の戦闘に危機感を抱いた家康による工作であったと見るべきだろう。加えて、「秀頼の側近に家康に通じている者がいて、秀頼暗殺を企んでいる」といった噂《うわさ》を城内に流し込まれ、秀頼の動きを封じていた。

——さすがに巧者だ。

秀頼は家康の手腕に感心した。とことん手を抜かない。細部にわたり工夫を凝らしてくる。父とともに戦った下克上世代の強さを見た。

何であれ、そうした騒ぎを、秀頼は存分に味わっていた。城内に満ちる憤激と悲壮も、味わい尽くした感があった。このひと月の戦闘は、秀頼に数十年の生に匹敵する充実を与えた。秀頼の「老成人の風規」は、全てに満足していた。

五月七日、両軍は決戦を迎えた。

秀頼は、出陣して討ち死にしたいものだと考えたが、残念なことに実現しなかった。

徳川方が放った偽書や讒言《ざんげん》によって諸将が攪乱《かくらん》され、出陣の機会を封じられたこともあるが、ことここに至り、「総大将の屍《しかばね》を乱戦のまっただ中にさらすべきではない」「本丸を固めて時が至れば自害し、城と命運をともにして頂きたい」という、側近たちの願いを聞いたからでもあった。

秀頼は、軍勢を代表する部隊がなかったことが、出陣不能の最大の要因であると見抜いてもいた。意見を異にする大坂衆、浪人諸侯、どの部隊に秀頼がいても、他の者たちの不満となるからである。つまるところ秀頼本陣を形成する余裕がなかった。その時間を家康が与えなかった。

それでも秀頼は城外の陣で床几《しょうぎ》に座り、出陣の機会を待った。圧倒的な敗勢の中で諸兵は混乱したが、その中でも真田隊は、彼らの言う「前代未聞の一戦」を実現してのけた。一度は家康本陣にまで切り込んだというのである。秀頼がいなくてもそれだけの働きをしたのだ。大いに称えるべきことだと秀頼は側近達とともに喜んだ。

やがて、各所における獅子《しし》奮迅《ふんじん》たる戦いぶりとともに、味方の敗勢が次々に報告された。

――みな、よき死に場を得た。

ひっきりなしに続く戦場の騒音が、いつしか秀頼を、最果ての境地にいざなっていた。

自分が渦の中心にいるという確かな実感である。家康による大坂城攻めは、自分の存在が引き起こした。そもそも、家康の権謀術数の多くが秀頼を中心にしていた。確かに家康は騒ぎを起こしたが、秀頼は最初からその渦中にあったわけである。

この命が生まれたことにより、いったいどれほどの死がもたらされたことであろう。秀次の一族しかり。この戦場で死にゆくおびただしい者どもしかり。そしてそれゆえにこそ、いったいどれほどの名が後世に遺されることであろう。

――わたしは万民を天上へ連れてゆくために生まれた。

その途方もない恍惚の念が、秀頼の心を満たした。そしてその決着においては、必ずしも出陣する必要はなかった。側近達が言うとおり、戦場のまっただ中で死骸《しがい》をさらすよりも、より恍惚たる死が用意されていた。

秀頼は大坂城を振り返った。自分は、城とともに死すべきである。そう決心した。一度は決別の念を抱いた城である。だが城を出て戦う決意をしたからこそであろうか。この黄金の城と、この自分と、そしてこの戦いで死にゆく兵たちは、不可分である。三者が揃ってこそ歴史におびただしい名を遺すことができる。そうはっきりと悟ったのであった。

秀頼はおもむろに立ち上がり、城へ入ると宣言した。総大将がそうする理由は一つしかない。自害するためである。供の者達がその意味を察し、次々に悲痛の面持ちとなり、無言で従った。

やがて城中の何者かが徳川方に通じて火を放ち、それを機に、徳川方の兵が三の丸に侵攻した。城の各所で火柱が上がり、防衛の指揮を執る者とてない大混乱となった。

二の丸が落ちる一方、秀頼は本丸へ入った。総大将が城へ戻ったことを知った大坂方の兵は敗北を察し、総崩れとなった。

秀頼が御殿に入り、自害すべし、と口にすると、今度はそれを止められた。まず大坂衆の頭取である大野治長が言うには、常高院は家康から秀頼助命の言質を取っており、家康と秀忠にもうひとたび意見を聞いてから自害すべきだとして使者を走らせた。

――自害の作法というものか。

秀頼は妙に感心した。生き延びようとは毛ほども思っていないのである。使者の帰りを待とうともせず、天守を焼くための乾草《かんそう》を用意させた。それから御殿の茶々たちに、

「ともに天守へ上りましょう」

と言うと、茶々がその袖《そで》にすがり、長々と説得の言葉を口にした。秀頼に、落ち延

びよというのである。

「今少し心を静め、あたくしの言うことを聞いて下さい」

聞けば、千姫と子どもらは、治長が侍女に言って城外に逃がしたという。家康と秀忠に秀頼の助命嘆願をさせるためであった。

――無駄なことを。

確かに、理屈の上では、助命を認める可能性がある。豊臣家というかつての主君を滅ぼしたと言われずに済むからだ。

しかし、家康も秀忠も認めないだろう。秀忠は、家康を相手にここまでやり合った秀頼を、恐れているはずだった。生かしておけないと秀忠なら考えるだろう。この秀頼の読みは正しく、秀忠は千姫生存を喜ぶどころか、子どもらを殺すよう命じ、家康に止められたという。

一方、家康は秀頼を生かしておくことができない。秀頼が一大名に過ぎぬ身に落とされていれば、それもできただろう。だがいまや秀頼は神だった。人々が作った神である。これからも世の不満を代弁する存在とみなされることになる。どんな地域に押し込んだところで無駄だった。秀頼が生きている限り、徳川はさらなる戦いを覚悟しなければならなくなる。

「千には、かねてより書を持たせていました。わたしから内府へ宛てた書です。それを読めば、かの御仁は、助命は無用と悟るでしょう」

秀頼が微笑んで告げた。茶々がぽかんとなった。ひとたび喋り出せば誰も止められない長広舌の母が、二の句をつげぬ様子でいる。

――母も人の子か。

やはり天子の境地には到達できないのだということを秀頼は見て取った。最初からわかっていた。秀頼は母を憐《あわ》れみ、慈愛を込めて言い聞かせた。

「存《なが》えて我が世の衰えを見るのではなく、後世《ごせ》を楽しむべきです。百年の栄華も、一《いっ》炊《すい》の夢となるのがこの世の常なのです」

それから茶々が何か言うのをよそに、そっと袖を離させ、天守へ上って自害しようとした。背後で母の長い涕泣《ていきゅう》の声が聞こえたが振り返らなかった。

だがそこでまた止められた。大坂衆の者が来て、味方が盛り返しそうなので今しばらく待つようにとのことであった。それで天守を下り、東の櫓《やぐら》に入った。

だが戦況が覆るはずもない。ややあって秀頼は自分に従う者たちに目を向け、数えた。二十八人。それが最後まで生き延びた従者の数であった。

「太閤の子として生まれ、天下を知るべき身なれども、ここに天運きわまれり。今朝は十万の大将であったが、今こうして残るのは二十八人である。わたしはみなを誇りに思うている」

秀頼はそう述べ、残った者たち一人一人に声をかけた。みな身を震わせて泣いた。誰が秀頼と茶々の介錯《かいしゃく》を担うか、誰が骸《むくろ》を隠すかが、秀頼の口から告げられた。

それから秀頼は櫓の番をさせると、小姓の膝を枕にし、少しばかり眠った。連日連夜の昂揚を、そうして心身から綺麗に去らせ、澄明たらんとした。

しばらくして爽《さわ》やかな気分で目覚めた。期待した通りの心境であることに満足し、ゆったりと父の眠る地がある方へ向かって、伏し拝んだ。

やがて同じ場所に茶々が来た。さすが母だった。先ほど会ったときは取り乱していたが、今やしっかりと化粧を整え、しゃんと背筋を伸ばしている。秀頼は彼女の気持ちを宥《なだ》めるため、来世の話をしてやった。茶々も茶々で最後まで、生きるべきだと秀頼に言い続けた。まさか我が子に教えた誇りが、このような滅びの時へとひた走らせたとは信じられないようであった。

よきところで、秀頼は側近に目配せをした。あらかじめそうするよう命じられていたその側近が、躊躇《ためら》いなく母の介錯をしてのけた。

母は何も言わなくなった。秀頼は一方の腕でその首を抱き、目を閉じてやった。それから、座ったままだった母の胴体を横たえさせた。母のそばにいた女子はみな、秀頼の側近の手で胸を刺され、あるいは喉《のど》を切られ、次々に息絶えていった。屍を埋める役の者がその処理にかかり、秀頼は自分も腹を切る準備をした。かつて秀次がそうしたように、生き存えるのではなく、自己の証明のために死ぬのである。

秀頼は諸肌を脱ぎ、刀を受け取ると、左脇に突き入れ、右の肋《あばら》へと一気に切り上げた。苦痛はさほど感じなかった。ついに死をもって境地のきわみに達したことへの歓喜があった。

――いざ神々と交わろうぞ。

瞑目《めいもく》し、微笑む秀頼の首が、次の瞬間には胴から離れて膝元に落ちた。介錯した者もためらいなく自害した。秀頼と茶々の骸は念入りに埋められてのち、建物に火がつけられた。

その炎を崇《あが》めるようにして見つめながら、供の者全員、主君に続いた。

秀頼が死んだ場所は、大坂城天守下の第三矢倉であるとも、東の矢倉であるとも言われた。いずれにせよ、徳川方の誰も、ついに秀頼の骸を見つけることはできなかった。

八

大坂城から千姫が脱出したことを、家康は初め、大いに喜んだという。

だが千姫が秀頼から書状を預かっていると告げると、家康は顔を強ばらせた。書状を渡され、それを読んだ家康は、千姫を見つめ、これを読んだかと問うた。

「読みました」

千姫が言った。その眼差しは明らかに秀頼の死を悼み、祖父たる家康を、父たる秀忠を、咎めていた。これ以来、家康と秀忠にとって千姫は自分達の肉親でありながら、徳川の治世に瑕疵をもたらしかねない存在となり、疎まれるようになる。

書状は、秀頼らしからぬことに、平仮名で書かれていた。その一文には、

『かみなりて　げこくじやう　やむ』

とあった。

神生りて下克上已む。

家康が今後、どれほど宣伝工作したところで、秀頼は神となり、家康は下克上を断行した者として歴史に残る。そう秀頼は言っていた。また、これが最後の下克上とな

って泰平の世が訪れることを願う、という思いを明瞭にふくんでいる。

わざわざ平仮名で書いたのは、千姫や女子供にも読めるようにし、後世に伝えさせるためだ。

家康はこの書状をその場で破棄し、存在した事実を秘した。

一方で、焼け落ちた大坂城からは、目をみはるほどの金銀が発見され、全て徳川方が没収した。

あれだけ寺社再興に費やさせ、二度の戦闘で浪人たちに湯水のごとく支払ってなお、多くの蓄えが残ったのである。家康からすれば背筋が寒くなるほどの豊臣家の財力であった。

かくして豊臣摂関家は、比類なき壮麗さを誇った大坂城とともに、滅亡した。

翌年、家康もまた死んだ。享年、七十五歳。

その死が一年早ければ、大坂城の戦いはまるで違うものになっていた。逆に、家康を奮起させ、晩年の精力をことごとく使い尽くさせた者こそ、秀頼であった。

かくして秀頼は二十三歳で天へ赴き、その名は、徳川方のいかなる努力をもってしても、ついに消すことは叶わなかった。かつて秀吉が秀次に対してしたように、消せぬ名を悪名にすり替える、という点でも、結局は中傷の域を出ず、成功したとは言えない。

秀頼という稀代の黄金児が到達した境地においては中傷すら「些事」に過ぎない。むしろ豊臣家討伐の事実は、徳川幕府が命題とした「主君の絶対視と下克上の禁止」において、消えぬ瑕疵となって響き続けることとなる。

大坂城陥落ののち、五畿七道のいたる場所で、秀頼生存の噂が起こった。神となった秀頼は、大坂城で死んだ者達や、下克上の世を生きた多くの武将達同様、愛惜と感傷とともに、庶民の語る言葉として生き続け、やがて歴史上、なんぴともその名を取り除くこと能《あた》わぬ人となった。たとえ家康が「東照大権現」として神格化を成したあとであっても、それは変わらなかった。

世は、秀頼が望んだ騒がしさを失い、かつてどの武将達も大義名分とした、全国静《せい》謐《ひつ》の泰平へと移り変わっていった。織田・豊臣が直面した戦なき世が訪れ、そこでは上杉が磨いた兵法も机上のものに過ぎなくなった。明智《あけち》のような主君殺しは忌み嫌われ、五畿七道を、八道、九道とせんとする野心は誰の心からも消え去った。

日ノ本六十六ヵ国の武は、以後、二百数十年にわたる平穏の眠りにつくことになる。

下克上の世が残したおびただしい道を通るのは、兵ではなく、人と物、銭と思想であった。

そうして、生まれた土地で育ち、暮らし、他の国を見ぬまま老いてゆく多くの子々孫々が、ときに遠くから道を運ばれてくる他国の産物や思想にふれつつ、諸藩独自の文化を花開かせていったのである。

解説

大矢博子（文芸評論家）

短編集とはその名の通り、短編を集めたものである。

大抵は雑誌やアンソロジー用に書かれた作品が、ほどよい本数溜まったところで一冊にまとまるというケースが多い。だから読むだけであれば、初出誌を持っていれば事足りる。

——と、もしもあなたがそう考えているのならば。

大間違いだ、と言わせていただこう。

特にこの『戦の国』についていえば、酒の原料は米なんだから飲みたければ米を食べればいい、というのと同じくらい大間違いである。なぜなら本書は、初出時の状態で一作ずつ読むのとはまったく違った一本の長編になるよう再構築されているのだから。

本書に収録されている六編は、いずれも講談社の歴史アンソロジー企画「決戦！」シリーズのために書かれたものだ。これは関ヶ原の合戦や桶狭間の戦いのような、歴史の転換点となった出来事を取り上げ、七人の作家がそれぞれ別の人物を主人公にしてその出来事を書くという企画である。たとえば第一弾の『決戦！関ヶ原』では、石田三成・徳川家康・宇喜多秀家・織田有楽斎・島津義弘・可児才蔵・小早川秀秋の七武将が各作家に割り当てられた。

東軍と西軍の将がいて、それを支える人物がいて、裏切り者がいる。誰もが知っている有名な武将もいれば、歴史好きでないと知らないような通好みの武将もいる。立身を望む者もいれば、自らの矜持《きょうじ》に殉じる者もいる。さまざまな立場の、さまざまな事情を持った七人を描くことで、関ヶ原の合戦という出来事に多方向から光が当てられる。このとき、この人物は何をしていたのか。あの瞬間、あの人物は何を考えていたのか。それぞれの点が集まることで、関ヶ原の合戦という出来事を面で捉《とら》えることができる、実に興味深い競作企画だった。

このシリーズは同様の趣旨で現在も刊行が続いている。その中から、冲方丁が担当した戦国時代の作品を再録したのが本書だ。ラインナップは以下の通り。本書収録順に作品名・主人公の武将・初出書を並べた上で、各編の頭に初出書の刊行順をナンバリングしてみる。

⑤「覇舞謡《はぶよう》」　織田信長　『決戦！　桶狭間』
④「五宝の矛《ほこ》」　上杉謙信　『決戦！　川中島』
③「純白《しろ》き鬼札」　明智光秀　『決戦！　本能寺』
⑥「燃ゆる病葉《わくらば》」　大谷吉継　『決戦！　関ヶ原2』
①「真紅《しんく》の米」　小早川秀秋　『決戦！　関ヶ原』
②「黄金児《おうごんじ》」　豊臣秀頼　『決戦！　大坂城』

たまたま（なのかどうかはわからないが）それぞれの合戦の中心人物や中心近くにいた重要人物が主人公であることと、初出書の刊行順ではなくテーマとなった出来事を年代順に並び替えてあることがおわかりいただけるだろう。これにより、アンソロジーでは点が集まって面を構成したのに対し、本書は点を〈時間という線〉で見ることが可能になった。織田信長の天下取りの第一歩である桶狭間に始まり戦国時代の終焉である大坂の陣までの五十五年の、冲方版戦国クロニクルと言っていい。

しかもただ順序を入れ替えただけではなく、初出時にはなかった統一テーマが加えられているのだが——その前に各編の読みどころをさらっておこう。これは初出時から変わっていない。いずれも従来の物語とは違った、けれど説得力ある新鮮な歴史解釈で読ませてくれる作品ばかりだ。

敢《あ》えて初出順で紹介していく。まず関ヶ原の〈裏切り者〉、小早川秀秋を描いた「真紅の米」。家康と内通しておきながら、いざ西軍を裏切るとなったらうじうじ悩む、暗愚で凡庸な青年というイメージで語られることの多い秀秋を、冲方丁は英邁《えいまい》な武将として描いた。天下人に翻弄される中で彼が気づいたこと、後世に裏切り者呼ばわりされることになった理由など、なるほどそう来たかと膝を打った。

戦国の終焉を飾る大坂の陣。「黄金児」もまた、母の言いなりという印象が強かった豊臣秀頼を、とても聡明な青年として描いている。家康とのひりつくような頭脳戦は痺《しび》れるぞ。

その解釈に最も感じ入ったのは「純白き鬼札」の、明智光秀が本能寺の変を起こした動機である。特に、謀叛《むほん》のきっかけとして挙げられることの多い家康饗応時の一件については思わず唸《うな》ってしまった。

川中島の合戦を上杉謙信視点で描いた「五宝の矛」は、武将にとって必要なものは何かという考察に加え、有名な車懸りの陣など戦術の解説が興味深い。

桶狭間の戦いを織田信長視点で描いた「覇舞謡」。奇襲と呼ばれがちな信長の戦法だが、実は非常に緻密な戦略の上に立った勝利であることが綴《つづ》られる。

そして「燃ゆる病葉」は病身で関ヶ原に立った大谷吉継が主人公。小早川秀秋の裏切りを予測し、その抑えとして陣を張る。

このように一編ずつ独立した短編として実に新鮮で、且つ、個々の武将の個性と魅力に満ちた作品ばかりである。その手があったか、その解釈は納得がいく——そう思わせてくれる歴史小説の醍醐味が詰まっている。このまま手を入れず一冊にまとめても、充分、高い評価を得られる作品集になったことだろう。

だが冲方丁はそれで良しとはしなかった。それは、自分が書いた六つの物語を合わせたとき、個々の短編を書いているときには見えなかった共通テーマを発見したからではないだろうか。そしてその共通テーマという芯を六編に通すことで、短編集を一本の長編へと昇華させたのである。

その共通テーマとは、〈道〉だ。

本書のスタートとなる「覇舞謡」第二章に、道の重要性について書かれた箇所がある。信長自らが見本を示して作らせた軍道のこと。大事なのは城ではなく道であるということ。「むしろ城から延びる道路の確保と整備こそ、戦の命運を決める」という一文。

桶狭間の合戦そのものが、土地の特性を生かした戦いであったことはよく知られている。そこを冲方丁は一歩進めた。今川方二万の軍勢が迅速に進める〈道〉が桶狭間には存在しないことと、その〈道を断つ〉という作戦の意味を前面に押し出し、戦国期における道の重要性を本編で説いたのである。

もしお手元に、初出の『決戦！　桶狭間』の単行本があるなら、それと読み比べてみていただきたい。この〈道〉に関する文言は、初出時には出てこない。一冊にまとまるにあたり、その背骨として加えられた新テーマなのだ。

第二話以降も同じだ。「五宝の矛」での、雪国の越後は冬になると道が閉ざされるので敵が攻めてこないという話や、軍道建設にいかに金がかかるかという話。「真紅の米」で語られる、太閤検地と軍道建設のつながり。「燃ゆる病葉」の冒頭で大谷吉継が回想する、〈道〉が可能にした秀吉の中国大返しの話。各編で繰り返し語られる〈道〉の重要性はすべて、『戦の国』で一冊にまとまるにあたって加筆された箇所である（文庫化されたものには、この加筆後の作品が収録されている）。

〈道〉という視点で彼らの動きを綴ることにより、戦国時代に〈道〉がいかに重要なものであったか、〈道〉の開発・連携こそが国を平定するキモであったということを、冲方丁は読者に伝えている。本書は一冊にまとまることで初めて、〈道〉を制するものが国を制すという新たな視点で描かれた戦国小説に姿を変えたのだ。

そのヒントは、実は「純白き鬼札」にあった。明智光秀が本能寺に向かうとき通った道は、「彼や同僚が、主君の命で整備に携わった道である。どれほどの人数が、どの程度の速度で進めるか、正確にわかっていた」と初出の段階で書かれている。〈道〉というキーワードは、この段階で登場していたのである。それが桶狭間という地政学と切り離せない事件を描いたことで、さらに明確になったのではないだろうか。

加筆された「純白き鬼札」は、こんな一文で始まる。

「下克上とは道を作ることである」

これこそが本書のテーマだ。物理的な道を整備し、天下という目標への道を進む。これを「覇道」という。そして冲方丁の書く豊臣秀頼は、物理的な地の道ではなく「天の道」を進むことにより、この下克上の時代を終わらせるのである。

他にも、短編の集まりを一本の長編に変える工夫がある。たとえば、〈神〉という言葉もキーワードとして挙げておこう。本書に収録されたすべての短編に「神」あるいは「神がかり」という単語が登場する。大きな合戦にはどうしても狂気じみた熱量が必要となる。そのためにはリーダーには強烈なカリスマ性が必要だ。それを本書では「神がかり」という言葉で表現している。それぞれの武将がどのように「神がかり」を発揮したか、読み比べてみていただきたい。

さらに、各編のラストシーンにも注目願いたい。ここも初出から大きく変えられた部分だ。ひとりの武将のひとつの戦いを描き、それで完結させていた初出時。だが本書では、その〈ひとりの・ひとつの戦い〉が、実は次の、別の戦いへとつながっていくことが示唆されている。いや、ラストだけではない。作中にも他の武将・他の合戦への言及が加えられた。光秀が謙信の車懸りの陣を使ったり、関ヶ原での小早川秀秋と大谷吉継の思考を対比させたり。そうすることで収録作相互のつながりが強固になり、戦国時代が太い一本の線で——いや、一本の道でつながることがより明快になったのである。そしてその道は、現代にもつながっているのだ。

短編集は初出誌があれば事足りる、というのが本書においては間違いであると言った理由がおわかりいただけたのではないだろうか。『戦の国』は、短編の集まりであるだけではない。戦国時代を〈道〉というテーマで俯瞰する一本の長編なのである。

初出のアンソロジーを持っている人も、ぜひ本書でその違いを味わっていただきたい。

冒頭で私は短編と短編集を米と酒に喩えたが、粒揃いの米である各編に〈道〉という水と麴を加えて最高の酒に仕上げたのが本書、と言えるだろう。冲方丁、熟練の杜《とう》氏《じ》の技である。米だけでは味わえない、最高の酔い心地をお約束する。

本書は二〇一七年十月に小社より刊行されたものです。

|著者| 冲方 丁　1977年岐阜県生まれ。1996年『黒い季節』で第1回角川スニーカー大賞金賞を受賞しデビュー。2003年『マルドゥック・スクランブル』で第24回日本SF大賞、2010年『天地明察』で第31回吉川英治文学新人賞、第7回本屋大賞、第4回舟橋聖一文学賞、第7回北東文学賞、2012年『光圀伝』で第3回山田風太郎賞を受賞。マンガ原作やアニメ脚本も手がけるなど、様々なジャンルで活躍している。

戦《いくさ》の国《くに》

冲方《うぶかた》 丁《とう》

© Tow Ubukata 2020

講談社文庫

定価はカバーに
表示してあります

2020年8月12日第1刷発行

発行者——渡瀬昌彦
発行所——株式会社　講談社
東京都文京区音羽2-12-21　〒112-8001
電話 出版（03）5395-3510
販売（03）5395-5817
業務（03）5395-3615

Printed in Japan

デザイン—菊地信義
本文データ制作—講談社デジタル製作
印刷———大日本印刷株式会社
製本———大日本印刷株式会社

落丁本・乱丁本は購入書店名を明記のうえ、小社業務あてにお送りください。送料は小社負担にてお取替えします。なお、この本の内容についてのお問い合わせは講談社文庫あてにお願いいたします。

本書のコピー、スキャン、デジタル化等の無断複製は著作権法上での例外を除き禁じられています。本書を代行業者等の第三者に依頼してスキャンやデジタル化することはたとえ個人や家庭内の利用でも著作権法違反です。

ISBN978-4-06-520628-7

講談社文庫刊行の辞

二十一世紀の到来を目睫に望みながら、われわれはいま、人類史上かつて例を見ない巨大な転換期をむかえようとしている。

世界も、日本も、激動の予兆に対する期待とおののきを内に蔵して、未知の時代に歩み入ろうとしている。このときにあたり、創業の人野間清治の「ナショナル・エデュケイター」への志を現代に甦らせようと意図して、われわれはここに古今の文芸作品はいうまでもなく、ひろく人文・社会・自然の諸科学から東西の名著を網羅する、新しい綜合文庫の発刊を決意した。

激動の転換期はまた断絶の時代である。われわれは戦後二十五年間の出版文化のありかたへの深い反省をこめて、この断絶の時代にあえて人間的な持続を求めようとする。いたずらに浮薄な商業主義のあだ花を追い求めることなく、長期にわたって良書に生命をあたえようとつとめるところにしか、今後の出版文化の真の繁栄はあり得ないと信じるからである。

同時にわれわれはこの綜合文庫の刊行を通じて、人文・社会・自然の諸科学が、結局人間の学にほかならないことを立証しようと願っている。かつて知識とは、「汝自身を知る」ことにつきていた。現代社会の瑣末な情報の氾濫のなかから、力強い知識の源泉を掘り起し、技術文明のただなかに、生きた人間の姿を復活させること。それこそわれわれの切なる希求である。

われわれは権威に盲従せず、俗流に媚びることなく、渾然一体となって日本の「草の根」をかたちづくる若く新しい世代の人々に、心をこめてこの新しい綜合文庫をおくり届けたい。それは知識の泉であるとともに感受性のふるさとであり、もっとも有機的に組織され、社会に開かれた万人のための大学をめざしている。大方の支援と協力を衷心より切望してやまない。

一九七一年七月

野間省一

講談社文庫 最新刊

有川ひろ　アンマーとぼくら
タイムリミットは三日。それは沖縄がぼくにくれた、「おかあさん」と過ごす奇跡の時間。

堂場瞬一　空白の家族〈警視庁犯罪被害者支援課7〉
人気子役の誘拐事件発生。その父親は詐欺事件の首謀者だった。哀切の警察小説最新作！

綾辻行人ほか　7人の名探偵
新本格ミステリ30周年記念アンソロジー。7人のレジェンド作家のレアすぎる夢の競演！

冲方丁　戦の国
桶狭間での信長勝利の真相とは。六将の生き様を鮮やかに描いた冲方版戦国クロニクル。

西尾維新　新本格魔法少女りすか2
『赤き時の魔女』りすかと相棒・創貴《きずたか》が繰り広げる、血湧き肉躍る魔法バトル第二弾！

夏原エヰジ　Cocoon〈修羅の目覚め〉
吉原一の花魁《おいらん》・瑠璃は、闇組織「黒雲」の頭領。今宵も鬼を斬る！　圧巻の滅鬼譚《めっきたん》、開幕。

川瀬七緒　紅のアンデッド〈法医昆虫学捜査官〉
血だらけの部屋に切断された小指。明らかな殺人の痕跡の意味は！　好評警察ミステリー。

樋口卓治　喋る男
干されかけのアナウンサー・安道紳治郎。ついに異動になった先で待ち受けていたのは!?

赤神諒　大友二階崩れ
義を貫いた兄と、愛に生きた弟。乱世に翻弄された武将らの姿を描いた、本格歴史小説。

講談社文庫 最新刊

喜国雅彦　国樹由香
本格力
〈本棚探偵のミステリ・ブックガイド〉
今読みたい本格ミステリの名作をあの手この手でお薦めする、本格ミステリ大賞受賞作！

中村ふみ
永遠《とわ》の旅人　天地の理《ことわり》
天から堕ちた天令と天に焼かれそうな黒翼仙。元王様の、二人を救うための大勝負は……？

中脇初枝
神の島のこどもたち
奇蹟のように美しい南の島、沖永良部。そこに生きる人々と、もうひとつの戦争の物語。

本格ミステリ作家クラブ選・編
本格王２０２０
謎でゾクゾクしたいならこれを読め！　本格ミステリ作家クラブが選ぶ年間短編傑作選。

マイクル・コナリー
古沢嘉通　訳
汚名（上）（下）
手に汗握るアクション、ボッシュが潜入捜査！汚名を濯ぐ再審法廷劇、スリル＆サスペンス。

リー・チャイルド
青木創　訳
葬られた勲章（上）（下）
残虐非道な女テロリストが、リーチャーの命を狙う。シリーズ屈指の傑作、待望の邦訳！

J・J・エイブラムス他　原作
レイ・カーソン　著
稲村広香　訳
スター・ウォーズ
〈スカイウォーカーの夜明け〉
映画では描かれなかったシーンが満載。壮大なるサーガの、真のクライマックスがここに！

さいとう・たかを
戸川猪佐武　原作
歴史劇画　**大宰相**
〈第十巻　中曽根康弘の野望〉
「青年将校」中曽根が念願の総理の座に。最高実力者・田中角栄は突然の病に倒れる。

講談社文芸文庫

多和田葉子
ヒナギクのお茶の場合／海に落とした名前
パンクな舞台美術家と作家の交流を描く「ヒナギクのお茶の場合」（泉鏡花文学賞）、レシートの束から記憶を探す「海に落とした名前」ほか全米図書賞作家の傑作九篇。
解説＝木村朗子　年譜＝谷口幸代
たＡＣ６
978-4-06-519513-0

多和田葉子
雲をつかむ話／ボルドーの義兄
読売文学賞・芸術選奨文科大臣賞受賞の「雲をつかむ話」。ドイツ語で発表した後、日本語に転じた「ボルドーの義兄」。世界的な読者を持つ日本人作家の魅惑の二篇。
解説＝岩川ありさ　年譜＝谷口幸代
たＡＣ５
978-4-06-515395-6

倉阪鬼一郎 大江戸秘脚便
倉阪鬼一郎 娘飛脚を救え〈大江戸秘脚便〉
倉阪鬼一郎 開運十社巡り〈大江戸秘脚便〉
倉阪鬼一郎 決戦、武甲山〈大江戸秘脚便〉
倉阪鬼一郎 八丁堀の忍
倉阪鬼一郎 八丁堀の忍(二)〈大川端の死闘〉
倉阪鬼一郎 八丁堀の忍(三)〈遥かなる故郷〉
黒木 渚 壁の鹿
栗山圭介 居酒屋ふじ
栗山圭介 国士舘物語
黒澤いづみ 人間に向いてない
決戦！シリーズ 決戦！関ヶ原
決戦！シリーズ 決戦！大坂城
決戦！シリーズ 決戦！本能寺
決戦！シリーズ 決戦！川中島
決戦！シリーズ 決戦！桶狭間
決戦！シリーズ 決戦！関ヶ原2
決戦！シリーズ 決戦！新選組
小峰 元 アルキメデスは手を汚さない

今野 敏 ST警視庁科学特捜班 エピソード1〈新装版〉
今野 敏 ST警視庁科学特捜班 毒物殺人〈新装版〉
今野 敏 ST警視庁科学特捜班〈黒いモスクワ〉
今野 敏 ST警視庁科学特捜班〈青の調査ファイル〉
今野 敏 ST警視庁科学特捜班〈赤の調査ファイル〉
今野 敏 ST警視庁科学特捜班〈黄の調査ファイル〉
今野 敏 ST警視庁科学特捜班〈緑の調査ファイル〉
今野 敏 ST警視庁科学特捜班〈黒の調査ファイル〉
今野 敏 ST為朝伝説殺人ファイル〈警視庁科学特捜班〉
今野 敏 ST桃太郎伝説殺人ファイル〈警視庁科学特捜班〉
今野 敏 ST沖ノ島伝説殺人ファイル〈警視庁科学特捜班〉
今野 敏 ST化合 エピソード0〈警視庁科学特捜班〉
今野 敏 STプロフェッション〈警視庁科学特捜班〉
今野 敏 ギガース〈宇宙海兵隊〉
今野 敏 ギガース2〈宇宙海兵隊〉
今野 敏 ギガース3〈宇宙海兵隊〉
今野 敏 ギガース4〈宇宙海兵隊〉
今野 敏 ギガース5〈宇宙海兵隊〉
今野 敏 ギガース6〈宇宙海兵隊〉

今野 敏 特殊防諜班 連続誘拐
今野 敏 特殊防諜班 組織報復
今野 敏 特殊防諜班 標的反撃
今野 敏 特殊防諜班 凶星降臨
今野 敏 特殊防諜班 諜報潜入
今野 敏 特殊防諜班 聖域炎上
今野 敏 特殊防諜班 最終特命
今野 敏 茶室殺人伝説
今野 敏 奏者水滸伝 白の暗殺教団
今野 敏 フェイク〈疑惑〉
今野 敏 同期
今野 敏 欠落
今野 敏 変幻
今野 敏 警視庁FC
今野 敏 継続捜査ゼミ
今野 敏 蓬莱〈新装版〉
今野 敏 イコン〈新装版〉
後藤正治 天人〈深代惇郎と新聞の時代〉
幸田文 崩れ

幸田　文　台所のおと
幸田　文　季節のかたみ
小池真理子　冬の伽藍
小池真理子　ノスタルジア
小池真理子　夏の吐息
小池真理子　千日のマリア
幸田真音　日本国債(上)(下)〈改訂最新版〉
五味太郎　大人問題
鴻上尚史　あなたの魅力を演出するちょっとしたヒント
鴻上尚史　あなたの思いを伝える表現力のレッスン
鴻上尚史　八月の犬は二度吠える
鴻上尚史　鴻上尚史の俳優入門
鴻上尚史　青空に飛ぶ
小泉武夫　納豆の快楽
近藤史人　藤田嗣治「異邦人」の生涯
小前　亮　李《り》世《せい》民《みん》
小前　亮　趙《ちょう》匡《きょう》胤《いん》〈宋の太祖〉
小前　亮　朱元璋　皇帝の貌《かお》
小前　亮　覇《は》帝《てい》フビライ〈世界支配の野望〉
小前　亮　唐玄宗紀
小前　亮　賢帝と逆臣と〈康熙《こうき》帝《てい》と三藩の乱〉
小前　亮　始皇帝の永遠〈天下一統〉
香月日輪　妖怪アパートの幽雅な日常①
香月日輪　妖怪アパートの幽雅な日常②
香月日輪　妖怪アパートの幽雅な日常③
香月日輪　妖怪アパートの幽雅な日常④
香月日輪　妖怪アパートの幽雅な日常⑤
香月日輪　妖怪アパートの幽雅な日常⑥
香月日輪　妖怪アパートの幽雅な日常⑦
香月日輪　妖怪アパートの幽雅な日常⑧
香月日輪　妖怪アパートの幽雅な日常⑨
香月日輪　妖怪アパートの幽雅な日常⑩
香月日輪　妖怪アパートの幽雅な食卓〈るり子さんのお料理日記〉
香月日輪　妖怪アパートの幽雅な人々〈妖アパミニガイド〉
香月日輪　妖怪アパートの幽雅な日常〈ラスベガス外伝〉
香月日輪　大江戸妖怪かわら版①〈異界より落ち来る者あり〉
香月日輪　大江戸妖怪かわら版②〈異界より落ち来る者あり　其之二〉
香月日輪　大江戸妖怪かわら版③〈封印の娘〉
香月日輪　大江戸妖怪かわら版④〈天空の竜宮城〉
香月日輪　大江戸妖怪かわら版⑤〈雀、大浪花に行く〉
香月日輪　大江戸妖怪かわら版⑥〈魔狼、月に吠える〉
香月日輪　大江戸妖怪かわら版⑦〈大江戸散歩〉
香月日輪　地獄堂霊界通信①
香月日輪　地獄堂霊界通信②
香月日輪　地獄堂霊界通信③
香月日輪　地獄堂霊界通信④
香月日輪　地獄堂霊界通信⑤
香月日輪　地獄堂霊界通信⑥
香月日輪　地獄堂霊界通信⑦
香月日輪　地獄堂霊界通信⑧
香月日輪　ファンム・アレース①
香月日輪　ファンム・アレース②
香月日輪　ファンム・アレース③
香月日輪　ファンム・アレース④
香月日輪　ファンム・アレース⑤(上)(下)
近衛龍春　加藤清正〈豊臣家に捧げた生涯〉
木《この》原《はら》音《なり》瀬《せ》　箱の中

木原音瀬　美しいこと
木原音瀬　秘密
木原音瀬　嫌な奴
近藤史恵　私の命はあなたの命より軽い
小泉凡　怪談四代記〈八雲のいたずら〉
小島正樹　武家屋敷の殺人
小島正樹　硝子の探偵と消えた白バイ
小松エメル　夢の燈《ほ》影《かげ》〈新選組無名録〉
小松エメル　総司の夢
近藤須雅子　プチ整形の真実
小島環　小旋風《つむじかぜ》の夢《む》紘《げん》
原作 小島環　脚本 あなしん　おかざきさとこ　小説 春待つ僕ら
呉勝浩　道徳の時間
呉勝浩　ロスト
呉勝浩　蜃気楼の犬
呉勝浩　白い衝動
こだま　夫のちんぽが入らない
こだま　ここは、おしまいの地
講談社校閲部　間違えやすい日本語実例集〈熟練校閲者が教える〉
佐藤さとる　だれも知らない小さな国〈コロボックル物語①〉
佐藤さとる　豆つぶほどの小さないぬ〈コロボックル物語②〉
佐藤さとる　星からおちた小さなひと〈コロボックル物語③〉
佐藤さとる　ふしぎな目をした男の子〈コロボックル物語④〉
佐藤さとる　小さな国のつづきの話〈コロボックル物語⑤〉
佐藤さとる　コロボックルむかしむかし〈コロボックル物語⑥〉
佐藤さとる　天狗童子
佐藤さとる　絵／村上勉　わんぱく天国
佐藤愛子　新装版 戦いすんで日が暮れて
佐木隆三　慟哭〈小説・林郁夫裁判〉
佐高信　石原莞爾その虚飾
佐高信　わたしを変えた百冊の本
佐高信　新装版 逆命利君
佐藤雅美　恵比寿屋喜兵衛手控え
佐藤雅美　物書同心居眠り紋蔵
佐藤雅美　隼小僧異聞〈物書同心居眠り紋蔵〉
佐藤雅美　密約〈物書同心居眠り紋蔵〉
佐藤雅美　お尋者〈物書同心居眠り紋蔵〉
佐藤雅美　老博奕打ち〈物書同心居眠り紋蔵〉
佐藤雅美　四両二分の女〈物書同心居眠り紋蔵〉
佐藤雅美　白い息〈物書同心居眠り紋蔵〉
佐藤雅美　向井帯刀の発心〈物書同心居眠り紋蔵〉
佐藤雅美　一心斎不覚の筆禍〈物書同心居眠り紋蔵〉
佐藤雅美　魔物が棲む町〈物書同心居眠り紋蔵〉
佐藤雅美　ちよの負けん気、実の父親〈物書同心居眠り紋蔵〉
佐藤雅美　へこたれない人〈物書同心居眠り紋蔵〉
佐藤雅美　わけあり師匠事《こと》の顛末〈物書同心居眠り紋蔵〉
佐藤雅美　御奉行の頭の火《ほ》照《て》り〈物書同心居眠り紋蔵〉
佐藤雅美　江戸繁昌記〈寺門静軒無聊伝〉
佐藤雅美　青雲遙かに〈大内俊助の生涯〉
佐藤雅美　悪足掻《あが》きの跡始末 厄介弥三郎
酒井順子　負け犬の遠吠え
酒井順子　金閣寺の燃やし方
酒井順子　昔は、よかった？
酒井順子　もう、忘れたの？
酒井順子　そんなに、変わった？
酒井順子　泣いたの、バレた？
酒井順子　気付くのが遅すぎて、

講談社文庫　目録

酒井順子　朝からスキャンダル
佐野洋子　嘘ばっか〈新釈・世界おとぎ話〉
佐野洋子　コッコロから
笹生陽子　ぼくらのサイテーの夏
笹生陽子　きのう、火星に行った。
笹生陽子　世界がぼくを笑っても
沢木耕太郎　一号線を北上せよ〈ヴェトナム街道編〉
櫻田大造　「優」をあげたくなる答案・レポートの作成術
沢村凜　タソガレ
佐藤多佳子　一瞬の風になれ　全三巻
笹本稜平　駐在刑事
笹本稜平　駐在刑事　尾根を渡る風
佐藤あつ子　昭《あき》　田中角栄と生きた女
西條奈加　世直し小町りんりん
西條奈加　まるまるの毬《いが》
佐伯チズ　新装完全版　佐伯チズ式「完全美肌バイブル」〈1 2 3の肌悩みにズバリ回答!〉
斉藤洋　ルドルフとイッパイアッテナ
斉藤洋　ルドルフともだちひとりだち
佐々木裕一　若返り同心　如月源十郎〈不思議な飴玉〉
佐々木裕一　若返り同心　如月源十郎〈闇の顔〉
佐々木裕一　公家武者　信平《のぶひら》〈消えた狐丸〉
佐々木裕一　逃げた名馬〈公家武者　信平(二)〉
佐々木裕一　比叡山の鬼〈公家武者　信平(三)〉
佐々木裕一　公《く》卿《ぎょう》の罠《わな》〈公家武者　信平(四)〉
佐々木裕一　狙われた旗本〈公家武者　信平(五)〉
佐々木裕一　赤い刀身〈公家武者　信平(六)〉
佐々木裕一　帝《みかど》の刀《とう》匠《しょう》〈公家武者　信平(七)〉
佐々木裕一　若君の覚悟〈公家武者　信平(八)〉
佐藤究《きわむ》　Q J K J Q
佐藤究　Ank : a mirroring ape
佐藤究　サージウスの死神
佐野晶　三田紀房・原作　小説アルキメデスの大戦
澤村伊智　恐怖小説キリカ
さいとう・たかを　戸川猪佐武　原作　歴史劇画　大宰相〈第一巻　吉田茂の闘争〉
さいとう・たかを　戸川猪佐武　原作　歴史劇画　大宰相〈第二巻　鳩山一郎の悲運〉
さいとう・たかを　戸川猪佐武　原作　歴史劇画　大宰相〈第三巻　岸信介の強腕〉
さいとう・たかを　戸川猪佐武　原作　歴史劇画　大宰相〈第四巻　池田勇人と佐藤栄作の激突〉
さいとう・たかを　戸川猪佐武　原作　歴史劇画　大宰相〈第五巻　田中角栄の革命〉
さいとう・たかを　戸川猪佐武　原作　歴史劇画　大宰相〈第六巻　三木武夫の挑戦〉
さいとう・たかを　戸川猪佐武　原作　歴史劇画　大宰相〈第七巻　福田赳夫の復讐〉
さいとう・たかを　戸川猪佐武　原作　歴史劇画　大宰相〈第八巻　大平正芳の決断〉
佐藤優　人生の役に立つ聖書の名言
司馬遼太郎　新装版　播磨灘物語　全四冊
司馬遼太郎　新装版　箱根の坂(上)(中)(下)
司馬遼太郎　新装版　アームストロング砲
司馬遼太郎　新装版　歳月(上)(下)
司馬遼太郎　新装版　おれは権現
司馬遼太郎　新装版　大坂侍
司馬遼太郎　新装版　北斗の人(上)(下)
司馬遼太郎　新装版　軍師二人
司馬遼太郎　新装版　真説宮本武蔵
司馬遼太郎　新装版　最後の伊賀者
司馬遼太郎　新装版　俄(上)(下)
司馬遼太郎　新装版　尻啖え孫市(上)(下)
司馬遼太郎　新装版　王城の護衛者
司馬遼太郎　新装版　妖怪(上)(下)
司馬遼太郎　新装版　風の武士(上)(下)

司馬遼太郎 〈レジェンド歴史時代小説〉戦 雲 の 夢
司馬遼太郎・海音寺潮五郎 新装版日本歴史を点検する
司馬遼太郎・井上ひさし 新装版国家・宗教・日本人
司馬遼太郎・陳舜臣・金達寿 新装版歴史の交差路にて〈日本・中国・朝鮮〉
柴田錬三郎 お江戸日本橋(上)(下)
柴田錬三郎 貧乏同心御用帳
柴田錬三郎 新装版 岡っ引どぶ〈柴錬捕物帖〉
柴田錬三郎 新装版顔十郎罷り通る(上)(下)
白石一郎 庖丁ざむらい〈レジェンド歴史時代小説〉〈十時半睡事件帖〉
島田荘司 御手洗潔の挨拶
島田荘司 御手洗潔のダンス
島田荘司 暗闇坂の人喰いの木
島田荘司 水晶のピラミッド
島田荘司 眩（めまい）暈
島田荘司 ア ト ポ ス
島田荘司 異 邦 の 騎 士〈改訂完全版〉
島田荘司 御手洗潔のメロディ
島田荘司 P の 密 室
島田荘司 ネジ式ザゼツキー
島田荘司 都市のトパーズ2007
島田荘司 21世紀本格宣言
島田荘司 帝都衛星軌道
島田荘司 UFO大通り
島田荘司 リベルタスの寓話
島田荘司 透明人間の納屋
島田荘司 占星術殺人事件〈改訂完全版〉
島田荘司 斜め屋敷の犯罪〈改訂完全版〉
島田荘司 星《せい》籠《ろ》の海(上)(下)
島田荘司 屋 上
島田荘司 名探偵傑作短篇集 御手洗潔篇
島田荘司 火 刑 都 市〈改訂完全版〉
清水義範 蕎《そ》麦《ば》ときしめん
清水義範 国語入試問題必勝法
椎名誠 にっぽん・海風魚旅〈怪し火さすらい編〉
椎名誠 大漁旗ぶるぶる乱風編〈にっぽん・海風魚旅4〉
椎名誠 南シナ海ドラゴン編〈にっぽん・海風魚旅5〉
椎名誠 風 の ま つ り
椎名誠 ナ マ コ
椎名誠 埠頭三角暗闇市場
島田雅彦 悪 貨
島田雅彦 虚 人 の 星
真保裕一 連 鎖
真保裕一 取 引
真保裕一 震 源
真保裕一 盗 聴
真保裕一 朽ちた樹々の枝の下で
真保裕一 奪 取(上)(下)
真保裕一 防 壁
真保裕一 密 告
真保裕一 黄 金 の 島(上)(下)
真保裕一 発 火 点
真保裕一 夢 の 工 房
真保裕一 灰 色 の 北 壁
真保裕一 覇王の番人(上)(下)
真保裕一 デパートへ行こう!
真保裕一 ア マ ル フ ィ〈外交官シリーズ〉
真保裕一 ダイスをころがせ!(上)(下)

講談社文庫　目録

真保裕一　天魔ゆく空（上）（下）
真保裕一　ローカル線で行こう！
真保裕一　遊園地に行こう！
真保裕一　オリンピックへ行こう！
篠田節子　弥勒
篠田節子　転生
重松清　定年ゴジラ
重松清　半パン・デイズ
重松清　流星ワゴン
重松清　ニッポンの単身赴任
重松清　愛妻日記
重松清　青春夜明け前
重松清　カシオペアの丘で（上）（下）
重松清　永《と》遠《わ》を旅する者〈ロストオデッセイ　千年の夢〉
重松清　かあちゃん
重松清　十字架
重松清　峠うどん物語（上）（下）
重松清　希望ヶ丘の人びと（上）（下）
重松清　赤ヘル1975
重松清　なぎさの媚薬（上）（下）
重松清　さすらい猫ノアの伝説
柴田よしき　ドント・ストップ・ザ・ダンス
新野剛志　八月のマルクス
新野剛志　美しい家
新野剛志　明日の色
殊能将之　ハサミ男
殊能将之　鏡の中は日曜日
殊能将之　キマイラの新しい城
殊能将之　子どもの王様
首藤瓜於　脳男
首藤瓜於　事故係生稲昇太の多感
島本理生　シルエット
島本理生　リトル・バイ・リトル
島本理生　生まれる森
島本理生　七緒のために
小路幸也　高く遠く空へ歌ううた
小路幸也　空へ向かう花
小路幸也　スターダストパレード
小説 小路幸也　原案 山田洋次・平松恵美子　家族はつらいよ
小説 小路幸也　原作・脚本 山田洋次　脚本 平松恵美子　家族はつらいよ2
小説 小路幸也　原作・脚本 山田洋次　脚本 平松恵美子　妻よ薔薇のように〈家族はつらいよⅢ〉
島田律子　私はもう逃げない〈自閉症の弟から教えられたこと〉
辛酸なめ子　女修行
柴崎友香　ドリーマーズ
柴崎友香　パノララ
清水保俊　機長の決断〈日航機墜落の「真実」〉
翔田寛　誘拐児
白石一文　この胸に深々と突き刺さる矢を抜け（上）（下）
白石一文　神秘（上）（下）
小説現代編　石田衣良他著　10分間の官能小説集
小説現代編　勝目梓他著　10分間の官能小説集2
小説現代編　乾くるみ他著　10分間の官能小説集3
朱川湊人　冥《めい》の水底《みなそこ》（上）（下）
柴村仁　夜宵
柴村仁　プシュケの涙
柴田哲孝　クズリ〈ある殺し屋の伝説〉
塩田武士　盤上のアルファ

講談社文庫　目録

塩田武士　盤上に散る
塩田武士　女神のタクト
塩田武士　ともにがんばりましょう
塩田武士　罪の声
芝村涼也　孤《こ》闘《とう》の寂《せき》〈素浪人半四郎百鬼夜行(六)〉
芝村涼也　邂逅の紅蓮〈素浪人半四郎百鬼夜行(七)〉
芝村涼也　終焉の百鬼行〈素浪人半四郎百鬼夜行(八)〉
芝村涼也　追憶の翰《かん》〈素浪人半四郎百鬼夜行(拾遺)〉
真藤順丈　畦と銃
柴崎竜人　三軒茶屋星座館1〈冬のオリオン〉
柴崎竜人　三軒茶屋星座館2〈夏のキグナス〉
柴崎竜人　三軒茶屋星座館3〈春のカリスト〉
柴崎竜人　三軒茶屋星座館4〈秋のアンドロメダ〉
城平京　虚構推理
周木律　眼球堂の殺人〈~The Book~〉
周木律　双孔堂の殺人〈~Double Torus~〉
周木律　五覚堂の殺人〈~Burning Ship~〉
周木律　伽藍堂の殺人〈~Banach-Tarski Paradox~〉
周木律　教会堂の殺人〈~Game Theory~〉

周木律　鏡面堂の殺人〈~Theory of Relativity~〉
周木律　大聖堂の殺人〈~The Books~〉
下村敦史　闇に香る嘘
下村敦史　生還者
下村敦史　叛《はん》徒《と》
下村敦史　失踪者
下村敦史　緑の窓口〈樹木トラブル解決します〉
九把刀　阿井幸作／泉京鹿 訳　あの頃、君を追いかけた
杉本苑子　孤愁の岸(上)(下)
鈴木光司　神々のプロムナード
鈴木英治　大江戸監察医
杉本章子　お狂言師歌吉うきよ暦
杉本章子　大奥二人道成寺〈お狂言師歌吉うきよ暦〉
杉山文野　ダブルハッピネス
諏訪哲史　アサッテの人
菅野雪虫　天山の巫女《みこ》ソニン(1)　黄金の燕
菅野雪虫　天山の巫女《みこ》ソニン(2)　海の孔雀
菅野雪虫　天山の巫女《みこ》ソニン(3)　朱鳥《あけがらす》の星
菅野雪虫　天山の巫女《みこ》ソニン(4)　夢の白鷺

菅野雪虫　天山の巫女《みこ》ソニン(5)　大地の翼
鈴木大介　ギャングース・ファイル〈家のない少年たち〉
鈴木みき　日帰り登山のススメ〈あした、山へ行こう!〉
瀬戸内寂聴　新寂庵説法　愛なくば
瀬戸内寂聴　人が好き[私の履歴書]
瀬戸内寂聴　白道
瀬戸内寂聴　寂聴相談室　人生道しるべ
瀬戸内寂聴　瀬戸内寂聴の源氏物語
瀬戸内寂聴　愛する能力
瀬戸内寂聴　藤壺
瀬戸内寂聴　生きることは愛すること
瀬戸内寂聴　寂聴と読む源氏物語
瀬戸内寂聴　月の輪草子
瀬戸内寂聴　新装版　寂庵説法
瀬戸内寂聴　死に支度
瀬戸内寂聴　新装版　蜜と毒
瀬戸内寂聴　新装版　花《か》怨《えん》
瀬戸内寂聴　新装版　祇《ぎ》園女御《おんにょうご》(上)(下)
瀬戸内寂聴　新装版　かの子撩乱

2020年6月15日現在